# EL AMANTE DE JANIS JOPLIN

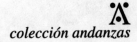

*colección andanzas*

# ÉLMER MENDOZA
# EL AMANTE DE JANIS JOPLIN

TUSQUETS EDITORES

1.ª edición en Tusquets Editores México: octubre 2001
1.ª edición en Tusquets Editores España: enero 2003

Diseño de la colección: Guillemot-Navares
Reservados todos los derechos de esta edición para
Tusquets Editores, S.A. - Cesare Cantù, 8 - 08023 Barcelona
www.tusquets-editores.es
ISBN: 84-8310-228-5
Depósito legal: B. 13-2003
Impreso sobre papel Offset-F Crudo de Papelera del Leizarán, S.A.
Impresión: A&M Gràfic, S.L.
Encuadernación: Reinbook, S.L.
Impreso en España

# Índice

Uno . . . . . . . . . . . . . . . . . . . . . . . . . . . . . 11
Dos . . . . . . . . . . . . . . . . . . . . . . . . . . . . . 21
Tres . . . . . . . . . . . . . . . . . . . . . . . . . . . . . 30
Cuatro . . . . . . . . . . . . . . . . . . . . . . . . . . . 42
Cinco . . . . . . . . . . . . . . . . . . . . . . . . . . . 53
Seis . . . . . . . . . . . . . . . . . . . . . . . . . . . . . 62
Siete . . . . . . . . . . . . . . . . . . . . . . . . . . . . 71
Ocho . . . . . . . . . . . . . . . . . . . . . . . . . . . . 79
Nueve . . . . . . . . . . . . . . . . . . . . . . . . . . . 89
Diez . . . . . . . . . . . . . . . . . . . . . . . . . . . . 102
Once . . . . . . . . . . . . . . . . . . . . . . . . . . . . 113
Doce . . . . . . . . . . . . . . . . . . . . . . . . . . . . 122
Trece . . . . . . . . . . . . . . . . . . . . . . . . . . . . 128
Catorce . . . . . . . . . . . . . . . . . . . . . . . . . . 137
Quince . . . . . . . . . . . . . . . . . . . . . . . . . . . 145
Dieciséis . . . . . . . . . . . . . . . . . . . . . . . . . . 153
Diecisiete . . . . . . . . . . . . . . . . . . . . . . . . . 161
Dieciocho . . . . . . . . . . . . . . . . . . . . . . . . . 168
Diecinueve . . . . . . . . . . . . . . . . . . . . . . . . . 175
Veinte . . . . . . . . . . . . . . . . . . . . . . . . . . . 187
Veintiuno . . . . . . . . . . . . . . . . . . . . . . . . . 192
Veintidós . . . . . . . . . . . . . . . . . . . . . . . . . 208

Veintitrés . . . . . . . . . . . . . . . . . . . . . . . . . 219
Veinticuatro . . . . . . . . . . . . . . . . . . . . . 222
Veinticinco . . . . . . . . . . . . . . . . . . . . . . 226
Veintiséis . . . . . . . . . . . . . . . . . . . . . . . 232
Veintisiete . . . . . . . . . . . . . . . . . . . . . . 239

Para Leonor

# Uno

Hace frío pero ¿a quién le importa? El tiempo no iba a detener a las parejas que bailaban bajo la magia de la Luna en lo alto de la sierra, a la entrada de un cobertizo semioscuro donde sólo había una grabadora y un caset. ¿Quién necesita más?, pensaba Carlota Amalia Bazaine mientras observaba a los mozos que hacían macherías fuera del baile, excluidos por falta de muchachas. Pensó en ir con ellos a echar relajo pero cambió de opinión: esa noche tenía ganas de otra cosa. No podía bailar, lo sabía todo el mundo, pues era una mujer apartada: Rogelio Castro le había puesto coto y nadie se atrevería a acercarse, mucho menos esos jóvenes que preferían molestar a David Valenzuela y asestarle manazos en la cabeza o en la espalda, al grito de Cierra el hocico, cabrón, se te va a meter una mosca. Estaban recién llegados de la costa o de los Estados Unidos, adonde habían ido a trabajar; los que se quedaron cosecharon *cannabis* y amapola, y les fue bien, siempre les iba bien, el Triángulo Dorado cada vez era más poderoso. En cambio David, pobre, era el tonto del pueblo. Aunque tonto-tonto no es, pensaba Carlota, No come bichos ni dice disparates; es un poco lento, inocente, ¿cómo decirlo?, más ingenuo pero tam-

11

bién más tierno que los demás. David se preguntaba qué hacer, siempre tenía problemas para decidir, en ese momento le pegaban y lo estaban corriendo de la fiesta. A fin de eludir la mordacidad de sus amigos se aproximó a los danzantes y se topó con ella. La novia de Rogelio Castro le echó una mirada coqueta que lo sonrojó. Él, Hola, iba a alejarse pero la voz de Carlota, ¡David!, lo paralizó. ¿Qué onda?, se volvió nervioso, con la boca abierta, y la mujer le dijo: Vamos a bailar. Estaba empezando una canción, David pensó en Rogelio Castro, Dicen que mató a seis en Santa Apolonia, ¿o a más de seis?, al menos fueron cuatro en lo de Verdugo, y se dijo a sí mismo: Mejor ni la veas, pero no quería negarse, ningún serrano lo haría, aunque no ignoraba que violar el derecho de apartado provocaría un desastre, y se quedó de pie. Ella lo miró a los ojos, ¿No quieres?, y David notó que se pasaba la lengua por los labios, Dios mío, una cosa es que tú la invites y otra que ella terquee. ¿Qué le ha dicho su padre sobre el amor?, que mata y requetemata. David la ha escuchado cantar *Yo soy rielera, tengo mi Juan* desde la casa contigua, ha soñado que la ve desnudarse mientras él se desplaza por el monte, volando en busca de presas, Mi mamá quiere un armadillo, necesita el aceite para la tos de mi hermana; lleva años soñando sus ojos verdes de gabacha, la blancura de su cuerpo espigado y hermoso. Al parecer Carlota lo sabía y si no lo sabía lo intuía, pues las mujeres siempre adivinan cuando le gustan a un varón. David abatió la cabeza, Bueno, dijo, y se dejó conducir junto a las otras parejas que bailaban fundidas. El pueblo era un mechón mal peinado.

Carlota abrió su chamarra roja y bailaron, David la llevaba con torpeza, no se atrevía a apretarla y la muchacha lo incitó: David, no seas tímido, ¿Eh?, Abrázame, para bailar a gusto, entonces se pegaron y él, que ya llevaba abierta la chamarra, sintió los senos de su pareja y tuvo una erección. Se apenó muchísimo: Dios mío querido, esto no puede ser; Carlota era la mujer que amaba, siempre vista y oída desde el patio de su casa o desde la cocina, ¿por qué se le paraba en ese momento? Sacó la cadera como Cantinflas, ¿acaso no decía su madre que tocarse allí era un pecado?, pero están más cerca los dientes que los parientes y David pronto se desinhibió y terminó por pegarse a la muchacha. Después de todo tenía casi veinte años y ella poco más de dieciséis. Hacía un frío inclemente, pero a los invitados que bebían o bailaban el tiempo les valía gorro. A través de una ligera neblina vio cómo los otros oscilaban sobre sí mismos, después de horas de beber Chacaleño. Entonces cerró los ojos y se dejó llevar por el vaho depositado en su oreja, sintió las piernas firmes de Carlota, respiró el perfume de su pelo, Ah, Quiero casarme contigo, pensó, Vente conmigo esta noche, vámonos a mi casa, a Durango, o a Culiacán, que está más cerca, nos podemos ir en avión o a caballo. Carlota Amalia lo estimulaba con suavidad, a ella no la obsesionaba el vecino pero no le disgustaba: era un muchacho simpático y pulcro, Qué pena que no sea normal; además, con el asedio de Rogelio Castro, ella no podía fijarse en nadie, eso le costó la vida a dos forasteros que no creían en apartados. Cuando era chica, le encantaba David, pero conforme fue creciendo advirtió esas pequeñas taras de las que todos hablaban, Lástima, y que lo hacían tan distinto: la boca siempre abierta, los dientes frontales tan desmesurados. Ahora comenzaba a sentir placer y se dejó llevar, no había pensado llegar tan lejos pero se hallaba excitada; así que le buscó conversación para cubrir las apariencias: Me contó el Duque que mataste tres conejos de tres pedradas, ¿tienes tan buena puntería?, Más o menos, David cavilaba en los hijos que tendrían, Unos cuatro, dos mujeres y dos hombres, ella insistió, ¿Te gusta el conejo?, Me encanta, Mejor seis mujeres y seis hombres, continuó pensando, ¿Cómo te gusta más?, En estofado, ¿y a ti?, Asado, ¿Podrías matar una rata a diez metros?, Nunca lo he hecho, ¿Y una tarántula?, Ésas las aplasto con el pie.

David estaba clavado, se habían desvanecido sus escrúpulos. Aferrado a aquel cuerpo santo que el destino había puesto en sus manos se abandonó al impulso que precede al orgasmo. Carlota percibió la fuerza del varón y pensó que se estaban excediendo, que todo tenía un límite, que era mejor hablar de conejos, pero a fin de cuentas estaba aburrida y casi nadie los veía, se hallaban en lo oscurito, así que se dejó llevar llevar llevar; en eso Carlota sintió que el hombre se arqueaba y conseguía la cúspide cuando estaba a punto de quebrarle el espinazo. El aire se impregnó de un intenso olor a semen y ella le acarició el cuello, asombrada, ¿Qué onda?, David se detuvo un momento, luego continuó bailando de manera mecánica, respirando grueso, sin sonreír; ella se separó un poco, pues en ese momento se detuvo el caset. ¿Por qué se lo había permitido, si ni novios eran?, Pobre, quién se va a fijar, es el tonto del pueblo.

Serían las ocho, tres cachimbas de diesel ardían en los linderos del patio. David no cejaba aunque el resto de las parejas ya se había disuelto, Me quiere, me la voy a llevar a mi casa, la puedo mantener con lo que gano en el aserradero, si su novio se enoja me la llevo a Tamazula, le compro ropa, llegamos con mi tía Altagracia; pero antes de que empezara la siguiente rola los separó ni más ni menos que Rogelio Castro, ¿Qué pendeja es ésta, tontolón? ¿Se te olvidó quién es el dueño de esta morra? Lo empujó, Tú sabes bien que aquí nomás mis chicharrones truenan, ¿o qué?, David no pronunciaba palabra. Aunque fueron juntos a la primaria, Rogelio siempre fue un canalla, No ha pasado nada, lo interrumpió Carlota, ¿Te pregunté, eh?, el recién llegado olía a alcohol y a mota quemada, la chica les dejó el campo libre, ¿qué más podía hacer? No ignoraba su error: aunque estuviera harta, no podía bailar ni con el tonto del pueblo. David seguía trabado, intentaba controlar las ganas de ir a evacuar; en cambio Rogelio ya se estaba apaciguando, Todos saben que con esa vieja nomás mis huesos, que la tengo plaqueada, en el fondo pensaba, Pinche tonto, qué le pudo haber hecho.

No fue la luz de las cachimbas, que era tenue, fue la Luna lo que alumbró la mancha de semen en el pantalón caki. Rogelio bajó la vista y fue como si le hubieran inyectado lamias, Hijo de tu pinche madre, sacó su revólver, Nomás eso me faltaba, que el más tonto del pueblo me quisiera ver la cara. Podía matarlo allí mismo sin mayor trámite pero quería humillarlo, y se volvió a su novia, ¿Andas ganosa? Ahorita tú y yo nos vamos a arreglar, hija de la chingada, al rato vas a saber lo que es canela, luego le gritó a David, ¿Eres muy hombre, cabrón?, y le tiró a los pies para que bailara, Conque muy machito, ¿eh?, dio otro disparo y David cayó junto a una cachimba con serios retortijones. Rogelio trataba de patearle los genitales pero no le atinaba, aprovechando que había bajado la pistola, David procuró huir hacia el monte pero su enemigo, Adónde vas, hijo de tu madre, le cerró el paso y lo agarró a patadas, David intentó alejarse, mas el patio crecía y crecía con el espanto, Quiero ir al baño, gritó, Rogelio disparó al aire, Párate, tonto pendejo, Quiero ir a mi casa. Sabía que había llegado su hora, por más tonto que sea, un serrano amenazado por cuestiones de amor con una pistola sabe que no tiene salvación, y menos si el atacante era Rogelio Castro. Su familia era la más exitosa en la siembra de mariguana y también la más sanguinaria de la región. Eran siete hermanos y Rogelio el más cruel: Vas a chingar a tu madre, pinche cabrón. David vislumbró a Carlota Amalia vuelta de espaldas para no mirar, abrazada por sus amigas. Los demás permanecieron quietos, la violencia genera cobardía. Entonces David miró a su oponente, que antes de sacrificarlo se daba el lujo de apuntar al cielo con la pistola, para luego bajar el arma lentamente, cuando tocó una roca con la punta de los dedos y le tiró una pedrada veloz a la cabeza, Pock, como supremo mecanismo de defensa.

Rogelio cayó sin sentido. El golpe fue tan tremendo que generó un vacío, un instante donde la luz de la Luna estaba en las cachimbas y la de las cachimbas quién sabe dónde. David miró a los otros lleno de asombro, ¿Le pegué?, lo veían con caras alargadas como relojes de Dalí, ¿Le pegué en la cabeza? Creyó ver a su propio padre entre las sombras, rodeado de animales, Papá, no sé qué hice, pero su imaginación lo traicionaba, también creyó ver a su madre y a sus hermanas, buscó la Vía Láctea para saber si estaba soñando, pero el cielo estaba oculto por la niebla y se quedó en suspenso, ¿Dónde estará Carlota?, me gustó bailar con ella.

En eso, David sintió como si alguien despertara dentro de su cabeza, y escuchó una voz interior: ¿Qué trabajos me esperan? Ojalá no me lleven demasiado tiempo, ¿Qué pasa?, se preguntó David, los presentes se habían congelado alrededor del cadáver, que aún sostenía la pistola, luego la gente comenzó a moverse y todo fueron voces y más voces, ¿Quién le avisa a don Pedro Castro?, Hagan algo con el tontolón antes de que lleguen los hermanos, Avisen a su papá, Chale, no quisiera estar en sus zapatos, Pobre güey, ¿qué le van a hacer?, Carlota observaba el cuadro aterrada. David se sintió confundido, ¿Le pegué en la cabeza? Rogelio no era tan malo con él, y David lo acababa de matar como al venado que se encontró en el sendero: de una sola pedrada, Pueblo chico infierno grande, aseveró la voz, Debo salir de este maldito castigo, y la niebla se apoderó del patio.

La culpa es de Carlota, dijeron los que bebían Chacaleño, ¿Qué tiene que andar bailando si sabe que está apartada?, Espero que no se altere demasiado cuando sienta que estoy aquí, susurró la voz interior, que se oía ligeramente eléctrica, El comienzo siempre es difícil, Llamen al comandante Nazario, sugirió alguien, y David sintió que unas ganas de evacuar le estrujaban el vientre. Se había acordado del comandante Nazario, días antes, cuando buscaba armadillos, vio cómo él y sus hombres asesinaban a tres presuntos guerrilleros en una cañada. La cárcel de Chacala era un cuarto inmundo que tenía el olor avasallante de la mierda acumulada, ¿Me va a apresar el comandante Nazario?, se preguntó y le respondió la voz: David, ¿me oyes? La voz, que podría ser la de una mujer que habla grueso o la de un hombre delicado, habitó completamente su cabeza, se la apretó, la oía perfectamente pero no comprendía, Veo que es un caso de cánones endebles, y David abrió más la boca con gesto tembloroso, ¿Qué, quién habla?, Qué bueno que me escuchas, manifestó la voz, y el miedo lo paralizó de inmediato. David escudriñó entre la niebla, pero nadie le ponía atención, todos se ocupaban del difunto, No me busques porque no me verás, estoy dentro de ti, ¿Dentro de mí?, Acabas de aniquilar a ese infeliz, ¿Dónde estás, quién eres?, Estoy dentro, ya te dije, no me preguntes, No puedes estar en mi cabeza, Claro que puedo, cálmate, te voy a explicar, ¿Eres el diablo?, No, soy tu parte reencarnable, ¿Qué?, Tu karma, lo que va a reencarnar de ti cuando te mueras, Cuando yo..., no entiendo, No te preocupes, ya comprenderás, No me quiero morir, Tranquilízate, no te voy a hacer daño, No quiero oírte, eres el chamuco, déjame, los demás oyeron los gritos y rodearon al muchacho, No hagas escándalo, reclamó la voz, Para hablar conmigo no tienes que hablar, puedo oír lo que piensas, David sacudía la cabeza, Lárgate, maldito, no quiero ir al infierno, resoplaba ferozmente, se escarbaba los oídos y gritaba: Vete, vete. Nunca se dio cuenta de que los demás lo observaban con ojos desorbitados, Abran paso, dijo alguien y David reconoció la voz de su padre, Papá, no quiero condenarme, ¿Condenarte? Olvídate, si te agarran te van a matar, lo tomó del brazo, El diablo está en mi cabeza, Tranquilo, ahora vámonos, y salieron al callejón, donde los esperaba un caballo.

Galoparon algo más de un kilómetro sobre los cerros enanos y pararon en la pista de aterrizaje. El papá oteó entre la niebla hasta que distinguió el cobertizo, y ahí dentro al piloto, bebiendo a un metro de su avioneta. Fue al grano pero el aviador se negó, No, señor, con este tiempo es muy peligroso, ya ve: usted y yo apenas nos vemos, además no estoy autorizado para volar de noche, Entiendo, te ofrezco dos veces el costo del vuelo, ¿Qué pasó, señor?, el piloto se rehusó con ironía, Me gusta el desmadre pero no tanto, la vida es lo único que tengo, Está bien, que sean cinco, para que te costee. David escuchaba a su padre sin comprender, era tan larga la cadena de eventos que lo atosigaban que no terminaba de reflexionar en uno cuando ya estaba ocurriendo otro, ¿Me tengo que ir?, ¿adónde?, Claro que te tienes que ir, dijo la voz, Eres un matón y los matones no hacen verano, Cállate, le respondió a gritos, los dos hombres lo miraron, ¿Que se calle quién?, Está un poco nervioso, explicó su padre, Debe ir con el doctor, ¿Por qué no lo lleva con el médico de don Pedro Castro?, No, necesito enviarlo a una clínica particular, Pues lo siento, no puedo llevarlo, se aferró el piloto, a lo lejos se empezaron a escuchar gritos incomprensibles que rompían la neblina, Acabo de traer a Rogelio Castro y me ordenó que durmiera aquí, Ah, ¿tú eres el piloto de Rogelio? El hombre afirmó pegando los labios, Pues más vale que te peles, a Rogelio lo acaban de matar y parece que vienen por ti, ¿oyes esos gritos?, No me quiera ver la cara que no soy ningún mocoso, No tengo por qué, ¿no eres tú el que llegó hace menos de una hora? Trajiste a Rogelio al baile y ahí lo mataron por una mujer, Ah, caray, el piloto quedó intrigado, La mujer se llama Carlota y venía por ella, ¿verdad? Pues ahí quedó y te andan buscando, A mí, ¿por qué?, El padre de la muchacha te considera cómplice. A lo lejos se oyó un grito apenas inteligible: Entrégate, el piloto miró a Alfonso Valenzuela, Por diez, Por cinco, y lo llevas a esta dirección, Ah qué, señor Valenzuela, no se hable más: esta vida es un camote, ¿viene usted?, No, es mejor que me quede. A David lo perturbaba su parte reencarnable, que pretendía aconsejarlo: Si has matado a alguien más vale que huyas, un poco de movilidad no te vendrá mal, ¿No será mejor a caballo?, le preguntó a su padre, ¿Quieres que te atrape Nazario? Te tienes que ir en avioneta y apúrate antes de que el señor cambie de opinión, te va a dejar en casa de tus tíos, vas a estar con ellos unos días. El piloto encendió los motores, David empezó a gimotear, ¿Y el diablo?, su papá lo abrazó, No le hagas caso, hijo, y lo empujó a la nave, Sé que es duro, pero te tienes que ir, ya conoces a los Castro, ¡Hilo papalote!, el avión avanzó unos metros, su papá se quedó en la pista de aterrizaje cada vez más borroso, ¿desde cuándo no lloraba así?, escuchó dos disparos, Calmado, dijo el piloto, Un rato más y estaremos en Culiacán.

## Dos

Eran las once de la noche cuando el taxista lo dejó en casa de sus tíos. Su parte reencarnable no se había manifestado pero sin duda continuaba allí, agazapada en algún pliegue del cerebro. Tomaron la calzada Aeropuerto, la carretera Culiacán-Navolato y el boulevard Zapata hasta la col Pop. David estaba desencajado y boquiabierto pero al menos había dejado de temblar. Tres horas antes había matado a Rogelio Castro.

Mientras volaban en la oscuridad, el piloto le había dicho: La vida es un camote, Rogelio venía muy animado por la muchacha y ahí quedó, ¿Y a ti qué te pasa, carnal? ¿Por qué te van a mandar a la clínica? David respondió que se hallaba enfermo del estómago, que ya no resistía el dolor, Te ves jodido, asintió el piloto, hablaba fuerte por el ruido del Cessna, y le contó que a él le encantaban los riesgos: A mí me ha pasado de todo, compita, he transportado goma con tormentas, me han parado los pintos, he robado muchachas, me he estrellado seis veces, he planeado sin gasolina; me gusta el peligro, la adrenalina, sólo me falta matar a un cristiano, eso nunca lo he hecho, se necesita otra clase de valor para andar de ángel exterminador. Al oír esto, David vio a Rogelio caer como si fuera de trapo, desplomarse entre las tres cachimbas encendidas. Por la ventanilla se le aparecía de vez en cuando la chamarra roja de Carlota Amalia, su sonrisa, y más allá, como telón de fondo, la Vía Láctea, Venus, las Siete Cabrillas acompañando a la Luna.

El taxista prendió la radio y la primera canción que David escuchó fue *Obladí-Obladá*, Qué ruido, se quejó su parte reencarnable. La presencia de esa voz lo perturbaba y sintió ganas de hacer del cuerpo, cosa que advirtió su karma, No debes temerme, soy parte de ti, ¿tienes miedo de ti mismo?, No entiendo, dijo David, Es que está en inglés, son los Beatles, respondió el taxista; luego agregó, Ya llegamos; David, se impuso la voz que surgía de su interior, Cuando te dirijas a mí no es necesario que hables, puedo oír lo que piensas, ¿Eh?, Que ya llegamos, repitió el conductor.

Descendió frente a la casa de sus tíos sin saber qué decir. Entró al porche, donde había tres mecedoras blancas y una mesita de centro. Por la puerta de entrada salía la luz sosegada de una lámpara esquinera, iba a tocar cuando reparó en su tía, que afanaba en bata de dormir, David, ¿qué haces aquí, muchacho?, Buenas noches, tía, la abrazó, ¿Vienes solo?, Dile que vienes conmigo, dijo la voz, Sí, ¿Pasa algo? Te ves alterado, ¿están bien en tu casa?, Sí, todos bien, no se preocupe, ¿Por qué vienes tan ligero? ¿Te vas de mojado?, la idea no pudo ser más oportuna, Sí, voy a los Estados Unidos a trabajar, ¿Cómo?, ay, muchacho, qué susto me diste, ¿no trabajas en el aserradero con tu padre?, Ya no, ¿En qué te viniste?, En avioneta, Cuéntame de Chacala. En dos minutos la puso al tanto: El frío está insoportable, ¿Tus padres?, Igual, ¿Tus hermanas?, Creciendo, No te hagas el occiso, dile que acabas de matar a ese infeliz, David empezó a temblar, no quería hablar de su parte reencarnable, su tía notó el cambio pero lo atribuyó al cansancio del viaje, ¿Ya cenaste?, La famosa hospitalidad de los mexicanos, agregó la voz, Esta mujer es una verdadera matrona, No, pero no tengo hambre, Pasa a la cocina, María Fernanda y Johnlennon están acostados, tu tío está viendo la tele. ¿Qué tal los bailes en Chacala?, Bien, igual que siempre, Ya me imagino: las casadas y las apartadas en un rincón, las solteras en otro y los hombres rondando, ¡ah!, y cuidadito si alguien se atreve a meterse donde no debe, ¿verdad?, Ándele, aprobó con una sonrisa, ¿Te acuerdas de la última vez que los visitamos? ¡Dios mío querido, qué frío!, fue hace casi dos años, en Semana Santa, ¿no fuimos a aquel baile, pues?, y un fulano terco en bailar con la Nena, pobrecita, hasta se enfermó. David no se acordaba del baile pero sí del mayor de sus primos, ¿Y el Chato, tía? El Chato era su primo favorito, era casi dos años mayor que él y estudiaba economía en la universidad; de niños era su compañero de juegos cada vez que se veían, después fue su gran protector, el que siempre le prestaba oídos, el que en las noches profundas, mientras escudriñaban el cielo, le enseñó a reconocer miríadas de estrellas, Ésa es la Vía Láctea, dicen que está formada con la leche que escupió Hércules cuando era amamantado, a esa galaxia pertenece la Tierra; también lo había llevado dos veces al cine, la primera vez vieron la historia de dos primos, uno de la ciudad y otro del campo, tal como ellos; la segunda cinta trató de un recién graduado que primero se acostó con una

23

señora y luego se enamoró perdidamente de la hija, una chavita que ya tenía compromiso, como Carlota Amalia; al Chato sí le contaría de la pedrada y de su parte reencarnable, él sí sabría comprender.

La tía sopesó sus palabras, Al Chato ya no lo vemos, hace ocho meses que no vive aquí, anda metido en algo de política con los estudiantes, dichoso tú que no sabes de eso mijo, dizque quieren cambiar al mundo, ¿tú crees?, dice tu tío que no se saben cambiar calzones, ¿de dónde sacan que pueden cambiar al gobierno? Por cierto, no menciones al Chato delante de Gregorio, pero nada de nada, la verdad es que lo corrió, le ordenó que se dejara de tonterías y tu primo no obedeció. Mientras hablaba, su tía cocinó machaca con verdura y frijoles, le sirvió queso fresco, tortillas de harina y Coca-Cola. David no tenía hambre, le dolía todo el cuerpo, su mente era un caos: no podía olvidar la caída de Rogelio Castro, el asombro de los presentes, la turbación de Carlota Amalia, y sobre todo la voz interior. ¿Cómo está tu mamá?, inquirió su tía, insatisfecha con tanta parquedad, Bien, ¿Tus cuatro hermanas?, Bien, ¿Tu papá? En realidad, David temía por su jefe. Su padre no se llevaba mal con don Pedro Castro pero la muerte lo cambia todo, no sabía qué sería de él en estos momentos. Mi papá está bien, trabajando, ¿Y por qué te quieres ir de bracero, ya te entró la ambición?, Pues no tanto. Las voces atrajeron a su tío Gregorio, que entró en camiseta y boxers, el rostro recién afeitado, ¡Quiubo, cabrón!, ni ruido hiciste, ¿viniste solo?, Sí, ¿Y tu pinche padre?, Bien, le manda saludos, ¿Ya se le quitó lo joto?, se respondió él mismo: Se me olvida que no es gripa, Deja de decir leperadas, lo interrumpió su esposa, David se va de bracero, ¿De bracero?, ¡no chingues, sobrino, también caíste en la trampa! Recuerda que la codicia es un pecado capital, la verdad es que esos pinches gringos se lo llevan todo: el tomate, la berenjena, el chile, el pepino, los camarones, hasta a los plebes, se sirvió agua del refrigerador, ¿Y por qué te vas, necesitan dinero?, Sí, ¿Quieres cenar, viejo?, Nada, y tú dile al joto de tu padre que no te mande al otro lado, que se ponga a vender dulces en el aserradero o que siembre mariguana, ¿no viven en el Triángulo Dorado?, Pues sí, dijo David, ¿Se acabó el juego?, la tía María intentó cambiar de tema, no quería darle malas ideas al sobrino, Hace rato, respondió Gregorio, ¿Quién ganó?, ¿Cómo que quién ganó, vieja?, ¡manos les hicieron falta a los pinches Gigantes!, ¿Manos?, Sí, para pelarles la..., Gregorio, por favor, y le explicó a su sobrino, Tu tío es yanqui de hueso colorado.

En eso estaban cuando dos vehículos chirriaron frente a la casa, todo fue pasos y gritos, Ave María purísima, un comando de judiciales entró a la cocina, apuntándoles con rifles de asalto y escuadras cuarenta y cinco, ¡Todos contra la pared y no me hagan ningún ruidito!, ladró el comandante, un hombre gordo, que no cabía en el uniforme, con bigote a la Pedro Armendáriz. Quiero un registro exhaustivo, ordenó a su gente, ¿Qué pasa?, preguntó Gregorio, Callados si no quieren pasarla mal, les apuntaban cinco policías malencarados. Gregorio era un hombre apolítico que siempre votaba por el PRI, malhablado y todo, iba a misa los domingos, pagaba impuestos y trabajaba honradamente, tenía una tienda de equipo deportivo: Deportes Babe Ruth, así que insistió: Por favor, explíqueme de qué se trata, Que se calle el hocico, el comandante le pegó un culatazo en los riñones, Hablarán cuando yo lo autorice, Oiga, somos gente decente, no tiene por qué tratarlo así, replicó María, Mi esposo es el dueño del Babe Ruth, ¿No entiende que se calle? Y nadie se mueva. Gregorio respiraba con dificultad, quebrantado por el golpe; entretanto, David se moría de miedo, Ya me la partieron, Te van a llevar preso, advirtió la voz con ironía, Acabas de matar a un hombre; David tenía la boca seca y el estómago revuelto, recordó el sonido del cráneo al romperse, Pock, le volvieron los retortijones, no podía con la molestia, Dios mío, que no vaya a salir con mi domingo siete. Sus amigos le habían contado de las interconexiones entre policías, pero no creía que fueran tan efectivas, Qué pronto me torcieron, ni modo: el que la hace la paga, como dice mi papá; tendré que entregarme: Señores, no es justo que molesten a mis tíos, yo soy el que buscan, díganle al comandante Nazario que aquí estoy, Es una buena idea, secundó la voz, ¿Estos policías practican la tortura terminal?, Les juro que no fue mi culpa, Rogelio me quiso matar pero le gané el jalón, así que estoy en sus manos; antes de que dijera palabra volvieron los que hacían el registro, empujaban a su prima María Fernanda, dos años más joven que él, y a Johnlennon, el menor de seis años, que trastabillaba empujado por el cañón de una escopeta recortada. A María Fernanda se le salían los ojos, Papá, ¿qué pasa?, traía el cabello cubierto con una bolsa de plástico, Son todos, mi comandante, Falta uno, busquen bien, los policías continuaron el registro, Gregorio se arriesgó de nuevo,

Si buscan al mayor, no está, el comandante le dio un segundo culatazo, ¡Oiga, qué le pasa, me va a matar al hombre!, si buscan a mi hijo no está, ¿Qué hijo?, preguntó socarrón el agente. David deseaba descubrirse: Ningún hijo, tía, vienen por mí, acabo de matar a Rogelio Castro, pero el comandante gritó: ¡Mascareño!, y del techo llegó una voz, Cero, mi comandante, y el jefe ordenó: Bájese. Eduardo Mascareño saltó al patio: alto, fornido, de bigote leve, rompía el estereotipo del judicial, Teniente, ayude a interrogar. Llevaron a los detenidos a la sala y Mascareño examinó los retratos, la pared estaba llena de fotos de familia y de imágenes de beisbolistas famosos, en la pared del fondo había un librero con la enciclopedia Quillet, libros de la colección Sepan Cuántos, enciclopedias de beisbol, figuritas de porcelana y varios tomos de *Super Hit*, finamente encuadernados; a un lado, la lámpara encendida y el pasillo por el que se alcanzaban a ver las tres recámaras vacías. ¿Está seguro, mi comandante?, luego se dirigió a la familia y reparó en David, A ver, Bocachula, mira nomás cómo te tienen los nervios, ¿no serás nuestro objetivo?, Él no es el Chato, se aventuró María, Es mi sobrino y acaba de llegar de Chacala, El viejo truco, dijo el comandante, aunque en el fondo sabía que decían la verdad. Al oír a su jefe, Mascareño pateó a David justo en el hígado, la patada fue tan tremenda que lo tumbó de lado, Identifíquese, pero David no traía identificación, ¿para qué quería identificación allá en la sierra? En su vida había tenido una, ni siquiera de estudiante, ya que a duras penas terminó la primaria; sin embargo, ni el golpe, ni las amenazas del teniente, ni la brutalidad recrudecida lo acobardaron, de pronto se había dado cuenta de que en realidad buscaban a su primo y eso le dio una extraña alegría, ¿De qué te ríes, cabroncito?, María Fernanda, a quien llamaban la Nena, y que según su papá sería una famosa abogada, intentó interceder con cautela, ¿Me permite, señor? Soy del club biológico de Mayté Balderas, la hija del gobernador, Pura madre, replicó el comandante, No me charolee, ¿por qué trae el pelo embolsado? María Fernanda se sonrojó y continuó con voz aflautada, Sabemos que buscan a mi hermano, pero mi papá lo corrió y no lo hemos visto; trataba de sobrellevar el susto y se preguntaba cómo podría conseguir que su amistad con la hija del gobernador les ayudara en algo, Nosotros no somos responsables de los actos de mi hermano, no merecemos este trato, y en cuanto a mi primo, se trata de un pobre serrano incapaz de matar una mosca, mírelo: apenas acaba de llegar, De veras, apoyó su madre, Le acabo de dar machaca, puede ver la cazuela, Nada pescadito, Mascareño tenía ganas de ponerse turbulento, Este pájaro se viene con nosotros, y lo obligó a ponerse de pie, A ver, Bocachula, vamos para que conozcas a Santo Clos, Creo que vas a morir esta noche, se burló la voz interior, David escuchó la risa de su parte reencarnable y no pudo soportarla: No, gritó, Vete, se tiró al suelo, Sal de mi cabeza, y se jaló los cabellos. Todos se quedaron quietos mientras David resoplaba, hasta que, Tranquilo, mijo, la tía lo abrazó. Es el diablo, tía, traigo al diablo en la cabeza. María se dirigió a Mascareño, Está enfermo, mi sobrino no está bien. El agente estaba acostumbrado a desconfiar y sin embargo no se movió, al igual que muchos otros de sus compañeros no

28

sabía cómo reaccionar ante la locura. El judicial observaba en silencio y la Nena aprovechó para insistir, Comandante, mi primo no tiene nada que ver con mi hermano, además no está bien de salud; mi primo es un campesino, vea sus manos: como dice Atahualpa Yupanqui, los callos son su credencial y la renueva dos veces al año, No diga pendejadas, la interrumpió el policía, ¿Dónde está Gregorio Palafox Valenzuela?, Lo corrí, explicó el tío, No estoy de acuerdo con su ideología. Mascareño lo miró con recelo, parecía a punto de pegarle, pero en ese momento Johnlennon se tiró un largo pedo que hizo reír a los policías más próximos. Uno de los agentes que estaban en el techo se acercó al comandante y murmuró que era del barrio, que conocía de vista a la familia y que David no era el Chato. El comandante lo miró con desprecio, No le he pedido aclaraciones, de repente lució muy cansado y ordenó, Vámonos, teniente, movilice a los Dragones. Cuando todo parecía terminar, Mascareño infligió un rodillazo a David, que rodó por el suelo, Para que aprendas a hacerte el interesante, Bocachula, y el comandante se acercó a Gregorio, A la otra me lo llevo a usted, para que responda por los estropicios de su hijo.

Dejaron la puerta abierta y la familia se quedó sumida en la impotencia, Son chingaderas, murmuró Gregorio, Todo por culpa de ese cabrón. David levantó la vista y miró por la ventana: la Luna era una moneda.

# Tres

No se desvistió, solamente se quitó las botas vaqueras. Johnlennon, que dormía en la cama contigua, expulsó la enésima flatulencia. Su voz interior insistía en que el crimen le había dejado una marca, que el recuerdo de Rogelio siempre lo perseguiría. Se sentía destrozado. Recordaba la piedra entrevista, apenas tocada, y la intención febril de defenderse. Minutos antes, su prima lo había ayudado a levantarse mientras su tío renegaba del Chato, No quiero que se hable de él en esta casa, explotó con amargura, ¿Entienden?, para mí está muerto y enterrado, Tranquilo, viejo, Papá, esto no puede quedar así, hay que demandarlos, ¿A quién vamos a demandar?, ¿a la policía?, Claro, añadió María Fernanda, No podemos tolerar este atropello, imagínate, violaron nuestras garantías individuales, al rato nos van a hacer cera y pabilo.

Se sentaron en la sala. Gregorio parecía desconsolado, Vamos a demandarlos, insistió la Nena, La Constitución nos ampara, No se le puede ganar a la policía, Claro que se puede, ¿por qué vamos a permitir que policías y demás caterva violen las leyes?, Piensa en la violencia que se va a generar, en eso la tía reparó en David, que miraba el librero con expresión angustiada,

¿Te sientes mejor?, Me duele la cabeza, Nena, dale una aspirina, que se lave y que duerma en la cama del Chato, pobre inocente, qué culpa tiene.

La habitación era amplia, Johnlennon dormía a pierna suelta. Ahorita regreso, dijo la Nena, ¿Te acuerdas en dónde está el baño?, David asintió, y en cuanto se quedó solo experimentó ganas de llorar: no podía quedarse, sería mejor que se largara antes de que hubiese amanecido. La idea de irse de bracero empezaba a interesarle, pero ¿cómo podría llegar a ese país del que tanto hablaban sus amigos? ¿Cómo sería en realidad California? A lo mejor había tanta cerveza como decían, a lo mejor era cierto que las mujeres andaban casi desnudas. ¿Habría armadillos, pinos? ¿Le darían trabajo en un aserradero? Estaba considerando cómo conseguir empleo cuando la Nena entró a la recámara y le lanzó un frasco de medicina: Que te cures con esto las patadas, y como Johnlennon se estaba destapando, se acercó a acomodarlo, se sentó en la cama y empezó a platicar: ¿No has matado otro venado?, Ya casi no hay, los gomeros y los pintos se los están acabando, ¿Y por qué te vas de bracero?, Para trabajar, ¿Te duelen las patadas?, Sí, Son unas bestias, te juro que hasta a mí me dolieron, pero los vamos a demandar, vas a ver; Prima, ¿por qué buscan al Chato?, Parece que el muchacho necesitaba emociones fuertes y se metió de guerrillero, ¿Anda tirando balazos?, Yo creo que nomás le está haciendo al loco, dice mi papá que en cuanto le apriete el hambre se regresa, pero a ver si lo recibe, Ojalá no le pase nada, Qué le va a pasar, ser guerrillero es como una moda, y de la moda, ya sabes, lo que te acomoda; la Nena consultó su reloj: Primo, te dejo dormir, mañana tengo un día terrible, examen de mate y no sé nada; viéndola bien, qué salvada te diste al no tener que estudiar, imagínate: examen de matemáticas en sábado y a las ocho de la mañana, ¡qué horror! Se dirigió a la puerta, Nena, ¿Sí?, ¿Por qué te pusiste esa bolsa en el cabello?, María Fernanda se sonrojó de nuevo, Es que de vez en cuando me unto mayonesa, es un remedio naturista y me queda muy brilloso, ¿No te huele mal?, Más o menitos, pero vale la pena el sacrificio, Ay, prima, dijo David, Traes cabeza de sándwich, y se echó a reír. Mientras su primo se burlaba, María Fernanda se esmeró en cubrir a Johnlennon, aunque no era necesario, bastante molesta por el chistecito; Nena, ¿nunca has sentido una voz en tu cabeza?, No, respondió con menos simpatía, Ni que estuviera loca, ¿Y sabes qué es la parte reencarnable?, En mi vida había oído eso, ¿Será una enfermedad?, No sé, si quieres mañana te lo averiguo, que sueñes con los angelitos.

En cuanto se quedó solo, David miró por la ventana. Yo ni quería ir a ese baile, ya me iba a ir cuando Carlota me sacó a bailar, No digas tonterías, dijo su voz interior, Desde que andabas tras el armadillo no pensabas en otra cosa, agradece que el pretendiente llegó solo, si no..., Cállate, ¿Y el comandante Nazario?, Calla, ¿Qué estará haciendo la policía de Chacala?, Te digo que te calles, Yo creo que te van a perseguir. David recordó los últimos momentos en la sierra: los disparos, y se preguntó qué habría pasado con su papá. Se recostó entre sollozos, no era más que un pobre muchacho de veinte años a quien la vida acababa de jugarle una mala pasada.

Toda la noche padeció a su parte reencarnable, que como terrible migraña se posesionó hasta del último cartílago. David la sintió pasear por su cabeza, como si tomara posesión de un territorio. La voz le repetía que se dejara de pendejadas, que se acostumbrara a su presencia, que sus miedos le importaban un carajo. Le hablaba en tono mordaz, abyecto e impositivo, y le decía que jamás se iba a librar de ella. Esta cantilena invadió todos sus sueños y sólo se interrumpió hasta que lo agitó su prima, ¿Tenías pesadillas?, No, se incorporó sudoroso, Estabas hablando en voz alta, han de ser tus remordimientos, ya nos contó mi tío, ¿Mi papá?, Acaba de llegar, ven, te está esperando en la cocina.

No eran las diez de la mañana. Le dolía todo el cuerpo y los golpes le estaban haciendo moretones. Se puso las botas, Ándale, lo apremió Fernanda, Tu papá está muy preocupado, ¿Vino solo?, Pues sí, ¿a quién esperabas?, ¿Esperabas al comandante Nazario?, se burló la voz interior, ¿O a Carlota Amalia?, Esperaba a mi mamá, contestó David.

Alfonso Valenzuela llegó por carretera. Se veía demacrado y exhausto, pero liberado de una gran preocupación. Desde que puso a su hijo en la avioneta se concentró en negociar con el padre del difunto. Haciendo de tripas corazón consiguió que los Castro respetaran la vida de David a condición de que éste no pusiera un pie en Chacala. Así me lo ordenó don Pedro Castro, ¿Y mis amigos?, ¿y mi trabajo en el aserradero?, Mejor hazte a la idea de que no vas a regresar nunca, ¿Y la policía, Alfonso?, Ellos harán lo que don Pedro disponga, el señor es compadre del comandante Nazario, las armas se las compra él, Los ha de tener bien cebados, comentó Gregorio, Cebados es poco, Vi cómo mató a unos muchachos en la cañada del Cacachila, dijo David, Dizque eran guerrilleros, Es la autoridad, siempre hace eso y más, tú como los indios: mira y calla. David lo escuchaba con sorpresa: su padre le parecía una persona distinta, un hombre frío y calculador al que no conocía; pensó que no debía depender de él, que el plan de irse de bracero no era tan malo y así se lo dijo. Su padre respondió que no estaba jugando y que por supuesto no iba a depender de él, que debía establecerse y buscar trabajo, para que dejara de darles problemas a sus tíos, Al contrario, comentó Gregorio, Nosotros se los acarreamos a él, ¿verdad, David?, anoche le dieron su calentadita, A ti te pegaron para ver si así se te quita lo huevón, ahí nomás te la pasas con el chingado beisbol, ¡éntrale al trabajo duro!, como los hombres, No soy burro más que pura madre, eso apenas para ti, que te gusta romperte el lomo, María sirvió café, Alfonso, David no está bien, ¡Cómo va a estar bien, María, después de lo que ha vivido!, María insistió, Oye voces y se pone muy mal, deberías llevarlo con un médico, No chingues, hermana, mi hijo puede tener sus problemas pero no está loco, se volvió a David, ¿Sigues oyendo las voces? David sintió ganas de llorar pero se aguantó, no lo haría frente a su padre así se le aparecieran todos los diablos del universo, asintió, Ajá, ¿las empezaste a oír antes o después de lo de Rogelio?, Después, ¿Ya ves? Tranquilo, es por el susto, muy pronto no oirás nada y ni te vas a acordar, Pueque tengas razón, dijo Gregorio, Te aseguro que no, susurró la voz interior. David iba a hablar de ella cuando, ¿No van a desayunar?, preguntó

María, Yo me tengo que ir, se excusó Alfonso, Me esperan en el aeropuerto, voy a regresar en la avioneta de mis jefes, No te vas sin comer algo, pinche joto, me vale madre si te deja el avión; vieja: haz algo de volada, si no este cabrón va a andar diciendo que vino y que no le ofrecimos ni un vaso de agua, así es de hocicón. María cocinó huevos a caballo y los sirvió con queso fresco, frijoles y más café, Órale, cabrón, pa que sepas que en casa de tu hermana se come, no chingaderas, además son afrodisiacos, vas a llegar a tu casa como treinta, que ojalá sirva de algo, Ah, cómo chingó un borracho anoche, A ver si así le cumples a la Tere, Ya cállate, tú qué sabes de cosas de hombres, David permaneció en silencio, jamás había comprendido estas discusiones.

¿Y el Chato?, preguntó su papá, Ese cabrón sí está loco, pa que veas; imagínate: quiere tumbar al gobierno, Salió a ti, Está de la chingada, estos plebes de ahora están muy raros, se la pasan leyendo y oyendo una música que no me explico cómo soportan, Y el pelo, intervino su esposa, Ahora traen el pelo más largo que las mujeres, nomás falta que se pongan diademas o que se hagan cola de caballo, Oyen esa música y se ponen a criticar al gobierno y a los empresarios, de ahí no hay quien los mueva, ¿de dónde sacan estos pendejos que la religión es el opio del pueblo?, hazme el favor, dicen puras chingaderas, Con una buena pela se les baja, si aparece el Chato, mándamelo unos días y te lo regreso como sedita, Ni creas, ya no es como antes, yo con el Chato le hice todas las luchas: hablé con él, le di dinero, lo mandé de vacaciones, le puse sus chingazos y ¿qué pasó? Nada, ahí anda valiendo madre sabe dónde, y pa acabarla de chingar los pinches judiciales me echan la culpa, que me van a llevar preso, ¿En serio?, Eso dijo el pinche panzón del comandante, pero manos le van a hacer falta al hijo de la chingada, estoy pensando en demandarlo, ¿A la policía?, Claro, No eres más pendejo porque no puedes, La Nena y yo pensamos que es necesario, intervino María, ¿Por qué nos vamos a cruzar de brazos?, Si lo dejamos así, después no nos van a quitar las manos de encima, ¿Y ustedes qué saben, María?, esos cabrones van a ir sobre Gregorio, lo van a madrear, le van a sacar el mole, ¿no dices que ya le dieron su probadita?, La Constitución nos protege, dijo la Nena, Vivimos en un estado de derecho, Mira, sobrina, con todo respeto, ésas son mamadas de los libros de civismo, no tienen nada que ver con la realidad, ¿sabes cómo negocié anoche con don Pedro Castro?, su hijo Sidronio me alcanzó en la pista de aterrizaje, y don Pedro, como es su costumbre, me dio exactamente el tiempo en que se fuma un cigarro para explicarle qué pasó; ¿crees que me parece justo separar a David de la familia?, pues no, pero si me niego lo matan, ¿Y qué dijo la autoridad, tío?, ¿no se opuso?, ¿El comandante Nazario?, ¡qué se iba a oponer, si era el testigo!, Qué cabrón, musitó Gregorio, ¿Y tú crees que respetarán el convenio?, Un trato es un trato, Los serranos son muy vengativos, Pero también son derechos, además, don Pedro Castro estuvo de acuerdo y Nazario también, Sidronio fue el único que quería cobrarse, como que trae demasiado rencor en la sangre, no sabes lo que tuve que prometerle a don Pedro para que lo apaciguara. Antes que Alfonso agregara una palabra más, su hermana lo interrumpió: Alfonso, llévale esta tela a la Tere para que le haga algo a sus hijas, y toma, le entregó una bolsa de machaca; María, no me cargues, por favor, Pendejo, si no lo vas a cargar tú, Es lo que tú crees, Vieja, si llaman los del equipo diles que voy en camino, voy a llevar a este joto al aeropuerto.

Se subieron al Valiant, o al *Valium*, como lo llamaba el Chato. David iba en el asiento de atrás, escuchando la conversación entre su papá y su tío: ¿Tanto ha cambiado la ciudad?, Pues sí: hay balaceras por todas partes, unos dicen que son los gomeros, otros que la guerrilla, y a los que vienen a fregar es a nosotros, Yo lo único que sé es que si demandan a la policía no se la van a acabar, La policía siempre vigila, remató Gregorio. Cuando tomaron la carretera al aeropuerto, su papá se volteó hacia atrás y le ordenó, Ahora sí, hijo, cuéntame cómo estuvo. David le contó cómo trató de huir, cómo lo derribaron en medio del patio, la manera en que el destino le puso la piedra exacta en la punta de los dedos, y cómo supo que pegarle en la cabeza era su única salvación. Defendiste tu vida, confirmó su papá, y al ver la cara mojada y el gesto extraviado de su hijo se preocupó, ¿Te sientes bien?, El diablo dice que no fue en defensa propia, que soy un vulgar asesino, ¿Te está hablando ahora?, el joven hizo un brusco movimiento de cabeza, ¿Qué te dice?, Dice que te lamas las pelotas, su tío se rió: Dile que se las lama él.

Guardaron silencio hasta que David recordó la chamarra colorada de Carlota, el vaho en su oreja, ¿Y Carlota?, Ay, mijo, deliberadamente no había tocado el tema, Ni modo, estás en edad, Quiero casarme con ella, Justamente ése fue tu error, uno no debe tocar a una mujer apartada, ¿no te enseñé a respetar? Para acabar de fregarla te metiste con los Castro, y por eso para ti se acabaron Chacala y Carlota, ¿me oyes?, su papá fue muy firme: De piedras no quiero ni que las veas, ¿entendiste?, luego se hizo un silencio de estuco, en el que el sol mojaba el valle. Carlota insistió, explicó el muchacho, Aun así, enfatizó su padre, Una mujer apartada es una mujer sagrada, grábatelo, Ahora que no tiene dueño, ¿me puedo casar con ella?, No puedes, estalló su padre, ¿No te digo que la olvides?, Mejor ni moverle, coincidió Gregorio; Alfonso tomó aire y continuó: Desde ahora tú inicias una nueva vida, tu tío te va a encontrar trabajo, vas a vivir solo, harás lo que te dé la gana, pero Carlota ya no existe para ti.

Llegaron al aeropuerto. David reconoció a lo lejos la Piper Cheroke del aserradero y supo que en ella iba a regresar su papá. Era la segunda vez que veía una avioneta en menos de trece horas. Antes de caminar hacia la pista de aterrizaje, su padre le dio unos billetes, Toma, para tus gastos, y añadió: Ya le di a tu tío para que no te falte nada, te va a encontrar dónde vivir, Sí, papá, Haz exactamente lo que te ordené: no te muevas de la ciudad, No, papá, No quiero que te metas en problemas, ¿Y el diablo?, Eso bórralo de tu cabeza, Ahí te lo encargo, comprometió a Gregorio, Cuando le hayas encontrado casa, échale sus vueltas, No te preocupes, Y no demandes a la judicial, de nada sirve, se van a reír de ti.

David insistió en quedarse en el aeropuerto hasta que la avioneta se perdió de vista. De regreso a la ciudad, se imaginó a su padre enfrentando a don Pedro Castro, y pensó en Chacala, adonde no podría regresar. Entonces sintió que lo invadía el vacío: Me voy a morir, expresó, No es eso, comentó la voz, Es sólo una de las formas que tiene el hombre de percibir la soledad. Su tío, que lo observaba de reojo, le preguntó si le gustaba el beisbol. ¿Beisbol?, repitió David, Nunca lo he jugado.

Cinco horas después estaba en un campo deportivo viendo jugar al equipo Deportes Babe Ruth, que Gregorio patrocinaba y dirigía. Iban perdiendo por paliza: once a uno. En la octava entrada, cuando comprendió que todo estaba perdido, el tío le propuso pichar, Sólo lánzale la bola al cácher, ¿Cómo?, Haz de cuenta que el guante es un conejo, ¿Así nomás?, Tiene su ciencia, no te creas, pero ahorita con que lances la bola me conformo, Órele, Vístete pues, le pasó el uniforme que fue del Chato, ¿Vas a jugar?, Johnlennon tenía rato sentado sobre la bolsa del uniforme, comiendo papitas con refresco. Gregorio llamó al cácher, Santos Mojardín, alias el Cholo, y le presentó a David, Éste es mi sobrino, va a entrar al relevo, pídele al centro; y tú, David, lánzale exactamente donde Santos ponga el guante. Al Cholo, un muchacho robusto y ojeroso, no le gustó la idea de meter a un principiante, Nos van a protestar el juego, No importa, de todas maneras ya perdimos, el Cholo observó al nuevo pícher, que no tenía una expresión muy inteligente, con la boca abierta y los dientes de fuera, y decidió reclamar: Oiga, ¿no le falta un veinte pal peso?, Cabrón, ¿te crees Albert Einstein o qué?, no te vayan a contratar los pinches rusos, No se agüite, nomás decía.

Ignorando la actitud del Cholo, David tomó la pelota y empezó a calentar, iba a lanzar al guante de otros miembros del equipo cuando una duda comenzó a invadirlo: la bola tenía el mismo tamaño que la piedra con que había aniquilado a Rogelio Castro, sólo que pesaba menos, y se dirigió a Gregorio, Oiga, tío, mi papá me dijo que no tirara piedras, Esto no es una piedra, es una pelota, tú, tranquilo, ¿no te gusta tirarle a los conejos?, Pues sí, Es lo mismo, tú tírale al guante, Está bien, como usted diga. David lanzó siete bolas de calentamiento y el ejercicio le agradó. Es un conejo que no se mueve, pensó. Entretanto Gregorio habló con el ampáyer y el Cholo los animó, Vamos, compitas, como dijo Yogui Berra: esto no se acaba hasta que se acaba, y es la de ahí.

Santos fue a la lomita de los disparos y le recomendó que tirara con fuerza. El siguiente bateador entró a la caja y, a una señal del Cholo, David hizo su primer lanzamiento: la pelota tenía velocidad, dirección, control, y consiguió un estraick, Ora putos, gritó el Cholo. Inmediatamente, el mánager del otro equipo fue a discutir con Gregorio, ¿Y este morro, Goyo?, Me lo acaban de mandar de los Yunaites, Creí que te lo habían enviado los rusos, No seas pendejo, Ríos, los rusos no juegan beisbol; el ampáyer limpiaba el jom, ¿Sabes que ya perdiste, verdad, y que puedo impedir que mis muchachos bateen?, No seas cabrón, Ríos, déjame probar a este morro, hoy por mí mañana por ti, Está bien, aceptó el contrincante, pero en el fondo no estaba muy convencido.

Ése fue su error. David lanzó estraicks suficientes para ponchar a dos bateadores; de los otros, sólo uno conectó jonrón, y el último out cayó en roletazo al cuadro. ¡Machín, carnal!, le gritó el Cholo, Gregorio estaba eufórico y el equipo también, Pinche morro, ¿de dónde salió?; para completar la felicidad de Gregorio, el presidente de la liga llegó a informarle que lo eligieron mánager de Los Tomateros de Culiacán, que iría a Los Ángeles a jugar seis partidos: tenía dos semanas para formar el equipo con gente de entre dieciocho y veinte años, arreglar pasaportes y hacer uniformes, Oye, Gregorio, piensas llevar a este pícher, ¿verdad?

Durante el regreso a casa en el *Valium* verde, Gregorio comentó: Mira, sobrino, irás a los Estados Unidos, pero no de bracero como querías, sino jugando beisbol, ¿qué te parece?, Que está bien, Tengo dos semanas para enseñarte un par de trucos, ¿has oído hablar de la bola ensalivada?, No, Si mataste a un güey de una pedrada, bien puedes pichar contra los gringos, eres lo que se llama un diamante en bruto, ¡manos les van a faltar a los desgraciados!; luego añadió rabioso: Si el Chato se dejara de pendejadas, podría jugar de shortstop, y con el Cholo, imagínate qué pinche batería, Tío, ¿El Cholo no es mayor de veinte?, Sí, pero tiene un acta de nacimiento de dieciocho. Aún sin comprender del todo, David empezó a compartir el entusiasmo de Gregorio; tenía muy claro que, entre más se alejara de Chacala, mejor para él.

# Cuatro

¿Ves a ese bateador? ¿Por qué no le das en la cholla, como a Rogelio? La presencia de su parte reencarnable llenó su cabeza cuando menos la esperaba. Hasta entonces la voz de muchacha con una hormona de más lo había dejado tranquilo, mas parecía que hubiese estado esperando ese momento para volver a molestarlo, justo cuando vestía el uniforme de Los Tomateros, enfrentando a la perra batería de la Universidad del Sur de California. Estaban en la cuarta entrada. Durante el resto del juego su recta de noventa y tres millas había sido veneno puro, al grado de que consiguió retirar a diez peloteros en fila: tres entradas y un tercio. Nadie lo creía. Todos estaban pasmados. Desde que comenzó a lanzar, el público mexicano empezó a gritarle en las tribunas: Sandy Koufax, Sandy Koufax, Eres único, pinche Sandy.

Pero entonces oyó la voz, Este juego me gusta, desarrollará tu instinto asesino, y rompió el contacto; la reaparición de su parte reencarnable consiguió hacerlo transpirar y lo sacó de sus casillas. El diablo no existe, murmuró, No existe, no existe; por lo general conseguía tranquilizarse con esta letanía, pero ahora su karma tenía otros planes. Gregorio lo vio cubrirse la cara

42

mojada con el guante y comprendió que las voces habían regresado, así que pidió tiempo y entró al terreno de juego. El Cholo y otros jugadores pretendieron asistir al conciliábulo, pero Gregorio les gritó que se quedaran en sus puestos, El diablo no existe, repetía David, que para ese momento ya veía manchas en las tribunas; ¿Te sientes mal?, preguntó Gregorio, Oigo al diablo, tío, explicó sin quitarse el guante de la cara, Pinche diablo, qué latoso, estás pichando una joya y ese cabrón viene a echarle mierda al agua, puta madre. Oye, sobrino, ¿y si le haces caso a la voz?, ¿por qué no le sigues la onda tantito? A lo mejor ayuda, El diablo dice que se olvide, que no va a funcionar, Ni modo, sobrino, Gregorio hizo señas de que viniera otro pícher, David le dio la bola y se quitó el guante de la cara. Cuando se dirigía a los vestidores resoplaba fuerte y tenía la boca seca. El Cholo: ¿Qué onda, carnal? Lo miró sorprendido. El público aplaudió al Sandy y le silbó a Gregorio, no entendía por qué relevaba al pícher si lo estaba haciendo tan bien. Los mexicanos somos así, dijo uno, Si alguien está haciendo bien las cosas nos lo jodemos, pinche mánager.

Ya en los vestidores, David se acostó en una banca y se agarró la cabeza. Tan pronto salió del campo, el otro equipo comenzó a reponerse y Los Tomateros recibieron la paliza de su vida. Al final del partido apareció un gringo fumando puro, era de origen cubano, Eh, mánayer, ¿por qué sacó al chico, al primer pícher?, Se sentía mal, ¿Qué le pasó?, Le hicieron daño las hamburguesas, Coño, espero que esté bien, los Dodgers tienen interés en él, ¿Cómo?, Sí, le extendió su tarjeta, Pensamos que puede ser un excelente cerrador,

¿Cómo está eso?, Queremos contratarlo, ¿Habla en serio?, Chico, aquí está el papel, le mostró un documento en inglés, ¿Me lo puede traducir?, Cómo no, el gringo, cuyo apellido era Kent, explicó cláusula por cláusula, algunas, Gregorio las apuntó, otras se las grabó y las últimas ni siquiera las escuchó, pensando cuánto iba a ganar su sobrino; el Cholo y el resto del equipo escuchaban boquiabiertos; el señor Kent manifestó que el muchacho se tenía que quedar, que planeaba incorporarlo al equipo de Sacramento, que en tres días lo llevaría a Washington para que sostuviera su primer juego de liga, Estábamos buscando a un pícher como él, es una suerte que lo haya encontrado, Pero no tiene *green card*, No importa, nosotros nos encargamos de arreglarla, ¿Y tendrá servicio médico?, preguntó Gregorio, que no olvidaba el problema de las voces, Coño, ¿padece el chico alguna enfermedad?, Claro que no, lo digo por las hamburguesas, *No problem*, cuando se vuelva a enfermar le doy un tecito de camomilla y santo remedio, además el seguro médico lo cubre todo, de un dolor de cabeza a una depresión, Entonces hilo papalote, dijo Gregorio, ¿Cuál es el siguiente paso?, Firmar y que se quede, ¿dónde se encuentra esa estrella?, En los vestidores, Vamos a que eche la firma, Mejor yo le llevo el contrato y después nos vemos en el motel Six de Sunset Boulevard, tiene usted mi palabra, Okey, mi hermano, el gringo echó una fumarola, Síyiu leirer, ¡Qué onda!, gritó el Cholo, nadie lo podía creer.

David se había dormido en la banca. Gregorio lo despertó para contarle cuánto le convenía firmar el contrato: Si no llegas a jugar, cuando menos te pueden curar, yo creo que te conviene, ¿qué dices?, Lo que usted diga, Entonces echa tu poderosa, le acercó el contrato donde ya figuraba su nombre, Lo que te dije, expresó exultante, Pinches gringos, se llevan lo mejor. ¡Sandy Koufax!, gritó el Cholo. Los demás jugadores se turnaron para felicitarlo y lo instaban a ir a celebrar. David estaba confundido, si bien comprendía lo grandioso que era firmar con un equipo donde además de jugar pagaban, no se explicaba tanta euforia, pues interesar al agente no le había sido tan difícil, Un equipo gringo, insistió el Cholo, Ni más ni menos que los Dodgers, hasta la raza ya te puso el Sandy Koufax, ¿qué más quieres, carnal? Santos le pasó una cerveza pero Gregorio advirtió, No puede beber, el documento dice que, si toma, pierde el contrato automáticamente, por ahora no puede darse ese lujo. Imagínate: un año en juvenil, si te cuidas como debe ser, pronto estarás en triple-A y de ahí al equipo grande no hay más que un paso: entonces sí, cabrones, a ganar billetes como pendejo; mira, sobrino: hay oportunidades que sólo se presentan una vez en la vida y no hay que desaprovecharlas, lo único que lamento es que no te hayan fichado los Yanquis. El Cholo agregó que no se preocupara por las cervezas, que él se tomaría las que le tocaban, y de puro júbilo le vació a David el contenido de la botella, Ese Sandy, le gritaron, Vietnam, Vietnam, y se desató una guerra de cubitos de hielo, agua, cerveza y orines, que lo obligaron a abandonar el lugar precipitadamente.

No se le olvidaba que había matado a un hombre, qué va, además ahí estaba su parte reencarnable para recordárselo, pero el viaje y el resultado del partido lo estaban tranquilizando, a pesar de que el impacto con la gran urbe lo dejó pasmado: Dios mío, ¿qué es esto?, edificios, tráfico, neón y la prisa de la gente por las calles; Qué carrerío, qué ruidazo; acostumbrado a otras inmensidades no comprendía cómo se podía vivir en ese tráfago, Así es aquí, pinche Sandy, la gente te la encuentras y como si no existieras. El Cholo Mojardín, de quien se había hecho gran amigo, no se le separaba un segundo. A pesar de que lo veía más ojeroso que nunca, David admiraba su desfachatez y buen humor. Santos Mojardín era hablador, mujeriego, totalmente urbano, fan de Jim Morrison y los Rolling Stones. Hijo de un parvifundista que poseía tierras próximas a la ciudad, odiaba la vida austera y estudiaba agronomía para que lo mantuvieran sus papás. Desde el año anterior había empezado a vender mariguana, que fumaba con frecuencia, y había aprovechado el viaje a California para hacer negocios. Viajando en un camión del Tecnológico de Culiacán y con invitación especial, sabía que nadie iba a esmerarse en revisar el equipaje, así que introdujo una maleta repleta de nomeolvides a espaldas de Gregorio. Luego se conectó con un par de gringos que pretendieron venderle pastas en el estadio, y en el primer rato libre los convocó en el motel. Les entregó la carga, le dieron a cambio una bolsa llena de dólares de baja denominación y asunto arreglado. David miraba todo esto con preocupación, pues él y el Cholo ocupaban la misma habitación en el motel.

Ligeramente angustiado por el negocio, David abandonó el lugar para recorrer el esplendor nocturno. Caminó por Sunset Boulevard, anonadado por el desmadre, de tanta luz no se veían las estrellas. David se movió entre negros, latinos y blancos con menos aprensión que en días anteriores, observó bares, restoranes, tiendas, prostitutas, maricones. Escuchó un bullicio impetuoso, como si allí se concentrara toda la diversión del mundo, Es verdad lo que me contaron en Chacala, hay cerveza hasta pa tirar parriba y las viejas andan casi bichis. Es el paraíso de los íncubos, expresó su parte reencarnable, Especial para marines recién desembarcados. David intentó ignorar a la voz y se esforzó en recordar a Carlota Amalia, ¿Qué estará haciendo?, durmiendo o platicando con sus amigas. Pensaba en ella e inevitablemente recordó a Rogelio, Si se hubiera retrasado diez minutos, tal vez estaría vivo y yo estaría con Carlota en Tamazula. Avanzaba rumbo a Hollywood, A lo mejor estaríamos en Culiacán. Querida Carlota, le escribiría una carta para decirle que se viniera, que él ya no podía regresar, Por culpa de don Pedro Castro, ¿sabes?, se lo exigió a mi papá; perdona la letra, es la primera carta que escribo, nunca había tenido a quién, aquí es muy bonito, estoy trabajando con los Dodgers y ya estoy buscando casa, hay unos edificios más altos que los sabinos de la cañada del Cacachila, vine a jugar beisbol, me contrataron los gringos, no me gusta, pero dice mi tío Goyo que voy a ganar mil veces más que en el aserradero, ah, vieras cómo hay hielo, en el motel hay una máquina que hace cubitos, nosotros agarramos cada rato porque son gratis, jugamos a la guerra de Vietnam, a veces te echan en la espalda, abajo de la camisa o te mojan todo. Deambuló sin rumbo, poco a poco el estrépito fue decreciendo, sin darse cuenta se internó en una callejuela solitaria y oscura y se detuvo alarmado,

¿Y el motel? ¿Dónde quedó? Lo distrajo un chisporroteo: un transformador humeaba. Se oían risas, llantos
y gritos, *Hello?* Escuchó el saludo de una mujer, *Are
you Kris Kristofferson?* David abrió la boca, no entendía
ni papas, ella dio una fumada a su carrujo y dijo sin
soltar el humo, *Is this place the Chelsea Hotel?* David afirmó con la cabeza, la mujer sonrió, *Great, follow me,* y le
hizo señas de que la siguiera. ¿Qué onda, de qué se trata?, David la observó sin moverse, Puede ser el diablo,
pensó, Se ha salido de mi cabeza, No digas babosadas,
replicó su parte reencarnable, Esa mujer quiere carne
de cañón. David recordó que su madre siempre le advertía: El diablo es muy astuto, se aparece en todas las
formas posibles: de hombre, de mujer, de animal, de
lo que sea; sólo una cosa no puede cambiar: las patas,
fíjate en las patas, si tiene la forma que sea, la más dulce, la más seductora, pero tiene pezuñas, Ave María
purísima, es el diablo, no cabe duda; David le buscó
los pies a la mujer, pero ésta vestía una túnica tan larga que los ocultaba, y se acobardó: como acababa de
matar a un hombre, era factible que le ocurriera cualquier cosa, incluso que se le apareciera Lucifer bajo
una forma femenina, Y bajo la forma de una mujer
atractiva, pensó. David experimentó una aguda taquicardia y el sentimiento de indecisión, ¿debía salir
corriendo?, ella se volvió demandante, *Come on, what's
happening, guy?* Y por fin le vio los pies de floristera,
Uf, sonrió tranquilo y caminó hacia ella.

Entraron a una casa aparentemente solitaria, hasta
una habitación inmensa. David advirtió que la mujer
lo miraba con fijeza extraviada, ¿estaría apartada? No
era alta ni baja, vestía una especie de caftán psicodéli

48

co y no era bonita ni fea: de larga cabellera quebrada, castaña, se encontraba en ese interludio donde una sonrisa hace la diferencia. Susurraba una canción: *Busted flat in Baton Rouge,* había almohadones de todos tamaños, *waiting for a train,* objetos de los indios americanos y pósters de cantantes en las paredes, *feeling nearly faded as my jeans;* entonces la mujer se desnudó ante el azoro de David, ¿Qué onda?, no tenía ropa interior bajo la túnica, sólo los pies hermosos de Madame Pompadour, *Let's fuck,* Haberlo dicho, pensó David, Si nomás de eso se trata. Había bromeado tanto con el Cholo sobre la posibilidad de seducir a una gringa que de inmediato comprendió el significado de esas palabras y comenzó a despojarse de la ropa. La mujer lo besó con suavidad, *Yes, baby,* luego más intenso, le acarició los genitales y se acostó sobre la alfombra morada, *Kiss my pussy, baby,* Ni lo pienses, gritó su parte reencarnable, pero a David no le importó; luego la penetró respirando fuerte, siempre guiado por ella, y en un instante tuvo un orgasmo de muerte, Ahhh, mejor que con Carlota Amalia Bazaine. Luego se recostó a su lado, la mujer le sonrió, se incorporó y fumó del cigarro que no había abandonado, *Do you know who I am?,* David se limpió el sudor con el dorso de la mano, se le antojó decir, Soy de Chacala, dicen que tengo muy buena puntería, venimos a jugar beisbol, ¿fuiste al juego?, qué amenazantes son los negros, ¿verdad?, tienen el bat y parece que te quieren dar con él, yo piché un poco y me contrataron los Dodgers, la raza me gritaba, Sandy, Sandy; pero sólo sonrió y mostró su par de dientes frontales, Janis Joplin, afirmó la mujer, *I'm Janis Joplin, you can tell everybody you fuck Ja-*

49

*nis Joplin,* y le indicó la puerta. *Go, baby, get out, please,* David entendió, observó por un instante los pies y sonrió, luego se levantó, se vistió y salió sin decir palabra.

Cuando llegó al motel todos dormían, todos menos el Cholo Mojardín, que salía del baño peinando su larga cabellera, ¿Oye, qué onda, qué te pasó, por qué te sacó el ruco?, y decidió no contarle lo de las voces, Me sentí mal, Ese pedo de las hamburguesas que te lo crea tu madre, ni hamburguesas comiste, güey, ¿crees que no te vi? David se caía de sueño: De veras, tenía ganas de ir al baño, Órale, puto, ahí te llevo con la confianza, pero que conste, ¿eh?, no te quise preguntar delante de la raza, me dije: Ésta es una bronca acá, entre camaradas, y ve con lo que me sales; como dijo el viejo Yogui: Cuídate mucho de no saber adónde vas porque puedes no llegar. Cholo, lo interrumpió David, Dime quién es Janis Joplin, La Bruja Blanca, carnal, ¿La Bruja Blanca?, Así le dicen, es la cantante de rock más pesada, *the hippy rock star, the rock's acid queen,* ¿qué onda, por qué me lo preguntas?, ¿quieres dejar a Los Broncos de Reinosa ahora que te volviste famoso? Le lanzó la sección deportiva de *Los Angeles Times,* olorosa a tinta. Allí aparecía una fotografía de David y había una nota sobre su contratación. Al mismo tiempo, sin habérselo propuesto, vio una foto de Janis Joplin en la sección de espectáculos, Es Janis, ¿verdad?, Simón, tiene una voz acá, gruesa y hermosa, canta con Big Brother and The Holding Company, ella misma compone muchas de sus rolas, es texana y le encanta la chiva, no puede vivir sin sus rayas, el año pasado hizo un desmadre en Woodstock. ¿Qué más?, preguntó David, pero el Cholo no quiso platicarle, alegando que ya no había confianza; Bueno, cedió David, Sólo júrame que no te vas a burlar, y le contó lo que pasó en la noche. Mojardín casi se cae de la cama, Ah, cabrón, él sabía que Janis tenía esa costumbre, que de tanto en tanto buscaba obreros o raza de la calle para acostarse con ellos pues era bien alivianada, pero no estaba preparado para esa segunda sorpresa, Carnal, eso tenemos que festejarlo. Antes de que David pudiera impedirlo, el Cholo convocó a otros miembros del equipo, que trajeron cervezas, hielo, refrescos; lleno de alegría exageró la aventura del Sandy, tal vez por eso la mayoría de los presentes no creyó una palabra. Espero que no te hayan pegado la purgación o el chancro sifilítico, vaciló el más escéptico, Oye, pinche Sandy, propuso el Cholo, Aunque no tomes hay que decir salud, y le pasó una Budweiser, Con un trago no le pasa nada a nadie, Simón, Y si la Janis te pasó la sífilis no hay bronca, carnal, ha de ser de la buena, Pinche tonto, qué suerte tiene, ¿no?, ¡Qué va a agarrar morras ese pobre infeliz!, ¿no le ves la cara y los dientotes?, Nunca falta un roto para un descosido, Pero andar con la Janis, no friegues, que se lo crea su abuela. Deberías celebrar, aconsejó su parte reencarnable, Estas cosas no suceden todos los días. David se hallaba eufórico y minutos después había sucumbido al encanto del alcohol.

Tiempo después lo despertó el ruido de la puerta, era su tío que venía con el agente de los Dodgers, ¿Dónde te habías metido, David? Aquí te vienen a ver, ah carajo, ¿qué pasó aquí?, Quién sabe, el Cholo se despertó encabronado, Yo traigo una pinche cruda..., Coño, estuvieron bebiendo, dijo el agente; entonces

David reparó en que aún tenía el cuerpo del delito en la mano. Su tío intentó ocultar las botellas vacías que inundaban el piso, pero estaba de más, el agente estalló: gritó que no podía confiar en ese elemento y que el contrato con los Dodgers se anulaba por incumplimiento de la cláusula dieciséis. Ante la impotencia de Gregorio, el gringo rompió su copia del documento y la tiró en la misma habitación. Gregorio lucía desconsolado, dadas las facultades de su sobrino, jamás pensó que lo fueran a expulsar. Pinches gringos, dijo el Cholo, todavía bastante alcoholizado. De dónde acá tan formales los putos, ni que hubieras venido a cortar lechuga.

# Cinco

De regreso a Culiacán, luego del viaje con Los Tomateros, lo primero que hizo el Cholo fue detener su
camioneta en la esquina de río Aguanaval y Nuño de
Guzmán, cerca de casa de María Fernanda. De pronto
le parecieron lejanos los días en que se reunía con el
Chato y la raza en el mismo lugar. Como de costumbre, alguien había roto la lámpara del alumbrado público y tres jóvenes que tiraban barra lo ignoraron.
A pesar de sus esfuerzos por conseguir ventas más cuan-
tiosas, aún no pasaba de ser un simple narquillo al que
nadie prestaba atención. Ya que no tenía rivales, y
como la ley estaba ocupada en perseguir a la guerrilla,
podía pasear a cualquier hora por cualquier lugar, sobre
todo por sus rumbos. Mientras estuviera en la col Pop
se hallaba en su terreno y lo sabía, Aquí me hacen lo
que el viento al señor de las bicicletas, dijo, y por ha-
llarse tan confiado ni siquiera advirtió cuando uno de
los tres chavos abrió la puerta del copiloto y se deslizó
en el asiento junto a él, con un fierro a la vista, cali-
bre treinta y ocho. ¿Qué bronca, carnal?, No vol-
tees, síguete derecho hasta el Zapata, ¿Por qué?, No
hables y no seas culón. El Cholo avanzó hacia el boulevard al tiempo que intentaba reconocer al intruso

con el rabillo del ojo, pero sin fortuna: ¿Qué onda, carnal, quién eres?, No te importa, cállate y sigue como te ordené. En cuanto llegaron al Zapata, y antes de que el Cholo pudiera impedirlo, el tipo se bajó y fue reemplazado por el Chato, que cargaba una maleta negra. Quiubo, pinche Cholo, ¿te cagaste?, el Chato vestía de mezclilla y sonreía bajo la sombra de una gorra beisbolera, Tú y tu socio me cagan lo que tengo entre las piernas, güey, y que sea la última vez que me haces este numerito, Ya, tan delicados ni me gustan, dijo el guerrillero, que ocultó sonriente la maleta bajo el asiento, Vete de vuelta por el Zapata, necesito un paro, ¿Por qué tanto embrollo, por qué no me llamaste por teléfono, pinche Chato?, Por cuidarte, tal vez tengan intervenido tu número y no quise arriesgarme, ahorita está muy dura la poli, ¿Cómo supiste que me iba a estacionar ahí?, Andas detrás de mi hermana, ¿no? Al sentirse descubierto, el Cholo enrojeció sin que pudiera controlarse. A pesar de que había guardado con tanto celo su secreto, el Chato seguramente lo había vigilado por semanas, y dedujo sus intenciones hacia María Fernanda. El Cholo tenía muy presente el día decisivo, durante el baile de fin de cursos de la prepa Central, cuando tocaba el Coty Burgueño y su desafinado cuatro. María Fernanda vestía una mini negra y lucía sus medidas: 88-60-90; buena pierna, mucha nalga, poca chichi: culichi; por algo los buscadores de bellezas que venían del DF trataban de convencer a las sinaloenses de participar en los concursos de Señorita México, algo que los papás evitaban con violentas amonestaciones: Que no sepa yo que te andas metiendo en pendejadas. Esa noche, a pesar de que se encontraba hasta las cachas, el Cholo sacó a bailar a Fernanda y casi se atragantó al sentir aquel cuerpo exquisito, Dios mío, el roce incitante de su ropa, su perfume Giorgio, ¿De dónde saca el pinche David lo de mujer cabeza de sándwich? Ella sabía que lo tenía en un puño, las mujeres siempre lo saben, están más cerca de Dios que los varones, y el Cholo buscó recuperar su temple con preguntas, ¿Cómo te la estás pasando?, Más o menitos, dijo ella, y se quedaron callados, pero no demasiado. El Cholo no soportaba esperar, no iba con su temperamento, así que se declaró antes de que concluyera la primera canción: *I've Gotta Get a Message to You*, de los Bee Gees: María Fernanda, este... ¿quieres ser mi novia?, ella se paró en seco haciéndose la occisa, ¿Qué?, lo miró de frente, Sí, este, tú me gustas, ¡Ay, Cholo, qué flojera! Como amigos estamos bien, Pero es que me gustas mucho, el Cholo trataba de dominar su nerviosismo, Sí, pero ser tu novia no, y de improviso cambió de tono: Bueno, sí voy a ser tu novia pero cuando tengas mucho dinero, Ya vas, y ponle fecha, Ponle tú, ¿Te parece un mes?, ¿Tan poquito?, Un año, pues, Perfecto, ¡Ah!, sólo una cosa: promete que no lo vas a mencionar ni me vas a pedir nada en todo el año, porque tú eres muy acelerado, Lo prometo. Como los hombres duros no bailan, el Cholo la dejó con sus amigas, pero al momento de darse la vuelta tuvo la impresión de que Fernanda les contó todo, porque las amigas lo miraban divertidas; ahora tendría que hablar de ese tema con el Chato, no podía hacer menos con un futuro cuñado dedicado a la guerrilla. Entre incómodo y divertido, el Chato se le anticipó: Ya sé que no es mi asunto, pero como dice el David, no me explico cómo puedes interesarte en una mujer con cabeza de sándwich, y no nos detengamos en eso porque tengo poco tiempo: necesito que busques una casa que no sea llamativa, que la rentes y me avises, la voy a utilizar como casa de seguridad, ¿Para ti solo?, Nel, también para David, ¿Y eso?, Ondas mías, y otra cosa: de esta maleta tomas el dinero que necesites para la casa, metes a David allí y, dentro de ocho días, a las seis de la tarde, nos vemos a la mitad del puente Hidalgo; si no llego, vuelve durante tres días seguidos, ¿entendiste?, Simón, Estos primeros días, cuando yo no esté en la casa, llévate a David y a María Fernanda, para que se vea movimiento familiar, ¿Algo más?, Déjame frente a La Fuente, Órale.

Mientras la camioneta se acercaba a su destino, el Cholo Mojardín le preguntó al guerrillero: ¿Supiste lo de David?, ¿Qué cosa?, ¿que le fue bien en Los Ángeles? Ya me enteré, debe andar como pavo real mi papá, Eso vale madre, no te la vas a acabar: David se cogió a Janis Joplin, a la mera reina de los hippies, No me digas, Así fue: la morra lo vio, lo pepenó y ñaca, a como te tiente. El Chato se carcajeó estrepitosamente: Qué chingón, después me cuentas, ahorita aquí me quedo, y se bajó. Santos vio cómo su amigo se perdía entre la gente, ágil como el destino, De seguro lo esperaban sus compañeros, concluyó, y se dijo que era impresionante cómo había cambiado en los últimos meses, desde que don Gregorio lo corriera de la casa.

Para Santos, como para mucha gente, fue una sorpresa que el mayor de los Palafox se involucrara en la guerrilla. Nadie logró imaginarse que alguien tan aplicado iba a terminar de guerrillero, pues al Chato le encantaba leer y aprender. Mientras el Cholo fingía estudiar agronomía, el Chato discutía acaloradamente con sus compañeros de la facultad y presentaba trabajos donde criticaba ferozmente a la clase empresarial. Era el único de la generación que había leído a Fernando del Paso, Marcel Proust y William Faulkner; el único que disfrutaba a Sibelius, Richard Wagner y John Cage; su preferencia por estos artistas burgueses, según sus compañeros más recalcitrantes, era una razón suficiente para que lo consideraran un bicho raro y se le excluyera de las reuniones más importantes, aquellas donde se analizaba la vía del enfrentamiento directo. Además de que carecía de contactos y actitud militar, el Chato siempre mantuvo una postura escéptica en relación con la lucha armada: a cada momento repetía que la guerrilla le parecía inadecuada y poco le importaba que los más intolerantes lo tacharan de entreguista. En las fiestas decía que el Che lo confundía, que a veces era un personaje imprescindible y otras parecía una invención para enganchar ingenuos, un mero fruto de los movimientos armados; en cambio confiaba en Fidel Castro, aunque también se burlaba de él: el hecho de que el Comandante en Jefe fuera a cortar caña le parecía una soberbia mamada. Reconocía la fuerza de los discursos de Fidel, pero si pudiera elegir, se habría quedado con el discurso pacifista de John Lennon, mil veces más efectivo. Nada parecía indicar que sería guerrillero, pero un día el ejército tomó la ciudad universitaria y el Chato, que presenciaba todo, advirtió cómo sus compañeros invocaban a Dios llenos de espanto y buscaban dónde esconder siete pistolas Taurus y dos escopetas sin recortar. Antes de que nadie lo pidiera, el Chato les abrió la cajuela del *Valium*, acomodó las armas bajo una pila de guantes de beisbol y el asunto no pasó a mayores. Esa tarde después de la salida del ejército hubo un mitin y el Chato fue arrastrado a una sala donde proyectaron *La batalla de Argel*. En los días que siguieron, el Chato empezó a interesarse por las motivaciones de sus camaradas, y se concentró en platicar con ellos, al grado que hasta sus compañeros más desconfiados empezaron a consultarlo, en vista de la facilidad y el ingenio con que resolvía problemas organizativos. Semanas después del asunto de las pistolas, haciendo lujo de su astucia, era el Chato mismo quien solucionaba la parte logística para secuestrar a un ganadero fraudulento, que llevaba años lavando dinero del narco.

En cuanto el Chato desapareció entre la gente, el Cholo aseguró la puerta del copiloto y se dirigió a su destino inicial, enojado y confundido. Entonces pensó que, de no ser porque don Gregorio había echado al Chato de la casa, él se encontraría a diario con su amigo cuando iba a visitar a María Fernanda. Ahora, en cambio, tenía que buscar una casa para esconderlo.

El encargo no le llevó mucho tiempo, de manera que, una semana después del incidente del maletín, David se hallaba cómodamente instalado en una casa deslumbrante situada en lo alto de una loma: dos habitaciones, cocina, mecedoras de metal en el porche y patio trasero con una buganvilia. Contra lo que esperaban el Chato y el Cholo, María Fernanda no se acercó mucho por la casa. Al principio prometió llevar a su club biológico para transformar el jardín en un edén, sólo que por esas fechas andaba más ocupada con la vida de José José y la de Greta Garbo que en decorar el domicilio de su primo, y a David, que sólo pensaba en Janis Joplin, ¿qué podían importarle la Garbo, o José José y el arrollador éxito de *El triste* o *La nave del olvido?* Además, desde que su prima se empecinó en curarlo había tenido que acostumbrarse a mantener la boca cerrada en su presencia. Incluso accedió a beberse una serie de menjurjes naturistas que le provocaron una orina roja interminable. María Fernanda se había vuelto muy superficial, estaba impresionada por el cantante y por la actriz de cine, a la que vio por primera vez en *Ana Karenina:* Se llamaba Greta Lovisa y estaba guapísima, le decían Keta, triunfó en Hollywood a pesar de ser muy pobre, tenía un cuerpazo, era la encarnación del sueño americano, la más asediada por los hombres, ¿por qué se retiró?, Ay, Nena, no fastidies, le contestaban sus amigas, y aunque al principio ella no se doblegaba, este tema también pasó a segundo plano, como su idea de demandar a los judiciales. Por días estuvo muy emocionada con la posibilidad de demandar a la policía, pero los periódicos jamás dieron entrada a sus dos cartas de protesta; incluso buscó el apoyo del gobernador Balderas, pero el político sólo le dio largas para recibirla. Una tarde, Mayté le pidió que olvidara el asunto, que le había pedido el parecer a su papá y éste le había confesado que se trataba de los Dragones, un grupo especial contra la guerrilla, que era intocable, la orden venía de la capital del país, lo mejor era abstenerse de la demanda.

Una noche, cuando David ya estaba bien instalado en la loma, llegó el Chato de madrugada y lo despertó, Qué onda, primo, se abrazaron, Chato, tengo muchas cosas que contarte, Magnífico, pero primero voy a dormir para agarrarte bien el rollo, Me parece bien, te ves cateado. El Chato durmió el resto de la noche y no despertó hasta el siguiente día por la tarde. David volvió de la maderería donde trabajaba y lo despertó, cenaron y platicaron hasta la madrugada. David le contó las circunstancias en que mató a Rogelio, el asunto de Carlota Amalia Bazaine y, sobre todo, lo de su parte reencarnable, Es una voz bien loca, ni de mujer ni de hombre, antes me asustaba mucho, ahora no tanto, mi papá dice que no es el diablo, que repitiera: El diablo no existe, y que con eso se iba a ir, ¿Y se va?, ¡Qué se va a ir!, cada día es más grosera, Qué interesante, por lo que me cuentas, se parece mucho a un padre estricto, ¿y dice ser tu parte reencarnable?, Sí, escucha todo lo que pienso y hasta sugiere respuestas, ¿tú qué sabes de eso?, Mira, yo sólo sé que la reencarnación ocurre siempre, en alguna parte leí que el suicidio desquicia a la parte inmortal y la hace sufrir lo indecible, pero no sé mucho más; ¿Qué hago? Mi tío dice que le dé por su lado, que a lo mejor me hace bien, Puede ser, pero si no te da la gana hacerle caso no la escuches, y ahora sí, cuéntame lo de la Janis, ¿cómo estuvo?, Fue muy fregón, ¿Cómo se entendieron?, A puras señas, es lo más fregón que me ha pasado, ¿Sabes que es una cantante muy famosa?, Me contó el Cholo, mira, sacó de su cartera el recorte de *Los Angeles Times* y se lo pasó, Ah, cabrón, el Chato parecía admirado, Es una distinción muy especial que hayas tenido esa experiencia con ella, primo, ¿y lo de los Dodgers?, Aquí está, le mostró el otro papel, Janis y yo salimos el mismo día, ¡Qué bien!, te felicito: *The new mexican pit-*

*cher*, ¿Y qué onda, por qué no estás jugando?, No me gusta el beisbol, ¿qué chiste le hallan a que uno lanza una pelota, otro le pega con un palo y después se va a correr como loco? Luego esa ropa tan ridícula que se ponen para jugar, parecen pájaros nalgones, lo único que me gustó es que siempre estábamos escupiendo. Más tarde confesó que sólo se arrepintió de perder el contrato cuando advirtió que jugar con los Dodgers significaba estar cerca de Janis, Quiero buscarla, dijo con ese encanto de quien jamás piensa en las consecuencias, Estoy ahorrando, Vive en San Francisco, ¿no?, En Los Ángeles, por Sunset Boulevard, Pues tienes que ahorrar bastante, Como dos mil pesos, ¿Y cuánto tienes?, Doscientos ochenta, Te falta algo, además necesitas pasaporte, Tengo visa permanente, David lo expresó con tanto apremio que el primo sonrió, Pues ya casi se hace, bostezó complacido, Vámonos a acostar. El Chato se durmió al instante, pero David estuvo observando la Luna hasta las dos de la mañana, navegando con Janis, despacito, con la radio prendida por si tocaban una de sus canciones, sin importarle las molestias de la estática.

## Seis

A partir de ese día, el Chato apareció con más frecuencia por la loma. En general usaba el departamento sólo para guardar armas o propaganda, pero también se quedaba a dormir cuanto podía. Qué raro, pensaba David, ¿Por qué será que siempre está tan desvelado? A él no le quitaba el sueño la política, se la pasaba pensando en Janis. Su vida se hallaba marcada por un cuerpo quebrándose, unos brazos cruzados alzando un vestido, una oreja pequeña, una escena que no cesaba de repetirse a pesar de que el tiempo transcurría. Voy a buscarla, si no encuentro trabajo en algún aserradero me meteré al beisbol como último recurso. Y hablaba en serio. De pronto no sabía cómo decirle a su tío que el beisbol no le entusiasmaba. El Chato aconsejaba que no le hiciera caso, En el fondo no es más que un viejo reaccionario, un pequeñoburgués temeroso, un tipo que no reconoce el papel histórico del proletariado emergente. Un fantasma recorre México, David, el fantasma del comunismo, entérate de los movimientos revolucionarios, y le dejaba resmas de impresos mimeografiados para que los estudiara. David siempre leía una o dos líneas y se aburría o se quedaba dormido, no entendía esos papeles y no le interesaban. Para él, su primo era como María Fernanda, que también lo ponía a leer propaganda ecologista: Salvemos al mundo, Sandy, salvemos los ríos, y le dejaba material de lectura como para tres años, donde se hablaba de la depredación de los ríos. A él, que se mataba de ganas de regresar con la Janis, *Are you Kris Kristofferson?*, de olerle las orejas, de sentir el calor de su entrepierna, ¿qué le importaba el estado deplorable del Quemé que bajaba de los montes Atakora, cuya contaminación estaba impactando la vida de los baribas? Sólo quería volver a Los Ángeles pero no tenía dinero, había matado a un hombre y vivía como culpable, lejos de su familia y temeroso de una voz interior que se inmiscuía en todo.

Por otra parte, también el Chato estaba irreconocible, todo lo examinaba con el cristal del socialismo. Traer el pelo largo y usar pantalones acampanados no basta para ser hombre de tu tiempo, arremetía, Tienes que ser consecuente con tu época, con tu responsabilidad histórica; yo sé que no me agarras muy bien el rollo, primo, ni modo: no es tu culpa; quiero que sepas que el régimen por el que luchamos va a hacer posible que enfermedades como la tuya se curen, en un gobierno socialista no habrá retrasados de ninguna especie. A David se le antojaba platicar como cuando eran niños, pero el Chato no lo consentía. Chato, ¿qué era la Vía Láctea para los aztecas? El primo se quedó de una pieza, era de noche, estaban sentados en las mecedoras herrumbrosas del porche, David, estamos discutiendo algo que te concierne, Es que me lo dijiste una vez pero no me acuerdo, ¿qué era la Vía Láctea para los aztecas?, para los egipcios era trigo desparramado, para los incas polvo dorado de estrellas, pero para los aztecas, la verdad no me acuerdo, ¿tiene algo que ver con un conejo?, Ésa es la Luna, ¿para qué piensas en esos cuentos, primo? Como si no supieras que el hombre acaba de llegar a la superficie lunar, ¿Qué?, Sí, ¿no te enteraste? En vez de resolver el hambre del mundo, los gringos prefirieron poner a tres astronautas en la Luna, Tu primo debe de haber leído a Julio Verne y nos quiere impresionar, dijo la voz, ¿Cómo llegaron?, En una nave, ¿Qué encontraron?, Nada, en la Luna no hay nada, primo, ¿no te habías dado cuenta? El año pasado la noticia salió en todos los periódicos, Pues no llegaron a Chacala; Chato, cuéntame lo de la Vía Láctea. Su primo lo miró irritado, tenía que convertirlo a la lucha a como diera lugar, no podía perder tiempo en tonterías. Mira, David: no puedes pasarte la vida pensando en tonterías de la Vía Láctea, las Siete Cabrillas o Janis Joplin, una cantante que no tiene nada que aportar a la juventud revolucionaria: debes ser consecuente, elegir tu trinchera y desde allí dar la batalla, Eso me gusta, la voz se entusiasmó por el sesgo militar de la filípica, Me huele a lucha armada, Todos debemos luchar por el nuevo orden, continuó el Chato, Debemos contribuir con nuestro granito de arena, Antes hablábamos de la Vía Láctea y te gustaba, Pues ya no es como antes, ahorita es ahorita y las exigencias son otras. David notó que su primo se encendía, que le brillaban los ojos, pero él no conseguía exaltarse. Y recordó a la dulce Janis, *Is this place the Chelsea Hotel?*, *You choose: your room or mine.*

Esa noche, cuando se levantó por un vaso de agua, descubrió que el Chato había dejado una maleta llena de billetes en la sala. ¿Qué hacía ese dinero allí?, ¿podría tomar lo que le faltaba para largarse a California? Lo que más deseaba era regresar a Sunset Boulevard, pero los ahorros no crecían. Curiosamente, su vida se había reducido a un recuerdo: sus ocho minutos con Janis Joplin, no podía quitarse de la mente la imagen de sus piernas sobre la alfombra. Pensó en hablarlo con el Chato cuando despertara, pero su primo le avisó a la mañana siguiente que iba a desaparecer por varios días, ¿Adónde vas, primo?, No te puedo decir, ¿Qué vas a hacer?, Mejor ni me preguntes, y se olvidó de preguntarle sobre los billetes. Un día después, David escuchó en el noticiero de la noche que habían secuestrado al banquero Irigoyen cuando salía de la iglesia, la policía pensaba que los culpables eran guerrilleros. David pensaba en su primo cuando el Cholo llegó a visitarlo, ¿Qué onda, mi Sandy?, siempre venía con un cartón de cervezas y no se marchaba hasta que le daban fin. Sintonizaba la estación 5-70, donde ponían a Led Zeppelin, los Doors, Santana y, claro, a su cantante preferida, la que jamás se apartaba de su mente. ¿Traía pulseras?, quiso saber el Cholo, No me acuerdo, Bueno, tú no te acuerdas de nada, ¿su túnica era psicodélica?, Tenía dibujos extraños, ¿Era piernuda?, Ni cuenta me di, Pinche Sandy, ¿cómo puedes coger con una vieja sin verla?, Es que, Chale, cuánto tienes que aprender. No era blanca blanca, estaba como bronceada y tenía senos pequeños y pecosos, ¿Se los chupaste?, Nel, Pendejo, se los hubieras chupado, ¿se los agarraste?, No, De veras que eres bruto, ¿cómo tenía la panza?, Suavecita, ¿Se la mordisqueaste?, No, porque olía raro, como a tierra mojada, Pues de eso se trata, ¿qué tal besaba?, Muy loco, Y tú, ¿la besaste mucho?, La verdad no, No lo puedo creer, ¿en la sierra no besan a las morras?, Es que hablaba diferente, no le entendí, Pues claro: te habló en inglés, Nunca había oído una voz así, Le hubieras dicho: pollito *chicken*, pollito *chicken*, ¿te limpiaste con la sábana?, No había sábana, ¿Con su túnica?, No, Le hubieras dejado la marca del Zorro, a muchas les gusta, Boberías, murmuró su parte reencarnable.

Tenían horas bebiendo, David con la boca abierta, los dientes brillantes, callado. Nunca me contaste lo que te pasó en Los Ángeles, cuando estabas pichando, ¿por qué te sacó tu tío?, luego de tanta bebida, David decidió sincerarse: Es que oía voces pero ya no, ¿Qué?, Oía voces, ¿En tu cabeza?, Simón, afirmó David echándose un trago, ¿Te metiste algo o qué onda?, te dije que no tocaras la mariguana, No fue eso, ¿Por qué no me quisiste decir?, Me daba pena.

El cierzo peinaba despeinaba, la noche era una trampa, Santos bebió y se sirvió de nuevo, ¿Sabes qué, pinche Sandy? Bien dicen que más vale suerte que dinero, podría apostar a que ese rollo que te pasó con la Janis no le ha pasado a ningún mexicano; mira, cabrón: yo en las noches me meto a las recámaras de varias morras, por algo tengo ojeras; otras me las llevo pal rancho o a la orilla del río, donde se puede, y nunca me va a pasar lo que a ti, Es lo que dice el Chato, ¿Y ese cabrón?, tengo un asunto que tratar con él, Se fue hace dos días, dijo que tardará en regresar, No lo dudo, ayer secuestraron al banquero Irigoyen y le echan la culpa a los guerrilleros, ojalá no lo maten porque la judicial anda que nomás tienta, cuando venga

échame un grito, ¿Le vas a seguir el rollo?, Nel, sólo
quiero comentarle algo de serranos, Órale, nomás no
los traigas, No te preocupes, están refeos los cabrones.
· El Cholo bebió largo, observó la buganvilia que casi
cubría la ventana y comentó como si la estuviera des-
cubriendo, Qué chingona, ¿verdad?, Simón, Son las
veces que la he miado, Más o menitos, como dice la
Nena, Ay, la Nena; el Cholo volvió a beber y encendió un cigarro, se alisó el pelo largo y quebrado, el
olor dulce de la mariguana se esparció por la habitación, Mi Sandy, estoy enamorado de su prima, ¿Eh?,
Cabrón, no te burles, No es burla, pero no podía dejar
de sonreír, Es que con la Nena está cabrón, Cholo,
Y tú qué te asombras, en Chacala te enamoraste de
una vieja apartada, David miró el firmamento y siguió
sonriendo: ya ni se acordaba de Carlota Amalia, para
él sólo existía Janis Joplin. Ambos callaron, sabían que
enamorarse era delicado y más si se trataba de una muchacha tan pretenciosa como Fernanda. ¿La Nena ya
sabe?, Desde el año pasado, y el Chato también, ¿Por
qué le dijiste?, ¿Cómo que por qué?, ¿qué tal si me manda un pinche comando para que me dé en la madre?, es
muy complicado ponerse de novio con la hermana de
un guerrillero; ¿Entonces la Nena no te ha dicho que
sí?, Tampoco que no, Comentó que se va a estudiar a
Guadalajara, Lo sé, ¿Y qué piensas hacer?, Chuparme
el dedo, ya no me deja verla, El lunes va a ir por mí al
aserradero para llevarme con un doctor, quiere que me
corrijan lo de la boca abierta y los dientes, ¿por qué no
nos acompañas?, ¿Cómo, cómo?, ¿No quieres verla?,
Claro, Pues mientras yo estoy con el mata ustedes pla-
tican, Ya vas, quedaron a las seis en la maderería.

Al día siguiente, David fue a pichar como de costumbre. Los domingos jugaba en el equipo de su tío, más por reconciliarse con él que por regresar al deporte. A la fecha, Gregorio no podía perdonarle que lo expulsaran de los Dodgers, ¿Cómo pudiste beber? ¿Por qué tomaste si lo tenías prohibido?, pensé que te iban a rechazar por lo de las voces en tu cabeza, pero no por esa pendejada. David le daba la razón, pero en realidad lo decía por Janis: a él los Dodgers le importaban un carajo, lo único que lo inquietaba era ahorrar hasta lo imposible para volver a Sunset Boulevard. Cada domingo, desde que se mudó a la loma, Gregorio insistía en probarlo con Los Tomateros de Culiacán o con cualquier otro club de la Liga del Pacífico, pero David se negaba alegando que le parecía inseguro, No vaya a ser que me vea la gente de Chacala, tío, No creo que los cabrones serranos anden por acá y menos que vengan a joderte la borrega.

Ese día, el partido comenzó a las once, cuando el calor empezaba a ponerse insoportable. Desde que otro cácher sustituyó al Cholo, David no trababa amistad con ningún miembro del equipo, desde luego ni siquiera intentaba memorizar sus apodos. Si jugaba era por solidaridad con su tío, en realidad lanzaba estraicks para tenerlo contento. Después del partido se fue directo a la loma, compró carne y queso en la tienda más cercana y se concentró en helar tres cartones de cervezas. Hizo correctamente el rito de colocar una cama de hielo, luego botellas, hielo y botellas otra vez, hasta casi llenar medio tanque de doscientos litros. Sus vecinos eran pequeños narcos que cuando no trabajaban en la sierra gastaban sus ganancias a manos llenas, cada semana se emborrachaban al grado de cerrar restoranes y jalar una banda de música, luego terminaban sus parrandas en el Triángulo de las Bermudas, junto a bebedores igual de atrabiliarios; pero entonces era época de siembra y todo estaba tranquilo. La tarde era Helena de Troya rediviva, el viento un cuchillo de palo.

La buganvilia cubría la ventana y el porche blanco y descascarado. David escuchaba *Bye, bye, baby* sentado en una de las mecedoras, totalmente relajado. Bebía su segunda cerveza de la tarde, con el torso desnudo, cuando un LTD gris se estacionó frente a la casa, ¿Qué onda?, Tenía los vidrios ahumados, no alcanzaba a distinguir a los ocupantes, ¿Será el Cholo? El auto traía el estéreo a todo volumen, ¿O será el Chato? El aire acondicionado del LTD debía de ser muy potente, el ruido se escuchaba a pesar de la música, entonces el corazón le saltó: ¡Es Janis! Justo en ese momento, del asiento del copiloto bajó un hombre alto, camisa a cuadros, sombrero tejano, que le gritó: Así te quería agarrar, hijo de la chingada. David vio que alzaba un cuerno de chivo y lo reconoció al instante: Sidronio Castro, el hermano mayor de Rogelio, y antes de que pudiera apuntarle le lanzó la botella a la cabeza. El tipo se desplomó disparando a lo loco. Desármalo, gritó su parte reencarnable, Remátalo, cada herido que dejas es un verdugo en potencia. David entró a la casa y llegó corriendo hasta el patio, la voz parecía enloquecer: Enfréntalos, ¿qué te puede pasar que no te haya pasado?, saltó la barda sin hacer caso, la decisión ocurrió apenas a tiempo porque el chofer de Sidronio, que había entrado tras él, descargó su pistola sobre la barda, justo donde acababa de pasar. No huyas, cobarde, le insistía la voz, El que pega primero pega dos veces. El chofer, que era demasiado gordo, se encaramó resoplando sobre la barda, vio que David atravesaba el baldío contiguo y se dirigía a la calle trasera, Lo tengo a tiro, jaló el gatillo pero sólo oyó un Glick, justo cuando David subía por la empinada pendiente, Valiendo madre. En lo que puso el cargador de repuesto, la presa se perdió y decidió que era demasiado gordo para corretearlo, así que soltó una ráfaga de tiros infructuosos, pues David ya estaba fuera de su alcance. En el porche, Sidronio sangraba profusamente pero había vuelto en sí. El chofer tuvo que asistirlo, pues no lograba ponerse en pie a raíz del botellazo. Una vez en el coche intentaron seguir al beisbolista pero fue imposible: las calles eran para caballos Marlboro.

El ambiente olía a pólvora cuando llegó el Cholo Mojardín en su camioneta. Vio los impactos de bala en el porche, ¿Qué onda?, el tanque con las cervezas, la puerta abierta, la radio perforada que emitía estática, los casquillos tirados, la sangre en el suelo y se alarmó; pensó que los judiciales habían cargado con los primos, así que sin hacer mayores averiguaciones desconectó la radio y se dirigió a la puerta, Qué pinche rollo, pero antes de esfumarse se detuvo, regresó sobre sus pasos y tomó tres cervezas. Pinches vecinos, dijo, y aunque hubo ruido nadie salió.

# Siete

De la casa en la loma, el Cholo fue a buscar a María Fernanda. Tardó un instante en explicarle todo. El primer impulso de la chica fue ir a la policía, pero su padre la detuvo, No te involucres en nada que tenga relación con el Chato, ni tú ni ningún miembro de la familia, que se pudra en la cárcel, concluyó. Hacía calor. Un abanico giraba lentamente. Pero viejo, María suplicaba, Está también David, y te comprometiste a cuidarlo, María, cállate, no me dejas oír el partido, estaba viendo a los Yanquis, Si tú no quieres hacer nada no me importa, yo voy a mover cielo y tierra pero tengo que saber dónde están, Que te calles, Si el juego es más importante para ti, quédate con tu partido, yo me voy. María fue a cambiarse de ropa y darse su manita de gato, Gregorio se fue tras ella y Fernanda se quedó con Santos en la sala, Ay, Cholo, qué mala onda, ¿no te habrás equivocado?, No creo, había muchos casquillos, señas de disparos y una tina de cerveza abandonada. A pesar de la situación, el Cholo la observaba embebido, Dios santo, cuánto la quería, el plazo de un año se cumpliría en julio, entonces podría tocar de nuevo el tema, pero entretanto, ¡qué problemas implicaba esperar!

Como no le convenía ir a la judicial, donde comenzaba a ser conocido, el Cholo se despidió discretamente. Su salida fue providencial. No había llegado a la Nuño de Guzmán cuando se estacionaron frente a la casa dos camionetas que ya eran conocidas. De una bajó Eduardo Mascareño, con paso militar, y el resto de los Dragones rodearon la casa ante el sobresalto de las mujeres. Al ver a Mascareño, María Fernanda sintió un escalofrío, recordó la demanda, la recomendación de Mayté Balderas y se llenó de espanto. En cuanto lo tuvo cerca, la Nena notó que lo acababan de ascender, que emanaba un aire de mayor suficiencia, pero trató de no acobardarse, ¿Dónde está el Chato?, gritó Mascareño, ¿Y el Bocachula?, Aquí no hay nadie, respondió la Nena, Eso lo diré yo cuando registremos, acaban de secuestrar al banquero Irigoyen y fue un comando encabezado por Gregorio Palafox Valenzuela, ¿Trae una orden?, Me cago en las órdenes y en los jueces que las expiden, No puede registrar nuestra casa sin una orden, insistió María Fernanda, Nada pescadito, La Constitución nos protege, Pues que los proteja, ¡pongan todo patas parriba!, ordenó a sus hombres, Son unos animales, gritó María, Cálmate, mamá, comprendió la Nena, En el fondo esto es buena señal: quiere decir que no los han atrapado. Entretanto Gregorio fue sacado a empellones de su cuarto y llevado ante Mascareño, ¿Ahora usted está a cargo?, Cállese, viejo pendejo, hablará cuando yo se lo ordene, y le zampó un rodillazo en el estómago. Gregorio se dobló, invocaba a cuanto demonio conocía para que se llevaran al comandante hasta el infierno. Mascareño lo amenazó con más dureza que su antecesor, Maricón, mal padre, traidor a la patria, y se llevó una foto de David, que a partir de ese momento fue boletinado como guerrillero peligroso.

David, entretanto, llegaba a la central camionera muerto de miedo. Tengo que ir a Tijuana, me voy a pasar de alambre al otro lado, como hacen mis amigos, cuando cayó en la cuenta que casi no tenía dinero. ¿Cómo iba a regresar por sus ahorros con semejante jauría encima? Además había tenido que comprar una camisa porque escapó de Sidronio con el torso desnudo.

Estaba muy confundido. Sacó el recorte de Janis y lo besó, ¿debía regresar por el dinero? Estaba decidido, Quiero ir a verte; apenas tenía unos billetes, ¿Por qué vives tan lejos? Me muero por verte, y necesitaba dos mil pesos según el Cholo, Quiero caminar por esa calle oscura, ¿hasta dónde podría llegar con lo que tenía?, Y estar contigo, pero luego, ¿de qué iba a vivir?, ¿dónde podría hospedarse? Ya no podría regresar a su casa ni involucrar a sus tíos en sus broncas: Sidronio era un perro, seguro lo iba a esperar día y noche con uno de esos rifles que disparan como doscientos tiros a la vez. Guardó la foto completamente abatido y miró a la gente que caminaba deprisa, los puestos de comestibles, los mostradores de las diversas líneas, el techo de la estación, y todo le comenzó a dar vueltas y más vueltas. ¿No tienes redaños?, preguntó su parte reencarnable, Si los hubieras enfrentado, ahorita estarías con tu amigo, deja de pensar estupideces y pregunta adónde puedes llegar con lo que tienes.

¿Adónde viaja?, preguntó la vendedora, ¿Adónde puedo llegar con cien pesos?, Uy, morro, apenas a Altata, los boletos los venden en la otra sala, ¿Altata? Le gustaba el lugar, lo había visitado una vez con sus parientes. En esa ocasión viajaron en el *Valium*, previamente abastecidos con sándwiches de atún, y pasaron toda la mañana chapoteando en la bahía de aguas poco profundas, frente a tiendas de campaña, muchachas y jóvenes ennegrecidos por el sol, metidos en sus borracheras. No es mala idea.

Llegó al pequeño puerto por la noche. Observó largamente Atamiraco, un brazo oscuro a unos ochocientos metros de la zona restaurantera, deambuló por la playa hasta que no quedó nadie a la vista y entonces se acomodó en una lancha para dormir. Qué lugar más horrible, manifestó su parte reencarnable. Le pareció que apenas había cerrado los ojos cuando fue sacado de su sueño por unas fuertes sacudidas, Perdona que te moleste, pero necesito tu cama, era un viejo que fumaba con estilo, Disculpe, es que…, No hay bronca pero debo trabajar, ¿Es su lancha?, ¿me puede dar trabajo?, A buen santo te arrimas, dijo el viejo, No tengo para pagarte, No importa: enséñeme, ¿Quién te dijo que aquí es escuela? El viejo subió el ancla sin quitarse el cigarro de la boca y batalló para mover la lancha, miró a David, ¿A qué esperas?, ayúdame, el joven empujó hasta ponerla a flote, los dos treparon, el viejo maniobró con la vara, se dirigió al motor, un Johnson de sesenta caballos, jaló la cuerda con tan poco vigor que apenas roncaba, y le vino un acceso de tos. ¿Sabes usar estas cosas?, gritó sin soltar el cigarro, Déjeme ver, el aparato tenía el mismo sistema que las cortadoras del aserradero, David jaló con fuerza y el motor encendió.

Se desplazaron tranquilos frente al puerto dormido, apenas iluminado. Rodearon Atamiraco hasta lle-

74

gar mar adentro. David observó la oscura inmensidad con respeto místico, Qué enorme, pensó, alzó los ojos hacia su vieja conocida: la Vía Láctea, la parte más luminosa entre la constelación del Cisne y la de Sagitario, Se ve tan cerca como en la sierra. Continuaron en la misma dirección hasta que las luces de Avándaro se perdieron a lo lejos. Aun así, el viejo tardó en quedar satisfecho, detener la lancha y soltar la red, Más vale que me traigas buena suerte, murmuró con el cigarrillo humeante completamente mojado. Arrastraron durante media hora y al final sacaron la red con un par de kilos de camarones grises, que vaciaron en el fondo de la nave; David enseñó sus dientes frontales, lleno de regocijo, jamás había visto tantos crustáceos vivos. Volvieron a echar y a arrastrar con iguales resultados. Al tercer intento la suerte se esfumó y enfilaron rumbo a Avándaro, para buscar especies de escama. Todavía estaba oscuro. Apenas habían lanzado el primer tarrallazo cuando se les acercó una lancha, ¿Qué tienes?, Nomás mira, el viejo les entregó la arpilla con poco más de tres kilos de camarón, le dieron una vacía, le pagaron y se fueron por donde habían venido. David observó todo sin pronunciar palabra, Los contrabandistas nunca faltan, explicó el pescador, Pagan mejor que la cooperativa. A las siete de la mañana el viejo sacó unos tacos de una bolsa de papel, Vamos a tragar algo, David se moría de hambre pero disimuló, sólo consumió la mitad de lo que el viejo le ofrecía: tacos de pescado y de frijoles. Al final bebieron café de una botella de tequila; sólo entonces se presentó el viejo, Me llamo Danilo Manzo, ¿tú quién eres, qué andas haciendo? No quiero broncas con la poli, así que si andas metido en ese desmadre de los estudiantes te me vas cuando terminemos y no le digas a nadie que estuviste conmigo, No soy estudiante, quiero trabajar en el mar, No me quieras hacer pendejo, no hay peor trabajo que éste, además ahorita no hay zafra, lo poco que sacamos apenas alcanza para comer, David lo observó, un hilito de humo matizaba su cara renegrida, Es verdad, insistió, Quiero trabajar con usted, y permaneció boquiabierto. El viejo reparó en el gesto que no expresaba inteligencia y expulsó el humo más sosegado. Danilo Manzo era un fumador compulsivo: con la bacha de un cigarrillo encendía el siguiente. Dios te ayude, agregó para sí, Entre menos sepa de ti es mejor para mí.

Regresaron a puerto antes del mediodía. David había decidido aprender con el viejo, luego encontrar donde ganar dinero, ahorrar e ir en busca de Janis. Manzo lo llevó a la cooperativa y lo presentó como su ayudante; Rivera, un joven fortachón y pendenciero, novio de la hija de Manzo, lo miró con sorna, ¿Es usted pescador, compita?, ¿No le ves el cuero?, terció el viejo, Que le hagan la prueba del Capi, gritó la raza, y Manzo dejó solo a su ayudante, Si pasa la prueba de estos canijos ya la hizo, además significa que no viene de pasada. Yo antes quiero que me enseñe las manos, insistió Rivera, con el torso al aire, accionando pechos y bíceps, Quiero ver si de veras es hombre de trabajo y no un pinche puto que le mama la chola a don Danilo, con esos dientes de botete a lo mejor hasta lo ha mordido, David se puso nervioso, ¿Qué onda?, ¿aquí sería igual que con los Castro?, ¿es que había Rogelios y Sidronios por todas partes?, Quieren saber si tienes redaños, lo alertó su parte reencarnable. Tuvo ganas de evacuar, pero los pescadores lo rodearon y exigieron el ritual de iniciación, Hay que hacerle la prueba al güey, llévenlo con el Capi, Primero las manos, terqueó Rivera, el viejo Manzo y otros observaban desde una banca colocada en el tejabán de la cooperativa, ¿Las manos para qué?, preguntó con voz trémula, Para ver si eres hombre, exclamó alguien desde la Gallera, O para ver si eres puto, se carcajearon. David se estaba poniendo tan nervioso como su última noche en Chacala, entre las tres cachimbas; vio las manos enormes de Rivera y recordó la muerte de Rogelio, Te sugiero salir corriendo, murmuró su parte reencarnable, Aunque ya es demasiado tarde: si quieres salir de este problema, yo puedo decirte cómo. David estaba boquiabierto, unos veinte pescadores se burlaban de sus dientes frontales y Rivera se iba acercando, así que por una vez accedió a obedecer a su parte reencarnable, Ya vas, órele, dime cómo, Te felicito por tu decisión, estás en una lucha de ingenio, repite lo que te diga: Tú no las tienes tan grandes, Tú no las tienes tan grandes, musitó David, ¿Cómo?, Rivera, que debía su musculatura a los cursos de Charles Atlas por correspondencia, se detuvo con un gesto cortante, ¿Qué dices, pendejo?, Tus manos, que te hace falta tenerlas más grandes, Estás pendejo, pinche maricón, ¿para qué las quiero más grandes?, David permaneció en silencio un instante antes de repetir: Para que me peles la verga, y fue como si Dios hubiera dicho: Cállense, cabrones. La rechifla se volvió generalizada, hasta el viejo Manzo se inquietó. Había pensado rescatarlo en cuanto le dieran su tunda, pero las palabras del muchacho provocaron el conflicto, Bien hecho, dijo el karma alborozado, Todo salió a pedir de boca. Rivera no daba crédito a sus oídos, ¿lo había insultado?, ¿a él, el más fuerte de la cooperativa? No tenía vuelta de hoja, el círculo se formó alrededor de ellos y David Valenzuela buscó un objeto para defenderse, pero sólo había arena y más arena. Ni siquiera se alcanzó a inclinar, porque Rivera lo tumbó de un puñetazo. Ni modo, expresó la voz, Fue una estrategia fallida; el pescador fue por David, pero éste le echó arena en los ojos, cuando el gigantón se cegaba el muchacho trató de huir, pero apenas alcanzó a ponerse en pie cuando ya estaba siendo vapuleado de nuevo. Allí comprendió que jamás devolvería un golpe, Rivera era demasiado fuerte para él, así que optó por abrirse los botones del liváis y sacar el pene que penetró a Janis Joplin. Pinche morro, se carcajearon los presentes, Parece tontolón pero nada; el gesto hizo rabiar a Rivera, que lanzó un nuevo puñetazo al novato. A punto de desvanecerse, David seguía agitando su pene desde el suelo, Te voy a matar, Rivera quería descuartizarlo pero los demás lo impidieron, No la hace contigo, Rivera, Está vencido el bato, Simón, no vale la pena, carnal, ya estuvo, Quiero matarlo, decía Rivera, Pero ya está muerto, carnal, Simón, deja que lo mate el Capi, Ey, llévenlo con el Capi. En la banca el viejo Manzo se doblaba de la risa, orgulloso de la ocurrencia del pupilo.

Le echaron agua sucia de una cubeta, Órale, morro, lo pusieron de pie, Aliviánate, ya pasó el ciclón. David se tambaleaba, Es inaudito, se quejó su parte reencarnable, Son unos brutos, es la primera vez que hago este ridículo, Tiburón, llévalo con el Capi, ¿El Capi?, ¿quién es ése?, insistió la voz, ¿Qué pruebas nos esperan? Y los llevaron con el Capi.

# Ocho

Cuando David llegó frente al Capi, todavía se tambaleaba, ¿Qué onda?, había dos botellas de mezcal abiertas, Aquí nadie puede decir que es hombre si no se ha tragado un litro de éstos, tronó el gordo. El Capi era un hombre curtido por dentro y por fuera, que había sobrevivido a tres naufragios en el Mar de Cortés. Era bastante gordo: Cuando muera van a sacar como veinte latas de manteca; alto: ¿Quién hizo tan bajita la puerta de la Gallera?; temerario: Nadé como desesperado para salir del remolino que hace un navío al hundirse. Además se decía que era el bebedor más consistente de la costa del Pacífico, ostentaba el prestigio de haber vencido a todos sus rivales, incluyendo al legendario capitán del *Oklahoma*, un atunero norteamericano que encalló en la bahía y cuya tripulación estuvo en Altata mientras llegaba el remolque de San Diego que los puso a flote. Para divertirse, los marinos jugaron beisbol, se emborracharon y enamoraron a cuanta hembra tuvieron a la vista; hartos de esto, los taimados pescadores idearon la manera de arrebatarles una lana, Oigan, medió un pescador chicano, Queremos jugar una competencia, ¿De qué se trata?, De que el mejor bebedor de ustedes se enfrente al mejor de no-

79

sotros, No se los aconsejo, nuestro campeón es un barril sin fondo, Aquí hay quinientos pesos, Aquí hay doscientos, Aquí mil, Aquí setecientos, y aquello se organizó. El marinero del *Oklahoma* sonrió y dijo que el mejor de ellos era el Capitán, Ah, pues de capitán a capitán. Depositaron el dinero en una cubeta metálica y reunieron a los dos contendientes frente a cuatro botellas de tequila Orendáin. Sólo había una regla: *acabar* con todo lo que tenían enfrente, y el primero que cayera o renunciara, perdería la apuesta. Ambos arrancaron a buen paso, el capitán del *Oklahoma*, un viejo lobo de la marina mercante, Glug glug glug, bajaba el tequila sonando la garganta; el primer litro lo acabaron tablas, eructaron y abrieron el segundo, el capitán del *Oklahoma* bebía más rápido que el Capi y abrió el tercer litro con cierta ventaja sobre su competidor. La última botella se la echó sin respirar, mientras el Capi paladeaba su tequila. *Yeah!,* los marineros gringos iban a recoger el dinero de la apuesta cuando un altateño les indicó que esperaran. El Capi acabó su cuarto litro, mordió la punta de la botella y empezó a masticar, los gringos se quedaron de una pieza, su capitán podía tomar alcohol pero no sabía comer vidrio: La regla es *acabar* con todo, el Capi deglutió su bocado y pidió una coca, Para el desempance, explicó. Mientras los gringos maldecían y se llevaban a su maltrecho capitán, los altateños celebraron pidiendo cerveza, ceviche, taquitos, caldos de camarón.

Ahora le tocaba al muchacho. Espere, dijo David, y examinó la botella. Se había iniciado con el mezcal más traicionero del mundo, que es el que se hace en Chacala, un mezcal que te deja escupiendo las copas de los pinos. La cerveza no lo emborrachaba y el tequila lo metabolizaba bien, pero ante un mezcal con gusano, Ay, diosito, cuánto sufría. David inspeccionó la botella y sí, ahí estaba esa cosa negra nadando, No, se exaltó, No puedo tomar si tiene gusano, Tan delicados ni me gustan, agredió el gordo, Ya te dije que es puto, Capi, ¿pa qué te empeñas?, se burló Rivera, No puedo, afirmó David, Me da asco, ¿Y no te dio asco la chaira del viejo?, ¿A poco le gusta la coca hervida?, Capi, intervino el viejo Manzo, Tu botella no tiene gusano, ¿por qué no las cambian?, Cámbiasela, Capi, gritó la raza, Que no tenga pretexto, y el gordo intercambió las botellas. Empezaron al mismo tiempo, Gor gor gor, y de pronto el Capi se detuvo, ¿Qué onda?, David bebía más rápido que él y continuó a ese paso hasta acabar la botella, Ah, caray, dijo la raza, Está pesado el morro, después lo vieron ir hasta las artes de pesca del viejo y echarse a un lado a descansar, Bien hecho, escuchó al pescador, Estás aprobado, deja el motor allí y traite las chivas.

La casa del viejo estaba al final de una calle arenosa. Rebeca, la hija de Manzo, esperaba con la comida lista. Ya tengo ayudante, sólo que está un poco borracho, Mucho gusto, dijeron ambos, Rebeca Manzo, David Valenzuela, y la mujer se dedicó a examinarlo con una mirada lasciva. La hija del pescador era una morena escultural, de piel bronceada, que usaba ropa estrecha, sin brasier, y maldita la falta que le hacía. A una señal de su padre les sirvió de comer, y entretanto, Órele, para sorpresa de David buscaba rozarlo con los pechos cada vez que podía. Una hembra deseosa de sexo y aventura, reconoció la voz interior, Pero no es

Janis, se indignó David, que había jurado jamás aceptar otro consejo de su parte reencarnable. Al terminar su plato, Danilo anunció que se iba a dormir, A ver, hija, dos cosas: una, ponle una hamaca en la enramada al joven, y dos, pórtate bien, Sí, papá. En cuanto el viejo se fue al interior de la vivienda, David, que todavía estaba atontado por el mezcal, notó que la morena lo miraba fijamente. Sin dejar de verlo, la mujer se llevó una mano a los botones, que fue zafando uno tras otro, y se quitó la blusa. Entonces se abalanzó para besarlo. ¿Qué onda?, se acalambró David, Esto es lo que yo llamo veintiún cañonazos, dijo con regocijo su parte reencarnable. Rebeca despedía un intenso olor que lo doblegaba, un aroma hasta entonces desconocido, pero David se acordó de Janis y rápidamente se rehízo, Espérate, la apartó, pero Rebeca hizo como que no lo oía, ¿Hay algo fuera de lugar?, le puso los senos en la cara, No, por favor, David la rechazó como pudo, Anímate, intervino la voz, Es más ardiente que la Ancas de Rana, No te metas, pensó David, No desaproveches esta oportunidad..., ¡Silencio!, y Rebeca se detuvo, Pero si no he dicho nada, No le decía a usted, ¿Estás zafado?, su karma se desternillaba de risa, David se puso de pie y caminó hacia la enramada, ¡Hey!, ¿adónde vas?, no puedes entrar a mi casa si no te he invitado. David volvió sobre sus pasos, Así me gusta, Rebeca se hallaba a punto de reiniciar el combate cuando el muchacho puso distancia de por medio, ¿Qué te pasa?, ¿eres joto o qué?, No quiero nada con usted, No seas despreciativo, te puede castigar Dios, dijo la voz, ¿Qué?, ¿estoy muy fea?, No, pero yo tengo mi compromiso, Ah, ¿tienes novia?, Sí, la risa en su interior seguía, ¿La quieres mucho?, Sí, ¿Te vas a casar con ella?, Eso quiero, ¿Cuándo?, En cuanto vaya a California, ¿Vive allá?, En Los Ángeles, Igual que un novio mío, pero eso está muy lejos, ¿verdad? De un zarpazo tomó la mano masculina y la llevó a su sexo, ¿En serio no se te antoja?, David retrocedió asustado, las carcajadas de su parte reencarnable ensordecían, Vaya que eres raro, sonrió Rebeca, Pero ya caerás igual que todos; a la noche, cuando todo esté en calma, te quiero en la playa: vamos a dar una vuelta, ¿entendiste?, Sí, Y acostúmbrate, porque soy la dueña de la panga y me gusta pasear; si no vas, no respondo chipote con sangre sea chico o sea grande, y le acarició con sensualidad una mejilla. ¿De veras no eres joto?, No, contestó, Bueno, hasta la noche, puedes dormir en el patio si quieres. David se dirigió a la enramada, Que se olvide, no puedo fallarle a Janis, ¿Por qué eres fiel a una mujer con la que sólo estuviste ocho minutos?, si yo estuviera en tu lugar..., no respondió, se recostó sobre las redes y lo derrumbó el cansancio.

Lo despertaron al oscurecer, Vamos a la Gallera, dijo Manzo. Mientras se echaba agua en la cara, David escuchó que Rebeca estaba cantando, y cuando salió de la casa se topó de frente con Rivera, que lo miró con rencor, ¿Tú qué haces aquí?, Yo lo invité a comer, intervino el anciano, ¿Te molesta?, No, Don Danilo, que tenga usted buenas tardes; ya se iban, sin embargo el viejo hizo venir a su hija, Por favor, mija: no hagas nada que me avergüence, No, papá, Rebeca vestía una falda con flores diminutas que la convertía en una perfecta diva tropical, No traiciones mi confianza, No tengas pendiente, papá, el viejo había sido abandonado cuando Rebeca era pequeña y, si habían hablado de él por la esposa, no quería que hablaran por su hija: un esfuerzo completamente inútil, porque a Rebeca le importaba un bledo la continencia sexual. Eligió a Rivera para saciarse en su corpulencia, todas las tardes redescubría sus instintos y el poder de su cuerpo en cuanto se quedaban solos.

La Gallera era el lugar donde los pescadores bebían, botaneaban y repetían sus historias. Se ubicaba frente al mar, a un costado de la cooperativa. Después de la iniciación del mediodía, David no esperaba ser tan bien recibido, Cuidado con el morro porque se saca la chola, Eah: culos a la pared, ¿Y el Capi?, preguntó el viejo, Allá en su casa. Invitaron a David la primera ronda, la segunda cerveza fue cortesía del viejo Manzo. Cuando le preguntaron de dónde era, pensó en Sidronio y negó sus orígenes: argumentó que era de Culiacán y que había trabajado en la cooperativa pesquera de Chametla, esto último por consejo del anciano. La mentira cayó en terreno fértil y David siguió bebiendo con los pescadores. Luego de la tercera ronda, su mente comenzó a divagar por California, Chacala, Culiacán, hasta que lo asaltó una idea: El Chato. Su primo podría encontrarse con Sidronio en caso de que llegara a dormir a la casa de la loma, ¿Cómo le voy a avisar?

Cualquier esfuerzo hubiera sido inútil. A la misma hora en que el serrano bebía sus primeras copas sin problemas, el Chato llegó a la loma y se sobresaltó con el desmadre. Desde antes de entrar notó que algo avieso flotaba en el aire, impresión que se acrecentó al abrir la puerta: David jamás dejaría tanta cerveza en el medio tambo petrolero. Tenía poco más de un año de clandestino y su instinto se había desarrollado, no por nada se inquietaba en ese instante: ahí campeaba algo anormal, la casa se encontraba diferente. De inmediato notó los impactos en la pared y una mancha seca que sin duda era de sangre. ¿Será una emboscada? Se deslizó al interior con cartucho cortado, Alguien perforó la radio de un balazo, hay casquillos en el suelo, pero no pudo ser la policía porque no son reglamentarios, ¿qué rollo? No podía arriesgarse, tenía al broncón de Irigoyen, justo el día anterior llamó por primera vez a los parientes; el banquero se había puesto insoportable y hubo que intimidarlo, ¿Habrán sido los judiciales?, oteó la calle, Nel, no hay vehículos, además la judicial hubiera batido todo, y más si fueron los Dragones, pinches putos arrabaleros; ¿serían rateros? No, tampoco faltaba nada en su habitación, estaba todo: propaganda, medicinas, ropa, dos armas largas y cuatro pistolas: ¿Entonces qué rollo? Dejó pasar unos minutos hasta que la oscuridad fue total y en la penumbra comenzó a tranquilizarse. Sacó sus conclusiones: Vino la judicial, David opuso resistencia, lo hirieron para amedrentarlo y después se lo llevaron, puede ser. Ya más tranquilo regresó a la sala y destapó una cerveza que sabía quemada, estaba agotado pero no podía quedarse, Voy a tener que largarme, era un fastidio pues se hallaba cansadísimo, No me puedo arriesgar, maldito banquero, vamos a tener que sedarlo.

Pronto iba a salir de dudas. Colocaba su pequeño arsenal en una maleta deportiva cuando escuchó un motor; se asomó por la ventana y vio el coche de Sidronio Castro que se estacionaba sigiloso. Un tipo con apariencia de narco, parche en la frente, descendió con su inseparable AK-47. Se veía muy encabronado. El Chato comprendió: fueron serranos. Los narcos y los policías se parecen pero no son iguales. Comprendió que el Sandy había escapado a un primer ataque y que estaban insistiendo, sin duda mantenían estrecha vigilancia en complicidad con los vecinos: Están buscando a David, tengo la ventaja de mi parte. ¿Qué hacer?, ¿enfrentarlos? Ni loco, si estaban de vuelta era porque no habían agarrado a su primo, para asegurar el éxito de sus operaciones debía marcharse de inmediato, no podía poner en riesgo la seguridad de sus colegas, Además tendrán problemas para cobrar el rescate si les falto. Se acomodó la mochila en la espalda y se dirigió hacia el patio trasero, desplazándose con reservas. Cruzaba la puerta posterior, que continuaba abierta, cuando una descarga de cuarenta y cinco estuvo a punto de destrozarlo: era el chofer de Sidronio, que lo aguardaba tras la barda. Ora, cabrón, el chofer palideció: esperaba un blanco fácil, no a un profesional con dos pistolas, y el Chato, que era treinta kilos menos torpe, disparó al bulto cuatro tiros impecables: Toma, pinche burgués, y el gordo cayó desencantado de la vida. Para cuando Sidronio llegó a la buganvilia, el Chato había tomado la misma ruta que David. El más enojado de los Castro tuvo que conformarse con regresar a la calle mientras los vecinos empezaban a decir: Estos muchachos de la esquina, de plano se están destapando.

Cuando llegó la hora de marcharse, el viejo Manzo preguntó, ¿Dónde piensas dormir?, si quieres duerme en la panga, no hace frío ni hay moscos, además ya la conoces; en la casa no puedes quedarte por mi hija: no quiero que la gente hable, No se preocupe, la lancha me va bien. Fumaba sentado en un travesaño cuando vio pasar a Rivera de vuelta de la visita. Iba feliz, cantando la *Estrellita marinera*. David se sumió en la lancha, nada más por precaución, y en cuanto el pescador se hubo alejado se recostó boca arriba. El cielo era una casa, se veía igual que en la sierra: espléndido, casi podía tocar las estrellas. ¿Y si aparece Sidronio? Estaba seguro de no haberlo matado, Si quiere venir que venga, para darle otro botellazo, ¿cómo daría con la loma? Le voy a escribir a mi papá para que lo acuse con don Pedro, está desobedeciendo el convenio, yo de Carlota Amalia ni me acuerdo, y si Sidronio me sigue hasta aquí voy a tener siempre una piedra a la mano, aunque mi papá no quiera ni que las vea. Sacó la foto, que envejecía con prisa, Cuando vaya a California todo va a ser diferente, la besó suave, Qué difícil es vivir enamorado de Janis, a lo mejor el Chato me presta lo que falta para alcanzarla, ahí luego se los mando del otro lado, total: si tengo que jugar beisbol, jugaré, no queda de otra. Lo malo es que no me gusta, no le hallo el chiste, pero por Janis vale la pena, si tuviera trabajo con los Dodgers ahorita estaría durmiendo con ella, bien calentito. Ésa es una opción interesante, observó la voz, Tú cállate, atajó David, Ni lo pienses, el silencio no es lo mío.

Cavilaba cómo regresar por sus ahorros cuando, ¿Qué onda, mi perro?, Rebeca se interpuso entre él y las estrellas. ¡Qué mujer!, celebró la voz regocijada, David se había olvidado por completo de la cita, el oleaje lo estaba adormilando. ¿Y el motor?, En la cooperativa, ¿Y los remos?, En tu casa, ¿Cómo vamos a pasear sin motor y sin remos, mi perro? Lo pellizcó, Te dije, no respondo chipote con sangre, No entendí, Cuando no entiendas pregunta, ¿no fuiste a la escuela?, David no se movía, la miraba ir de un extremo a otro de la lancha perfumándolo todo, Es un poco dientón, pero está guapo mi perro, vamos a ver cómo movemos esto. Vestía igual que en la tarde, Allí está la vara, Órale, se bajó, Ayúdame a empujar. David siguió sus órdenes, en cuanto la lancha flotó un poco subieron de nuevo y usaron la vara para moverla en el agua. El puerto dormía. En cuanto estuvieron treinta metros mar adentro, Ay, no, otra vez, Rebeca se sacó la ropa y se le abalanzó como fiera, Órale, lo derribó con una urgencia inaudita, Quiero saber qué tan hombre eres, cabrón, y le mordió una oreja, Magnífico, dijo la voz, Vamos a complacerla, No quiero eso con usted, ya le dije, Usa las manos, exigió su karma, ¿A qué esperas para atacar?, David logró zafarse con gran esfuerzo, ¿Eres jotito o qué?, No soy joto, es que no quiero ser infiel, ¡Qué raro eres!, en Altata no hay un solo hombre que no quiera revolcarse conmigo, David se refugió en la proa, pero Rebeca lo alcanzó y, en lugar de hostigarlo, comenzó a bailar. Movía la cadera suavemente, sin ninguna premura, con sensualidad suficiente para volver loco a cualquiera; además despedía ese olor especial que comenzaba a envolverlo; Rebeca dio un paso hacia él sin dejar de bailar, luego otro, hasta que lo arrinconó, y cuando éste la iba a tocar lo empujó al agua, Espero que sepas nadar, mi perro, y recogió la vara. David la vio impulsarse hacia la orilla mientras su parte reencarnable despotricaba, No tenía por qué humillarnos, estábamos muy bien dispuestos.

# Nueve

El Cholo salió pitando de su casa, se dirigía a una cita de negocios cuando vio a una chica que le pedía aventón con insistencia, Qué onda, se detuvo, ¿Se hace la machaca? Tenía poco tiempo en realidad, apenas un par de horas, pero no era de los que desaprovechaban una oportunidad. Le subió al estéreo, venía escuchando canciones norteñas, ¿Qué, pues, mi reina, quieres conocer mi rancho ganadero?, voy derecho, se subió la mujer, iba a continuar tirándole los perros cuando experimentó una vibra extraña, Ah, caray, ¿qué rollo? Sintió el impulso de bajarla sin saber exactamente por qué: tenía el pelo largo y rizado, maquillaje perfecto, pero la ropa era más bien tosca, Morra de buena familia rolándola de jipiosa, concluyó, Ha de tener como seis meses sin bañarse, chale, en las que me ando metiendo, ¿qué hago yo con esta ruca sarreada? Si me tuercen mis compas no me la ando acabando. Faltaba una cuadra para el Zapata. Ella, como si hubiera adivinado, Me bajo en la esquina, indicó. Antes de que pudiera reclamar nada, el Cholo la vio dejar una carta sobre el asiento, Aquí le manda el comandante Fonseca, bajó y huyó en sentido contrario. Pinche Chato, pensaba Santos, Me la volvió a jugar.

El Chato le preguntaba si había visto a David y le pedía que rentara una segunda morada. Ni modo, se dijo Santos, Ya será en otra ocasión, hoy no puedo ayudarlo. Tenía horas clavado en su casa, esperando una llamada del cártel de Sinaloa: había pedido cita con el mero mero y no se podía mover. Minutos antes aún ignoraba día, hora y lugar de reunión, pero al fin le habían dado instrucciones y no iba a desperdiciar la oportunidad. Dos horas después de recoger a la emisaria del Chato salió de la ciudad siguiendo una camioneta blanca. Al llegar a Altata viraron a la derecha, hacia la zona donde están las casas de los ricos; se estacionaron frente a una construcción colonial rodeada por una barda de cinco metros de altura y don Sergio Carvajal Quintero lo recibió en una terraza que daba al mar. Lo acompañaban el licenciado Ugarte y Zacarías, el hombre de confianza. El Cholo le contó de sus esfuerzos infructuosos: unas cuantas maletas de mariguana compradas en Badiraguato y llevadas por tren a Tijuana, San Luis Río Colorado o Nogales; y que si iba a andar en eso quería hacerlo en serio, que corría el mismo peligro por una maleta que por un cargamento, ¿Lo sabe tu padre?, No, ni siquiera sospecha porque sigo yendo a la escuela, ¿Qué estudias?, Agronomía, pero es como si no estudiara, sólo voy a cotorrear, la semana que entra empiezan los exámenes finales y no los voy a presentar, Carvajal Quintero lo miraba muy serio, conocía a su padre y no deseaba causarle trastornos, aunque era cierto que si el chico andaba metido y no tenía protección le podría ir peor: a la policía le encantaban los chivos expiatorios, siempre consignaban a los traficantes independientes, sobre

90

todo cuando se estaba pidiendo la certificación del gobierno americano.

Carvajal, que era un zorro, de inmediato advirtió que Mojardín prometía. Si tenía tantos meses y no lo habían atrapado era por algo, sin duda se trataba de un muchacho que merecía una oportunidad, y comenzó a bombardearlo con preguntas personales, Qué rollo, se dijo el Cholo, ¿Así serán estas cosas?, ¿Estás dispuesto a decirle a tu padre?, don Sergio interrumpió el flujo de su pensamiento, ¿Qué tiene que ver mi jefe en esto? La respuesta fue terminante: Lo mío es un asunto familiar, todos participan menos las mujeres, si te contrato tiene que ser de la misma manera. Como dice el licenciado Ugarte, aquí presente, es nuestro concepto, así que responde sí o no, Sí, señor, Eso significa que estás dentro, Zacarías, dale instrucciones y no pierdas tiempo, nos hace falta gente en Las Vegas y los gringos se están matando por la mota. Gracias, le dijo, No se arrepentirá, Te importa madre si me arrepiento o no, ¡muévanse, Zacarías!, ya no tengo excusas para Burroughs.

El Cholo simpatizó con el licenciado Ugarte, que sonreía con frescura, Nadie diría que está en esto, pensó. Cuando llegaban al auto, encontraron a una rubia que venía del súper, Zacarías, ¿me ayudan con las bolsas?, Es Graciela, informó Zacarías, La nieta consentida de don Sergio. El Cholo la examinó, siempre le habían llamado la atención las rubias aunque fueran Miss Clairol, Mucho gusto, Santos Mojardín, ¿por qué tantas bolsas?, En esta casa falta desde papel sanitario hasta comida, Pero usted va a poner orden, ¿verdad?, Eso espero. Llevaron las bolsas a la cocina, el Cholo se dio cuenta de que la chica estaba completita y le gustó que fuera tan desenvuelta. En la radio sonaba una rola: *Mrs Robinson*, de Simon & Garfunkel, Qué bonita canción, elogió el Cholo, Estoy harta de corridos y lamentaciones, expresó ella, Vamos, Mojardín, lo apremió Zacarías, No tenemos tanto tiempo.

El brazo derecho del cártel de Sinaloa se llevó al Cholo con la Güera a un restorán en la orilla de la playa. Luego de pedir pescado zarandeado, ceviche de camarón y chicharrones de pargo, le dio una breve explicación de sus funciones: Tienes que cruzar el desierto de Sonora a la hora más peliaguda, la idea es conducir un cargamento a Las Vegas. Se tomó su tiempo para lanzar las advertencias necesarias: Jamás tomes nada como asunto personal, pasaste a ser miembro de una familia y todo debes consultarlo con el jefe o con quien él te designe, en este caso yo o el licenciado Ugarte; de la traición ni hablaron, el Cholo sabía la suerte que corrían los que decepcionaban a don Sergio. No preguntó más: Santos quería tragarse el mundo, no se iba a rajar ahora que le habían abierto la puerta, y si tenía que tragar mierda, tragaría, chingue su madre si no.

Su padre le gritó, Estás pendejo, no voy a permitir que un hijo mío se vuelva gomero, Ya está decidido, Al menos espera a que me lleve la chingada y entonces haz lo que te dé la gana. El Cholo le explicó que no le gustaba la escuela, que no iba a despojar a sus hermanos de las pocas tierras que poseían, que los trabajos estaban muy mal pagados y que prefería hacer esta apuesta, Don Sergio me recibió muy bien, pero exige que usted esté de acuerdo. Sólo tras horas de discutir, su padre reconoció que el paso era inevitable, Está bien, pero que no se entere tu madre, no traigas tus asuntos a la casa y no derroches en presencia de nosotros.

A la semana estaba irreconocible. Se cortó su larga cabellera, compró un sombrero panamá, subió a un torton cargado con diez toneladas de mota y agarró la carretera a Mexicali. En la frontera se encontró con Zacarías, supervisó que trasladaran la carga a ocho campers y dirigió la peregrinación hacia Las Vegas. Una vez ahí, Zacarías le presentó al comprador, Mister Burroughs: De aquí en adelante, señor, Santos Mojardín es el responsable de atenderlo. Esto significó entrar por la puerta grande. El señor Burroughs no sólo dio su beneplácito, sino que lo invitó a pasar el fin de semana en una suite con unas coristas. Fueron dos días alucinantes. El sábado por la noche el Cholo se excusó y dijo que debía retirarse, ¿Por qué?, Mañana me tengo que ir muy temprano, la yerba se consigue mal en temporada de lluvias y tengo que preparar nuestro siguiente viaje. Burroughs sonrió complacido, Hey, Zac, este muchacho conoce bien su negocio. El hombre, que estaba ebrio, aprobó con un gesto, Nos vemos en Culiacán, yo me regreso mañana.

Abandonó el lujoso hotel pensando en David, Pinche Sandy, dónde andará, a lo mejor está en Los Ángeles tirando barra. A su regreso encontró una ciudad convulsionada, llena de retenes, patrullada por camionetas de judiciales. Se enteró por el periódico que el banquero Irigoyen había sido liberado luego de pagar seis millones de pesos, Pinche Chato, ahora sí se forró. Su cautiverio duró una semana, al cabo de la cual fue rescatado en el estacionamiento del Estadio Ángel Flo-

93

res. En la conferencia de prensa, Mascareño declaró que el rescate había sido recogido por una dama elegante a la hora pico en la sala de urgencias del Seguro Social, y que se había esfumado de milagro, pero que ya tenían identificado al grupo infractor, La casa donde pasó esos días la encontramos en la colonia Rosales, los vecinos han declarado, tenemos retratos hablados y confiamos en que pronto pondremos a los facinerosos tras las rejas; no digo nombres para no afectar el curso de las investigaciones, Mis huevos, pensó el Cholo, Primero denuncia tu abuela que un compa de la col Ros, así son de duros.

Condujo hasta Altata, dispuesto a informarle a don Sergio del éxito de las operaciones. Además de los vigilantes habituales, sólo estaba la nieta, Qué raro, pensó. Encontró a la rubita asoleándose en la alberca, leyendo a Octavio Paz y escuchando un *long play* de los Monkees. Hola, Graciela, Ah, Santos, ¿qué tal?, ¿qué rollo?, parecía disgustada, el Cholo no quería mirar sus piernas embadurnadas de repelente contra los moscos, pero le llamó la atención un vello rebelde que escapaba del bikini, ¿Y tu abuelo?, Salió de pesca, no regresa hasta la noche. Graciela no lo perdía de vista y el Cholo, que no sabía seducir, habló claro y sin gracia, Oye, ¿quieres ir a tomar algo conmigo?, ella lo miró con gran enfado, Ya estoy tomando algo, señaló un vaso con naranjada, Este... ¿no prefieres una cerveza?, Graciela se puso el libro en el abdomen, Mira, Santos, acabemos: jamás saldré con ningún hombre que trabaje con mi abuelo, así que deja de pensar en que un día nos veremos por ahí, No soy hombre de tu abuelo, Igual no quiero salir contigo, estoy a gusto aquí, leyendo este libro, ¿De qué habla?, De los mexicanos en Los Ángeles, ¿Te gusta esa ciudad?, Sí, se recostó nuevamente, el Cholo se clavó en el vello rebelde, ¿Conoces Sunset Boulevard?, Que te vaya bien, lo cortó la muchacha, Le diré a mi abuelo que viniste, y se embebió en la lectura. Ay, sí, pensó el Cholo, Te sientes muy interesante, y se encaminó a la salida, Ni que no tuviera mis caiditos en Culiacán, además ahí está María Fernanda, chiquita mía, el mes que entra vamos a ver si truena la pistolita. Iba llegando al portón rodeado de flores amarillas cuando escuchó la voz de Graciela, Santos, ¿Qué pasó?, la rubia venía hacia él, se protegía del sol con el libro, Te gusto mucho, ¿verdad?, el Cholo se sonrojó, Pues más o menitos, ¿Te casarías conmigo?, ¿Qué? Perdón, ¿cómo estuvo el rollo?, Mira, estoy embarazada; el padre huyó a Europa y necesito con quien casarme. Conociendo a mi abuelo, supongo que está pensando en casarme contigo, lleva tres días hablando de ti, pero antes quiero saber qué es lo que opinas, digamos que soy más bien romántica. El Cholo se quedó de una pieza, ¿Hablas en serio?, Claro, ¿por qué crees que te dio una oportunidad así de fácil?, y a Las Vegas, que es uno de sus puntos preferidos, Júrame que lo dices en serio, ¿Siempre eres tan lento?, ¿no sabes reconocer una oportunidad cuando la tienes?, Oye, pero, Lo sé, tienes tus planes, todos los tienen, No, no es eso, es que..., Creo que estás precisando una cerveza, Espera, espera, ¿dices que por eso tu abuelo me dio la oportunidad?, Pues claro, ¿no sabes la cantidad de gente que le pide chamba? No es tan fácil, ¿qué esperabas? A ti te conoció y le gustaste para mí, estos cuatro días ya se informó de tu pasado y todo, tendría que ser tonta para no notar que pretende convencerme.

El Cholo sintió que se mareaba, Voy por una cerveza, anunció ella y se detuvo, ¿Qué te pasa?, ¿no traías muchas ganas?, Este, debo ir a mi casa, tengo un asunto con mi papá, Vuelve mañana porque tenemos que seguir hablando y, ¿te doy un consejo?, no des pie a que mi abuelo mande por ti, se puede poner de malas. Salió de allí disparado, ¿cómo podría casarse con esa mujer a la que sólo había visto una vez? Y embarazada, así que por eso le había tocado Las Vegas, con lo peleada que debe de estar esa plaza: con razón decía don Sergio que había entrado a una familia. Graciela veía la vida como su abuelo, ¡qué iba a ser romántica, pinche vieja!

El Cholo estaba bastante confundido, necesitaba el consejo de alguien y se le ocurrió que, en ausencia del Chato, la más indicada era María Fernanda, así que la invitó a cenar. Ni hablar, le dijo, Estoy de luto, ¿Por qué?, temió por su amigo, Se lo chingó el ejército o la judicial, ¿Quién se murió?, No murió, lo asesinaron, ¿A quién, dime?, Al papá de David, ¿Cómo?, Fernanda, es importante que te vea. Quince minutos después, la Nena se rindió a la insistencia. Para que supiera que la cosa iba en serio, Mojardín fue por ella en un Grand Marquís que acababa de comprar, ¡Qué bárbaro, Cholo!, te ha ido bien, ¿eh?, Más o menitos, como tú dices. Fueron al Bío por comida china, junto al cine Diana. El Cholo no podía ocultar su ansiedad, Cuéntame lo de tu tío. María Fernanda le explicó que tres días atrás, por la mañana, los Castro llegaron al aserradero, delante del grupo iba Sidronio, con la cicatriz del botellazo aún reciente, sus rifles brillaron, el resto de los empleados se apartó: Ponchío, ¿cómo está tu hijo el tontolón?, Alfonso, que era un hombre de honor, le dio la espalda, confiado en la palabra de don Pedro: Acuérdate del convenio, Sidronio, tengo un trato con tu padre y a él me atengo. No pudo agregar más, lo rafaguearon, Por mi hermano, gritó el malevo, escupió sobre el cadáver y se fue.

Cholo, si ves a David antes que yo, prométeme que se lo vas a decir con cuidado, mi mamá acaba de llegar de Chacala, tiene miedo que esto agrave el problema de las voces, Dile que no se agüite por el Sandy, debe de estar bien, ¿Cómo no se va a agüitar?, ya sabe en qué anda el Chato, pero el Sandy..., Dile que no se preocupe, ahorita debe de estar en Los Ángeles, ¿Cómo sabes?, Lo único que quiere es pistiar con Janis Joplin, ¿Todavía piensa en esa cantante? Está obsesionado, he visto a gente histérica, desmayada, por ejemplo en los conciertos de los Beatles, pero no había conocido a nadie que se enamorara de un icono, Capaz que la conoció cuando fue a Los Ángeles, pero ¿cómo?, Es un misterio, Lo que me pesa es que no haya aprovechado a los Dodgers, imagínate, un primo pichando en las mayores, pero lo fregó su enfermedad. Como de costumbre, apenas les habían puesto las entradas cuando el Cholo se dejó llevar por la impaciencia, era obvio que estaba enamorado de María Fernanda, Los hombres son tan transparentes, pensó la Nena, ¿Y esas ojeras, Cholo?, No he dormido bien, había hecho el viaje a la frontera de un tirón. Antes de seguir inventando más excusas, Santos decidió mostrar su juego, ¿Y qué onda, mija?, ¿se hace la machaca?,

¿Eh?, ¿No te acuerdas de lo que me dijiste cuando te pedí que fueras mi novia? Vengo a que me cumplas, Prometiste dejar pasar un año, falta tiempo, Necesito que me resuelvas ahora, ¿te quieres casar conmigo?, Ave María purísima, la Nena tiró el refresco, No es en serio, ¿verdad?, Es lo más serio que he dicho en mi vida, Cholo, pero ni novios somos, somos amigos y además estamos muy jóvenes, Pues yo me quiero casar, pero con quien yo quiera, no con quien me impongan, ¿Qué quieres decir con eso?, Que me quiero casar contigo, Oye, Cholo, ¿qué onda?, estás muy alterado, cálmate, ¿No me crees que te quiero?, Sí, Cholo, a mí también me caes bien, te conozco desde los ocho años, cuando eras cácher en el equipo de mi papá, pero ¿para qué quieres casarte?, ni que tuvieras treinta años. Para que seas mía nomás, No, Cholo, lo siento, no puedo ser de tu propiedad, soy un ser humano, Me exigiste ser rico y ya lo soy, Ay, no te claves, uno cuando está plebe dice cualquier cosa por quedar bien, Yo no lo veo así, todo este año estuve soñando con este momento, no sabes la cantidad de cosas que he tenido que hacer, Por favor, Cholo, podemos ir a comer, a bailar, y si me voy a Guadalajara me visitas; ahora llévame a mi casa: no quiero compromisos, no quiero ser de nadie.

Cuando la dejó en la col Pop se sentía peor que al principio. Mientras la veía entrar a su casa lo rebasó una patrulla llena de judiciales, así que permaneció estacionado. Esperó un tiempo prudente y después arrancó, iba a tomar rumbo a la Santa Cruz cuando vio a una chica que le hacía señas: era la hippie que recogió ocho días antes, que caminaba con una amiga, Lo que me faltaba, Miss Pestilencia. Trató de esquivarla, pero ella le salió al paso, Hoy no puedo darte raite, explicó, Tengo mucho trabajo, en eso la amiga se subió por el otro lado, ¿cuándo chingados iba a aprender a poner el seguro del lado del copiloto?, Déjate de pendejadas y dale derecho, esa pinche patrulla casi me apaña, era la voz del Chato. El Cholo se quedó boquiabierto, ¿Qué rollo, carnal?, Arranca, pendejo, Ay, cabrón, no te había reconocido, ¿y esa onda de vestirte de vieja?, Si no me visto así me chingan, Chale, Deja de asombrarte por pendejadas, esto lo hace cualquiera, ¿es tuyo el carro?, Simón, Te está yendo bien por lo que veo, oye, ¿no recibiste mi carta?, Sí, pero tuve que irme de viaje, Me urge que me consigas otra casa, por lo pronto llévame a un lugar seguro, ¿Al Quijote?, Ni se te ocurra, debe de estar hasta el gorro de vigilancia.

A medida que salían de la ciudad comentaron los estropicios de la loma: Yo creo que fueron judiciales, Nel, fueron serranos, ¿Cómo sabes?, Me tocó darme un entre con ellos, han de ser parientes de Rogelio Castro, ¿Te llevaste a David?, No, ¿No está contigo?, No, Pues está cabrón, la policía cree que es de tu gente, ¿Quién te dijo?, Tu carnala, tienen a tus padres bajo vigilancia y a David lo están boletinando. El Chato meneó la cabeza: Hay que evitar que ande de chile bolita; óyeme bien, Cholo, quiero que me prometas una cosa: si me truenan o me entamban tiéndele la mano, tengo un mal presentimiento, No digas pendejadas, Y otra onda..., de pronto el Chato calló y se le fue encima, ¡Épale, cachito!, ¿qué pues? Por seguir la conversación del Chato, Santos no advirtió que estaban llegando a un retén. Tuvo que detener el auto y permitir que un grupo de judiciales asomados por las ventanas observaran con lascivia a la morrita, de manera que ésta se pegó un poco más a su pareja, hundió el rostro en el hombro de su novio. Les clavaron los ojos durante una eternidad y por fin les dieron el siga, Hijos de su puta madre, resopló el Chato, Los traigo encima a los putos, mientras fingía abrazar al Cholo en realidad estaba sacando una pistola del sostén, listo para cualquier cosa. Te cagaste, ¿verdad?, se desquitó el Cholo, Nada de eso, es que ahorita soy muy conocido, ¿Tu gente está bien?, Eso espero, desde que cobramos el rescate nos desperdigamos, El periódico dice que tú lo cobraste, Son brujos, ¿Cómo le hiciste?, Sólo te puedo decir que usé dos disfraces; oye, pinche Cholo, necesito jetearme: no he dormido nada desde el jueves y me anda llevando la chingada, ¿dónde está el lugar seguro?, Vamos al rancho, mi papá anda para Navojoa, puedes descansar ahí.

Enfilaron hacia el monte. En cuanto entraron los recibió una ladrazón de perros, ¿Qué onda?, ¿no tenías otro lugar más ruidoso? Como el velador no reconoció el Grand Marquís de Santos, les apuntó con una carabina, Quiubo, Chalío, Quiubo, Santos, no te había reconocido. El Cholo enfiló el coche hacia la casa y el hombre aplacó a los perros, que siguieron gruñendo por lo bajo. Chato, suplicó, Antes de bajar quítate esa madre, No, mejor entro así para que no sospeche, tu mozo sabe que traes morras a esta casa, Pero no tan feas, no me chingues, No mames, el Chato entró a la casa sin detenerse para nada. Antes de seguirlo, el Cholo fue a hablar con el velador, Cabrón, ve si les das de tragar a esos perros, Es que no conocieron tu carro, Pues cómprales lentes, pinche Chalío, Nomás que me llegue el aumento, ¿qué tal tu morrita?, el velador se pasó la lengua por los labios, Desde aquí se vio nalgona, Nomás te voy a decir una cosa, presumió el Cholo, Fue Miss Sinaloa, Ándese paseando.

Luego de comprobar que el Chato se había dormido sobre la primera cama disponible, Santos se desplomó sobre una mecedora. Al día siguiente tenía que ver a don Sergio en Altata y resolver el asunto de Graciela. Dios mío, pensó, Qué pinche semanita, ahora sí soy Lucky Luciano.

# Diez

La Gallera, un galerón de seis por quince metros, alumbrado por un par de focos lagañosos, era el encanto de la raza. Allí bebían cerveza, sudaban, jugaban baraja, ponían apodos, relataban historias de tormentas y alucinaciones, siempre presididos por un abanico que no le echaba viento a nadie. Las sirenas existen, carnal, te lo juro, me tocó verlas en Cabo San Lucas, salen en las noches de luna llena, En la bahía de Vizcaíno nadaban cuatro muy quitadas de la pena, eran plantosas, muy parecidas a la mujer del Capi, Qué pasó, compa. Otros reparaban sus redes sin perder detalle.

Todo estaba calmado cuando llegó Rivera, *Estrellita marinera, dame razón de mi amor,* escanció tres medias al hilo y, Ahh, malditas botellas, cada vez les echan menos, venía de calafatear y pintar su lancha. Se acercó al grupo de los jugadores, ¿Qué dice el gran Rivera?, Desesperado porque no levantan la veda, Esta temporada sí te vas a forrar, ¿eh, cabrón?, ni más ni menos que el tesorero de la cooperativa, ya hasta guayabera traes, como el futuro presidente, No pienso tomar nada que no sea mío, Así decimos todos, intervino el Capi, que cuando ocupó el cargo substraía diariamente cuando menos un kilo de camarón de exportación, Bueno, tú cambiabas camarón por cerveza, eso no es tan grave, además nos convidabas, malo cuando lo venden y se hacen ricos como varios que yo conozco, No seré de ésos, Ya, hombre, confiemos en Rivera, para eso lo elegimos, ¿no?, además todavía falta mes y medio para que empiece la zafra. David escuchaba en silencio, sabía que el fortachón aprovechaba cualquier oportunidad para provocarlo y era prácticamente invencible. Hacía pocos días que le había enseñado el pene y todavía lo miraba con recelo; aunque no le importaba gran cosa ser objeto de su odio, era mejor mantenerse lejos. Rivera quería descuartizarlo, Pinche culichi, lo deseaba muerto y enterrado, Lo odias porque te la jugó gacho, le decía Rebeca, Se burló de ti lindo y bonito. Rebeca, su querida novia, la que siempre lo mandaba a casa silbando la *Estrellita marinera*. Se casarían después de la zafra y la tendría para él solo. A esas alturas no podía vivir sin su olor, ya no pensaba en otra cosa, si la perdía de vista no podía hacer ejercicio ni trabajar; la recordaba al pasar frente a las almejas, los camarones cocidos, el queso chihuahua, el orégano, los ostiones, las limonarias y las sardinas enlatadas. Todo el día deseaba que fuera noche para encontrarla donde ya sabía, para saciar su obsesión y su deseo; se hubiera muerto de saber de los paseos nocturnos que su amada emprendía ni más ni menos que con su odiado rival.

Esa noche traía ganas de provocarlo, así que lo miró de frente, ¿Por qué no jugamos vencidas? Todos conocían sus mañas, David se puso de pie, Ahí nos vidrios cocodrilo, ¿Le sacas, puto?, Simón, le saco, Los culos no van a la guerra, Rivera tensó sus bíceps como indicaba el manual de Charles Atlas, Sí, hombre, aquí el único macho eres tú, Qué, ¿no te gustó?, David salió sin responder, llevándose consigo la última cerveza, Rivera lo alcanzó en la calle, Te estoy hablando, hijo de la chingada, pero el serrano aceleró el paso y se escondió en un rincón cerca de la Gallera. Cuando se cansó de insultarlo, subió a encontrarse con Rebeca.

David se quedó donde estaba hasta que el fortachón desapareció de su vista, sólo entonces se encaminó hacia la lancha. Para su infortunio, apenas se había instalado cuando Rebeca llegó corriendo: la Luna se hallaba en su apogeo. Vamos, mi perro, Mariano se quedó a platicar con mi papá. Empujaron la lancha mar adentro y pusieron proa rumbo a los manglares de Avándaro. Rivera, que había ido en pos de su amada, alcanzó a ver que despegaba la lancha, Ah, cabrón, se la están robando, pensó en correr a avisarle al viejo Manzo pero lo interceptó la vecina más cercana, ¿Adónde vas?, Le están robando la panga a don Danilo, No seas bruto, bien dicen que el afectado es el último en saberlo, todas las noches se meten al mar y sólo Dios sabe lo que harán.

Fue como si le inyectaran lamias. Entró en la cooperativa hecho un basilisco, tomó el primer motor que encontró y corrió hacia su nave. Cuando estaba a pocos metros, apagó el aparato y se quedó pasmado, no podía dar crédito a sus ojos: Rebeca se quitaba la falda, la blusa y comenzaba a bailar para David; se movía llena de lubricidad, como una sacerdotisa en trance, y el tontolón la admiraba boquiabierto. Ora sí, dijo Rivera. Decidió que iba a matarlo, pero primero tenía que detener a su mujer. ¡Rebeca!, ¿qué haces?, saltó a la lancha y, antes de que nadie pudiera reaccionar, ex-

104

pulsó a David de un golpe, ¡Mariano, detente!, Ponte tus garras, tomó a su novia por el brazo, Vístete y vámonos, le aventó la ropa, ¿Qué te pasa?, ¡Que te vistas!, Estás pendejo, el que se larga eres tú, Rebeca, ¿qué onda?, No tengo nada que explicarte, Rebeca, por favor, el olor era intenso pan de vainilla, Lárgate, a mí no me vas a gritar, ¿qué te estás creyendo?, Pero, Rebeca, ¿y nuestros planes de boda?, Lárgate, ya no me busques, no quiero saber nada de ti.

Rivera se fue gruñendo. Ya conocía a Rebeca y sabía que cuando se enojaba hasta ese punto cualquier intento sería en vano: serenatas, regalos, brujerías; por menos que eso la había visto echar a otros pretendientes, ya no lo iba a recibir y la culpa era del pinche dientes de botete.

David estaba exhausto pero no podía dormir. Rivera sabía que dormía en la lancha y podía caerle en cualquier momento, así que decidió dejar el nido y aventurarse por las afueras del pueblo. Pronto las calles cedieron su lugar a la carretera y David caminó a oscuras. Por primera vez temía por su vida. Se sentía bastante inquieto cuando sintió que lo alumbraban: un conductor que circulaba en sentido contrario frenó de golpe, metió reversa y le aventó el coche encima, ¿Qué onda?, Nos atacan, gritó la voz, David saltó aparatosamente, en el instante en que caía al suelo recordó a Rogelio Castro, la pistola apuntando al cielo antes de disparar. Antes de que pudiera levantarse, vio que la puerta del conductor se abría, ¿Qué pasó, Sandy Koufax, dónde andabas? Era el Cholo, que se desternillaba de risa, Con esos amigos para qué quieres enemigos, reclamó la voz, ¡Pinche Cholo! Santos venía de rendir cuentas a don Sergio Carvajal, Pinche Sandy, ¿qué estás haciendo en Altata? Yo te hacía con la Janis, y de dos patadas se pusieron al corriente: Vine huyendo de Sidronio, encontré trabajo, ¿Aquí vives?, ¿de qué la estás rolando?, De pescador, ya hasta aprendí a tirar la atarraya, Con razón estás tan prieto, ¿por qué no te fuiste a Los Ángeles?, No me alcanzó.

David estaba exultante, recargado en un costado del automóvil, sin embargo notó algo irregular. A pesar de las bromas, el Chato estaba muy solemne. De pronto, su amigo le puso una mano en el hombro y lo palmeó: Hay algo que debo decirte, carnal, prepárate porque es un trago muy amargo, ¿Qué?, Mataron a tu jefe, me lo contó la Nena. Santos relató la historia lo mejor que pudo y lo abrazó, al instante David se derrumbó en la arena, las lágrimas corrían por sus mejillas tostadas, Fue por tu culpa, lo acosó su karma, Si no hubieras bailado con Carlota Amalia nada hubiera pasado, ahora estás obligado a tomar represalias.

No tuvo fuerzas ni argumentos para contradecir a la voz, que parecía inapelable, y allí comenzó su obsesión por la venganza. Ánimo, David, dijo su amigo, Ya sé que es muy duro, pero tienes que reponerte. Quiero ir a Chacala, Santos cavilaba en el peligro que corría su amigo, y estaba listo a prometer lo que fuera con tal de distraerlo: Si hay que ir, iremos, expresó, Buscaremos una avioneta, la más rápida. También quiero ir a la loma, ahí tengo mis cosas, Tenías: la judicial espulgó todo, Hay algo que necesito, No puedes ir, la casa está bien plaqueada, Tengo dinero escondido en la pared, cerca de la buganvilia, Ah, zorro, ¿cuánto tenías?, Quinientos, Órale, cuando la policía se largue iremos por ellos, Están bien clavados, los necesito para ir a Chacala, Está bien, pero vamos a tomarla con calma, hilo papalote.

Subieron al auto y el Cholo tomó la carretera, ¿Adónde vamos?, A Culiacán, ¿Vamos a ver a mi tía?, Después, ¿Y a la Nena?, Luego, hoy no podemos ir, ¿Por qué no?, Es que por su casa hay muchos retenes, ¿Entonces adónde me llevas?, Al rancho, ¿sabes a quién tengo ahí?, ¿Al Chato?, ¡Brujo! Algo me dice que no quieres verlo, Sí quiero, pero tengo que trabajar mañana, don Danilo me va a estar esperando, Yo te traigo temprano, también tengo que regresar: ahora vengo de la casa de don Sergio Carvajal Quintero, ¿Y ése quién es?, Mi jefe.

Llegaron en un dos por tres. El Chato estaba durmiendo una de sus rondas de veinticuatro horas y los recibió todo amodorrado, con el arma en la mano. Aunque le dio gusto ver a David, tampoco estuvo muy expresivo: ¿Qué onda, cómo lo encontraste?, le preguntó a Santos, la madrugada anterior, cuando se levantó a comer algo, el Cholo le explicó la suerte de su tío, Pobre David, qué mala suerte.

Se sentaron a beber cerveza bajo un huanacaxtle. ¿Y dónde vives, David?, No tengo casa, nomás duermo en una lancha, Qué mal, carnal, en cambio a mí me ha ido bien, no me la ando acabando: estoy con Carvajal Quintero, Órale, lo interrumpió el Chato, Ésas son palabras mayores, Las que debemos hablar, ¿a poco no?, ¿Y qué haces?, De todo, ¿Llevas carga al otro lado?, Simón, camiones tortons llenos de mota, Perfecto, voy a proponerte un negocio: tenemos dos millones, ¿No eran seis?, Los diarios dicen que cobraron seis kilos del rescate, Ya vi que eso declaró el cabrón banquero, pinches burgueses, no se puede confiar en ellos; en realidad le bajamos dos y medio, el medio ya caminó, con los otros dos queremos comprar armas, Órale, ¿Vas muy seguido a Las Vegas?, Casi cada semana, Te propongo que de ida lleves mota y te regreses con armas, ¿qué tal?, tú me das el día y la hora y mis contactos hacen todo: llevan las armas a donde les indiques, las cargan, les pagas y ahí nos vidrios cocodrilo; dejaremos un remanente para que sobornes a los aduanales, para tus gastos personales y, claro, la tajada del león. Puede ser, ¿qué opinas, David? David estaba muy parco, Tienes que vengar a tu padre, es una cuestión de honor, decía su karma; con tal de levantarle el ánimo, el Chato le propuso hacer una casa en Altata, No me interesa, ¡Cabrón, cómo que no!, además, también es para mí: tal vez ahí podamos descansar sin sobresaltos, Ah, bueno, si es para ti, órele, David pensó en sus ahorros, no le agradó la idea de sacrificarlos, pero estaba dispuesto a colaborar con su primo, Yo sé hacer casas de madera, le ayudaba a mi papá, cómprame unas tablas y en tres patadas armo un jacal, el Chato lo miró conmovido, por esa raza se estaba partiendo la madre y vaya que valía la pena, cómo de que no. No, primo, vamos a hacer una casa de ladrillos, tengo una lana clavada para eso; Yo quiero entrar, se animó el Cholo, quiero tener algo allí, Te toca el baño, propuso el Chato, vas a instalar un baño de agua corriente, ¿Quiere estar cómodo el señor? Déjalo de mi cuenta, y empezó a fantasear, pero tuvieron que posponer la fiesta.

Como el camino de acceso al rancho era de tierra, en ese instante escucharon que una comitiva se acerca-

ba. Eran por lo menos dos vehículos, Puta, al Chato se
le secó la garganta, Ay, güey, el Cholo se puso de pie,
Mi papá y mi hermano no están, mi mamá jamás viene sola, mis hermanas no saben manejar, por lo tanto
no es mi familia, Valiendo madre, dijo el Chato, Es la
judicial, y corrió al dormitorio. Tomó la Smith & Wesson, checó cargadores y órale, lo tenía decidido: Patria
libre o morir, hijos de su pinche madre. Ya iba hacia la
puerta principal cuando lo detuvo Santos: Chato, es-
cóndete en casa de Chalío, a lo mejor la libramos, Que
se quede contigo David, Nel, a él también lo buscan,
clávense. Aunque ya sabía que el Chato se hospedaba
en la casa, el velador se intranquilizó al verlo con el
arma en la mano y cara de pocos amigos, Nos manda
Santos, Me imagino, métanse bajo las camas, sugirió,
Nel, métanse ustedes, si entran, igual nos vamos a dar
en la madre, así que mejor los esperamos aquí, por si
se ponen picudos, y se apostó en una pequeña ventana. David lo miraba asustado, en su vida imaginó ver
de esa manera a su primo, Ponte a la altura, lo regañó
el karma, Saca los malditos redaños.

Entretanto, Mojardín se fajó una Taurus por las dudas, Lo que tenga que pasar, va a pasar de volada. Apenas había salido al patio frontal cuando un automóvil
de lujo y dos camionetas se estacionaron frente a él en
abanico. Por un momento, la oscuridad y una nube de
polvo le impidieron ver a los recién llegados, luego
el polvo se disipó frente a los automóviles, justo cuando de una de las camionetas bajaron dos judas, en la
otra viajaba una tropa que no se movió, todos con
akás cuarenta y siete, uniformes de la PGR. El primero en bajar del carro fue Zacarías, Uf, se relajó el Cho-

lo, el segundo fue el licenciado Ugarte: Ahí te hablan, Santos, y señaló al Grand Marquís.

Era don Sergio Carvajal Quintero, que venía de malas: Me dejaste colgado, reclamó, Perdón, señor, es que tuve un pendiente, puedo explicarle, Explicar madres: mira, Santos, no tengo mucho tiempo, debo estar en el aeropuerto en quince minutos y estamos como a treinta, así que al grano: supe que Graciela ya habló contigo, el asunto no es exactamente como ella te lo planteó pero algo hay de eso; para mí la familia es primordial, y como te dije, eres joven, estudiante, ambicioso, me gustó tu estilo en el viaje a Las Vegas, en fin: creo que el trato te conviene más que a mi nieta. A una señal de don Sergio, el licenciado Ugarte abrió una maleta y mostró: un millón de dólares, los documentos de propiedad de un restorán en Los Ángeles, una casa en Culiacán, otra en Chulavista y una más en Altata, ¿La que conozco?, Esa mera, Además te dejaré Las Vegas y Phoenix. Ándese paseando, pensó el Cholo, como en las películas, ¿Y Graciela?, En el aeropuerto, documentando, ¿Qué dices? Me urge resolver esto, Que voy a engordar, Ya está todo dicho, te veo de regreso: no se te ocurra hacerme esperar, No, señor; A ver, Zacarías, dile a la escolta que nos abra camino.

Los tres autos salieron volando. David y el Chato se acercaron al Cholo al esfumarse la polvareda, a la distancia no comprendieron nada. Santos exhibía una sonrisa desganada y ojeras más profundas, ¿Qué creen que acabo de hacer?, les explicó en dos patadas. ¿Cómo te dejaste engañar?, le llamó la atención el Chato, Puede ser una trampa, a lo mejor necesitan un chivo expiatorio y pensaron en ti, Tranquilo, ahorita el gobierno los persigue a ustedes, además, si me voy a meter en el juego quiero hacerlo bien, Si vas a jugar, primero aprende las reglas, Lo haré, por lo pronto alisten sus chivas porque nos vamos a Altata al amanecer, mañana mi papá estará de vuelta y no puede encontrarse con ustedes. David se indignó ligeramente, No debes regresar a Altata, replicó su parte reencarnable, Los asesinos de tu padre están en la sierra, Yo no voy a ir con ustedes, exclamó, Tengo que ir a Chacala, Así se hace, lo apoyó su karma. No te lo aconsejo, dijo el Chato, Tu misión en la vida es más importante, primo, estás en el punto de quiebre, los Dragones te están persiguiendo, ha llegado el momento de abrazar las armas: Patria o muerte, David. A mí eso no me interesa, tengo que vengar a mi padre, Mira, Sandy, intervino el Cholo, La judicial te está buscando; ahorita no conviene que vayas a tu casa, neta; en unos días yo te llevo, ya te dije, pero mañana volvemos a la playa, por lo pronto es lo más seguro y, además, ¿cómo voy a despreciar esta oferta de don Sergio? Tengo que firmar esos papeles. Además, ¿cómo quieres ganarle a Sidronio?, ¿sabes tirar?, No, ¿Sabes quitarle el seguro a una pistola?, Todavía no, pero no me hace falta: con unas piedras me lo chingo, ¿Y si fueron varios?, Les doy de uno por uno, Ah, qué, mi Sandy, mejor ahí muere, Nada de eso, tú me lo prometiste. Durante horas intentaron disuadir a David; cansados de tanto discutir, el Cholo se retiró a su cuarto y el Chato se adormiló sobre una mecedora: había sido un día muy intenso. El último en rendirse fue David. Éste miró su cerveza todavía helada, y cabeceó un poco, Sidronio no respetó el convenio, cabeceó otra vez, Mi papá debe de estar en el cielo, se le cerraron los ojos. Lo imaginó en la sierra, rodeado de ciervos y otros animales, luego vio el vestido de Janis Joplin y, a medida que se adentró en el sueño, ¿Qué onda?, notó que la mujer tenía pezuñas en lugar de pies.

## Once

Un yate de trece metros de eslora se balanceaba en el muelle privado. Tras él podía apreciarse la mansión de don Sergio que pronto sería del Cholo: una casa inmensa, terraza con vista a la playa, alberca y un piso con sala de estar. Gregorio Palafox Valenzuela, alias el Chato, alias el comandante Fonseca, inspeccionó meticulosamente los accesos, el patio y cada habitación; al Cholo, que estaba eufórico, la seguridad le importaba un bledo, y David se adaptó sin mayores exigencias. Sólo utilizaron el ala izquierda, en total tres de las siete recámaras.

Desde el día en que firmó los papeles, el Cholo se involucró de lleno con la familia. En unas cuantas jornadas demostró a Carvajal que no se había equivocado: compraba, empacaba y vendía como si hubiera nacido para eso. Pronto se ganó el respeto de sus socios y de la gente del gobierno con la que le tocó negociar. Se hizo fama de expedito: un día escoltaba un camión, los detuvieron entrando a Sonora, el torton iba hasta el tope de golden, imposible ocultar tanta mariguana, ¿De dónde vienen?, preguntó el federal PGR división narcóticos, Puro Culiacán, compita, ¿Qué traen?, Tomate, ¿Traen la guía?, No, pero traemos quinientos dólares, y pasaron sin dificultades. Como parte de su metamorfosis el Cholo lucía una gruesa cadena de oro en el cuello y una grotesca esclava con su nombre, Cabrón, al rato te vas a incrustar brillantes en los dientes. El Chato hacía escarnio de su estilo, pero sin llegar a insultarlo: Santos era su mejor amigo y le debía muchos favores. De vuelta de uno de sus viajes a Las Vegas había logrado introducir el más importante lote de armamento para el movimiento guerrillero: pistolas Smith & Wesson y rifles Andrei Kalashnikov, listos para el asalto.

David estaba terco en volver a Chacala. Sus amigos se las vieron negras para disuadirlo de que fuera a buscar su dinero a la casa de la loma, el Cholo incluso tuvo que echarle mentiras: Cabrón, ya fui por ellos, los vecinos tenían fiesta, había un chingo de camionetas, banda y cerveza hasta para tirar para arriba; me tuve que saltar la barda por detrás y fui directo al escondite, encontré el hoyo junto a la buganvilia, pero no había nada: vacío, mi Sandy, ya te dije que los judiciales espulgaron; Cholo, entonces préstame para el boleto. Ni el Chato ni el Cholo pensaban dejarlo ir a Chacala, pero no se lo podían decir de frente: Mira, primo, pienso que no podrás acabar con los asesinos de mi tío, son gente armada y lo más seguro es que te ganen el jalón; aparte, ¿qué pasó, mi Sandy ya no quiere ver a la Janis? En un mes yo cobro y te pago el boleto a Los Ángeles, No aceptes, lo inducía su parte reencarnable, a quien prestó muchos oídos esos días, No puedes posponer la venganza, que te presten el dinero que te falta y sanseacabó, Cholo, cómprame el boleto a Chacala. Ah, cómo eres terco, el Cholo cambió de estrategia; Está bien: cuenta con ellos, también

114

te voy a prestar para el regreso, pero falta una cosa: no puedes arriesgarte con las piedras, dile al Chato que te enseñe a tirar y que te preste una pistola, Excelente idea, aprobó el karma, Tiene que ser rápido.

El Chato perdió tres días tratando de que David aprendiera las partes de la pistola. A pesar de las rabietas de su parte reencarnable, no lograba memorizar las instrucciones necesarias, con frecuencia se le olvidaba quitar el seguro y al disparar se encasquillaba. Al cuarto día de adoctrinamiento, el Chato desistió: Tú no eres para esto, primo, regresa al beisbol. Cada vez que podía, David repasaba las lecciones del Chato, acuciado por la voz interior, que sabía mucho de eso, lo malo es que su desesperación lo estaba desquiciando. A ratos recorría la nueva casa, regaba las plantas, barría y cocinaba después de trabajar con don Danilo, a quien le parecía excelente que tuviera dos trabajos, No está mal que andes de velador. Desde que se enteró del asesinato de su padre ni siquiera lograba descansar pensando en la Janis. En cuanto sacaba el recorte, su parte reencarnable lo regañaba: ¿Cómo puedes olvidar la muerte de tu padre? Ya no pienses en ella, si caes en las garras de esa mujer no vas a ir a vengarte. No sabía qué hacer. Le hubiera gustado consultarlo con alguien, pero ¿con quién?, con Rebeca no tenía la confianza, con el viejo le daba pena, cuando el Chato estaba en la casa se la pasaba dormido y Santos Mojardín sólo aparecía de vez en cuando, con su mirada ojerosa cada vez más sibilina, irradiando esa carga de recelo propia de los delincuentes.

Lo único que le permitía conservar el equilibrio eran la pesca y las citas con Rebeca. David continuaba su rutina, de día era pescador, por la tarde veía a sus amigos, a veces, por la noche, iba a la lancha a esperar a Rebeca, acompañado siempre por la foto de Janis. La hija de Danilo ya no era la misma; aunque no quisiera aceptarlo, la ruptura con Rivera la había desquiciado. Al principio todo era igual: lo citaba en la lancha, asediaba con fuerza, agredía, chantajeaba con tal de seducir a David, pero después lo dejaba plantado o lo trataba con la punta del pie: Mi perro, ¿no te das cuenta que lo hice por ti? Dejé a Rivera, lo mandé al carajo. David se hallaba confundido. Le gustaba salir con Rebeca, oler su aroma y verla bailar, pero no quería serle infiel a Janis; con una fe imperturbable, David confiaba en que el destino lo uniría a la cantante, y poco a poco la animosidad de Rebeca fue decayendo. A la muchacha no le faltaba con quién divertirse, en realidad todos morían por ella y no había tarde que no se viera a alguien escurriéndose a la casa a espaldas del viejo Manzo. Sólo David no era pieza cobrable y por eso le interesaba.

A mediados de agosto todo se endureció. Un día, el Chato despertó al Cholo antes del alba, Me tengo que borrar, carnal, ¿puedes llevarme a Navolato, a la terminal de los camiones?, Te llevo a donde sea, carnal, al mismo infierno si quieres, Ahí está bien, ¿Necesitas algo?, dinero, armas, mota, Nada, sólo llévame a Navolato antes de que amanezca, no tarda en escampar. Se fueron en el Marquís. David se sentía muy solo: mataron a su padre, cambiaba el Cholo, cambiaba su primo, sólo él seguía siendo el mismo y allí estaba el cielo, que tampoco cambiaba, ¿Eran nueve planetas? Mercurio, Venus, la Tierra, Marte...

116

La soledad no le iba a durar mucho tiempo. Esa misma semana se supo que la célula al mando del comandante Fonseca asestó tres golpes en el estado: asaltaron tres bancos y tomaron por diez minutos una caseta de peaje, en las mismas narices de la policía. Mascareño andaba como loco, sus superiores lo amenazaron con despedirlo o encarcelarlo por complicidad con la guerrilla; era nervioso y agarró una úlcera que no paraba de sangrar, Exigimos resultados, comandante, imponga el estado de sitio. A consecuencia de esto se incrementaron la vigilancia y los retenes, incluso detuvieron a dos choferes de don Sergio Carvajal y la vía libre fue cerrada sin explicaciones: Ahorita no podemos trabajar, el gobierno está negociando la certificación con los Estados Unidos y todo se complica, explicó Ugarte, Sólo nos queda esperar. Con las carreteras vigiladas y el equipo de Mascareño activado a todo lo que daba, tanto el Cholo como el Chato tuvieron que quedarse en Altata. El Chato llegó dispuesto a planear el asalto a la zona militar, el Cholo sólo quería relajarse. Cada vez que venía de pescar, David encontraba a sus amigos conversando muy quitados de la pena, ¿Que el Chato era uno de los guerrilleros más buscados? ¿Cuál, dónde?, ¿Que el Cholo era uno de los narcos jóvenes que estaba repuntando y que había quien lo quería bajar? ¿Cómo, cuándo? Se emborrachaban tranquilamente como si nada pasara, disfrutaban de la alberca y reían a carcajadas bajo un paraguas amarillo. ¿Qué pasó, mi Sandy Koufax?, ¿de dónde vienes, viste a tu amiga?, Ah, conque tienes otra morra, a la Janis no le va a gustar ni madres, No tengo nada con ella, Más te vale, cabrón, con la Janis no se juega, te quieres casar con ella, ¿no?, Sí, Pues compórtate, y si se hace la machaca yo te pongo la fiesta, Órale, le cae al que se raje, ¿Cuándo me he rajado, güey? Lo que te diga borracho, bueno y sano lo sostengo, y que conste que estamos hermanados siguiendo a este cabrón: que quiso vivir allá en casa de la chingada, allá vamos; que quiso hacer casa en la playa, aquí estamos, No se hable más, Y no hace falta, compita, ya dije.

Oye, Cholo, ¿y qué onda con tu proyecto de comprar Los Tomateros?, Estamos en pláticas con el dueño, aunque te diré que ya no estoy tan entusiasmado, al principio lo quería para que jugara mi Sandy, pero ya ves que al bato no le gusta el beisbol; yo con ese brazo hubiera hecho una fortuna, imagínate: lo firmaron los Dodgers, eso no es cualquier cosa, Pues sí, pero se puso a pistear, ¿no lo sonsacaste tú?, ¿Yo? Nel, ni madres, ¿cómo crees?, él se emborrachó solito, ¿Lo imaginas pichando en las mayores?, Qué desmadre, habría un chingo de descalabrados, cuando le cachaba me hacía parir cuates, ¿ves estos dedos?, los tengo chuecos por su culpa, Qué bárbaro, primo, estás pesado, David sonrió, pero por motivos muy distintos. Estaba pensando en Janis, ¿sería celosa?, Cuánto me falta conocer de ella, ¿Por qué no te casas con Rebeca?, preguntó su parte reencarnable, Estoy seguro que ella apreciaría a un hombre con redaños, y además está aquí, al alcance de la mano, no tienes que ir tan lejos ni preocuparte por problemas del idioma, Sólo me casaré con Janis, Cholo, ¿aceptarías ser mi padrino de boda?, Claro que sí, yo la organizo: será una fiesta gandalla, para empezar una vaca tatemada, como quinientos cartones de cerveza, carrujos en todas las mesas, saleros con coca, heroína en los baños, pastas las que quieras, tal y como merece la reina de los hippies, pero eso sí: la música que la ponga ella. Chato, tienes que ir a la boda, debes ser padrino también, ¿Y si me buscan allá?, Compramos unos cuernos y a como te tiente, dijo el Cholo, Nos damos un entre con los gringos, Órale, un nuevo Columbus, Pinche Sandy, tu boda va a estar mejor que la mía.

El Chato había recibido entrenamiento especial en la ciudad de México y estaba por incorporarse a la Liga Comunista 23 de Septiembre. Oye, Gregorio, hay algo que no entiendo, neta, ¿cómo es que siendo tan revolucionario prefieres vivir con el Sandy y conmigo, en lugar de estar con tus camaradas?, hasta donde yo sé los guerrilleros siempre andan juntos, Todos menos yo, cuando me quedo con ellos, no duermo, es lo único que me reprochan en la organización, además, no sé, carnal, luego tengo mis presentimientos; y entre más me critican menos quiero quedarme, Mándalos a chingar a su madre, ¿por qué no entras a trabajar conmigo? Serías un exitazo, No, lo mío es otra cosa; oye, ¿y tu boda qué onda?, Uta, es un desmadre: al principio era en este mes, después que en septiembre y ahora hasta el diez de octubre; se va a casar primero este cabrón que yo. David sonrió, la piel tibia de Janis contrastaba con las aguas de marzo, ¿qué tanto le había dicho?, no había olvidado una sola de sus palabras, aunque no las entendía, ¿qué era eso de Kris Kristofferson?, ¿del Chelsea Hotel?

A la semana del estado de sitio, el Cholo empezó a quejarse del bloqueo. Igual se iba a resolver, ¿cuál era el problema?, ¿le estaban haciendo al loco o querían atrapar a un pez gordo? A pesar de que nunca hablaba de sus actividades, esa noche se relajó. Contó que su jefe comenzaba a presionarlo: Encuentra alguna solución, pinche Cholo, perdemos clientes, sin contar con que a muchos contactos los confunden con guerrilleros, se ha perdido bastante mercancía. El Chato admitió que en lo suyo las cosas tampoco marchaban como se esperaba, incluso Genaro Vázquez contaba más las duras que las maduras, los militares no lo dejaban ni a sol ni a sombra, igual que a Lucio Cabañas. David los escuchaba sin involucrarse. Por esas fechas se entendía más o menos con su parte reencarnable, pronto vengaría a su padre y se casaría con la mujer de sus sueños; sólo de vez en cuando oía cómo el cráneo, Pock, de Rogelio volvía a quebrarse e imaginaba la sombra amenazante de Sidronio. ¿Y si los Castro me buscaran en Altata? Los imaginaba caminando por la playa, cargados de armas, bien borrachos, seguidos por la banda musical.

¿Qué onda, Chato?, que se vean tus dotes de estratega, ¿Cómo está la situación?, No podemos enviar droga por carretera, dice don Sergio que se trata del bloqueo más severo de que se tenga memoria: además del gobierno hay otros grupos que quieren estorbar, sobre todo unos güeyes de Navolato, los Puente, que le están echando mierda al agua, ¿Por tren?, Es imposible, y por transbordador tampoco, el gobierno ya sabe que éstas son las opciones más rentables después de los trailers, ¿Y en avioneta?, Es incosteable, la mariguana ocupa demasiado espacio, Pues mándala por mar, ¿No te digo que está muy vigilado?, No digo

120

por transbordador: en lancha, Ahí está la *Acorazado Potemkin*, que no se raja, ¿cuánto le puede caber a una lancha como la de Sandy?, Ah, caray, el Cholo pensó un momento, De perdida unos ochocientos kilos, A ver, Sandy, el Chato se condujo como si estuviera discutiendo el plan para tomar un pueblo, ¿Qué tan rápida es la *Acorazado?*, Va a cuarenta por hora, Préstame esa pluma: si sale una lancha a las seis de la tarde, tripulada por dos personas con ochocientos kilos... ¿cuántos kilómetros da por litro?, Unos cuatro, ¿De cuántos caballos es el motor?, De sesenta, ¿Cuánto hay a Puerto Peñasco, Cholo?, No sé, ponle novecientos kilómetros, Órale, entonces llegarían a las tres de la tarde del día siguiente, quizás a las seis por el peso, ¿te viene bien?, Se me hace muy lento, Es por la carga, necesitas un motor más potente, Suena factible, aprobó la parte reencarnable, Oye, al yate le cabe un madral, Pero es más lento, además que es más fácil detectarlo, ¡Pinche Chato!, el Cholo lo seguía con atención, Deberías trabajar conmigo, Es de agradecimiento por las armas que nos conseguiste, nada se pierde con intentarlo. Simón, y tendríamos merca a cien kilómetros de la frontera, ¿Puedes hacer que los gringos vayan hasta allí?, No me conviene, la mota vale cinco veces más pasando la frontera, Pues ahí tienes tu nueva ruta: sólo te falta el lanchero, ¿Qué onda, mi Sandy?, ¿se anima?, No mames, ¿cómo vas a enviar a mi primo, ¿y si aparecen los de la Marina?, Que se lleve unas piedras por las moscas; qué onda, ¿te animas?: ¿a poco se va a rajar el Sandy Koufax?

# Doce

Era media mañana cuando lo despertó el ruido de la puerta mosquitera, había dormido en una hamaca colgada en la sala comedor, al lado de los elegantes sillones de piel, Huevón, le gritó el Cholo, No fuiste a pescar. Guardó el eterno recorte de Janis Joplin en su cartera, Oye, cabrón, lo que te dije anoche es verdad y quiero ver si lo meditas, sería un par de viajes nada más, se trata de que yo tenga a alguien de confianza mientras se abre camino; lo otro es que me urge, mis clientes están secos y un gringo sin mota es un gringo loco, no me conviene que cambien de proveedor, tú sabes: esos cabrones son capaces de traerla del fin del mundo, Esto se pone interesante, dijo su parte reencarnable, Deberías aceptar, tengo la impresión de que significa dinero, Cholo, yo puedo hacer eso, ¿qué me puede pasar? Estoy puesto, ¿En serio? Ya dijiste, hay que salir esta noche, yo te traeré la carga al oscurecer y te pondré un ayudante para que te acompañe.

Ese día, David no fue con los Manzo. Buscó al viejo en la Gallera y le pidió permiso para usar la lancha, Voy a probar un motor que me están vendiendo, el viejo se encogió de hombros, Mientras menos me cuentes, menos me implicas. Saldrían de Avándaro para no contrariar al Chato, No mames, ¿cómo vas a enviar a mi primo?, Navegarían a un kilómetro de la costa y los esperarían en un estero cercano a Puerto Peñasco; con buena suerte llegarían el martes a la media noche. A ver, David, te traje un motor; yo no sé de esas madres pero me dijeron en Culiacán que es el más potente, Ahorita lo vemos, David engrasó, instaló y probó el flamante Evenrude de setenta y cinco caballos de fuerza, consiguió un mejor recipiente para el achique y fue a ver a la Güera, la cocinera más exacta del puerto, Doña, hágame una machaca de camarón para llevar, también póngame dos órdenes de mantarraya en tacos. Unos políticos con guayaberas comían pescado zarandeado y discutían sobre el próximo cambio de gobierno. ¿Ya ves por qué te digo que te cases?, no tendrías que andar comiendo fuera, Ya casi, doña Güera, Un hombre debe estar casado y luego luego convocar a la cigüeña, nada de que hay que esperar; si no, empiezan a hablar.

Comió y durmió hasta las cinco, se caló una chamarra del Cholo y regresó a la *Acorazado*. La playa estaba desierta. El único que lo vio partir fue Rivera, y deseó que le cayera un rayo. Zarpó cuando atardecía, rodeó la península de Atamiraco hasta mar abierto y, después de una vuelta, atracó en Avándaro, un conjunto de viviendas a un costado de Altata, donde la clase media culichi tenía sus casas de verano, y se dedicó a esperar. Por fin voy a tener dinero de sobra para ir a California, este motor es una chingonería. Y a Chacala, no lo olvides.

Oscurecía sobre la playa, un par de niños fumaban tumbados. No lejos, sus madres se espantaban los moscos. No tardó en llegar la camioneta del Cholo, la caja cubierta con un plástico amarillo, manejaba él y lo acompañaba un joven que fue presentado como Pedro Infante. Mucho gusto, David sintió buena vibra. Se trataba de un ingeniero agrónomo desempleado, que conocía a Mojardín de la facultad y le había pedido trabajo en lo que fuera, se hallaba desesperado; el Cholo lo aceptó con una sonrisa triunfal, ¿No que estudia y triunfarás? Mis huevos, y como primera misión te vas a traficar en lancha. Pedro Infante ni siquiera sabía nadar, pero aceptó porque andaba en la vil chilla. En treinta minutos acomodaron ochocientos ladrillos de mariguana, subieron dos bidones con gasolina y cubrieron la carga con el plástico amarillo. La *Acorazado* era otra. El Cholo les proporcionó una lámpara sorda, una radio de pilas, un mapa, cocas, tequila, y sacó la estampita del santo patrono de los narcos: Si todo sale bien, Malverde bendito, se dirigió al ánima que cada vez ganaba más terreno como santo de la raza, Cuenta con tus veladoras y una lana en tu capilla.

Navegaron sin descanso. El miércoles al amanecer, ateridos y acalambrados, treinta y cinco horas después de haber salido, escucharon por la radio una estación de Puerto Peñasco. Entonces David apagó el motor, Pedro Infante soltó el ancla y se dispusieron a comer lo que quedaba de la machaca de manta. Al poco rato se les emparejó una lancha con tres hombres, dirigidos por Zacarías, A ver, ¿quién es el amante de Janis Joplin? Después de entregar el cargamento, Zacarías los llevó a desayunar en el Munro's Place. En cuanto hubieron repuesto sus fuerzas, David se dirigió al brazo derecho de don Sergio: ¿Cómo puedo llegar a

Los Ángeles?, Zacarías lo miró con interés, ¿Tiene negocios allá?, No, pero tengo un pendiente, ¿Trajo su pasaporte, la visa?, valiendo madre, hasta entonces David no recordó que sus papeles seguían con sus tíos, ¿No hay otra manera?, Ahorita no está tan fácil, ¿por qué cree que trajimos el material en su lancha? Yo le aconsejaría que mejor vaya en otra ocasión, compita, es más, me comprometo a acompañarlo, el patrón está muy contento con usted y con el éxito del viaje, además don Sergio necesita que regresen cuanto antes. Pero yo necesito ir, Vaya que es usted terco, compita, ese pendiente debe de ser de vida o muerte, Voy a ver a Janis Joplin, ¿A Janis?, lo interrumpió Munro, Va a tener que ir más lejos para verla, está dando una serie de conciertos en Canadá, ¿Y eso dónde está? Zacarías señaló el norte del mapa, Son varios días de viaje, y por más dinero que traiga, sin la visa no se puede, lo mejor es que regrese, compita, ¿cómo va a abandonar a Pedro Infante?

Munro fue a la rockola y puso *Turtle Blues*, David se paró junto al aparato. Si no puedes reunirte con la Janis, sólo te queda regresar a Chacala, propuso la voz, Ya estaba escrito que tenías que vengar a tu padre primero. ¿Quieren dormir en hotel o en la cámper?, descansen un poco, compitas, mientras consigo gasolina, en la cámper hay dos camas.

Partieron a las tres de la tarde; el jueves al oscurecer desembarcaban en Altata. David dejó a Pedro Infante frente a casa de Maquío Clouthier, y amarró la *Acorazado Potemkin* en el muelle de Carvajal Quintero. Ya que no pudo encontrarse con Janis, sólo pensaba en enfrentar a los Castro.

El Cholo lo esperaba sonriente, ajeno a su malestar. Ya tengo el reporte de mis distribuidores, de la mota que llevaron, ya se fumaron como la mitad en Las Vegas y la otra debe de estar entrando a Los Ángeles, ¡cabrón, no me la ando acabando: hemos inaugurado una nueva ruta! El domingo se van de nuevo, los batos de Phoenix están sentidos, quieren lo suyo, y no les voy a fallar, ¿Y mi pago?, Ahí te va eso, puso dos fajos de billetes en su mano, Este otro dáselo al viejo de la lancha, dile que llevaste a pescar a unos gringos. David miró los fajos regocijado. Enrolló el suyo y lo metió en una botella de cerveza, que desde entonces sería su tesoro. Luego se fue a comer con los Manzo.

Entre la gente de la costa, la comida más reparadora es el caldo de pescado, y si el pescado es colorado, como le dicen al pargo, mejor. Después que le hubo pagado, el viejo lo invitó a comer, Rebeca, sírvele aquí a mi socio. David acabó el segundo plato y se sintió repuesto, había engullido medio kilo de tortillas, una lata de chiles en escabeche y un taco de frijoles. El viejo encendió otro cigarrillo y, como era su costumbre, se fue a dormir al terminar. Rebeca estaba como agua para chocolate, la blusa dejaba ver la mitad de sus senos, Hace seis días que no te veo, mi perro, ¿qué ha pasado?, te esperé la otra noche y no llegaste, A ver cómo te explicas, se burló su parte reencarnable, No salí de mi otro trabajo, tuve que cortar las matas, No mientas, cabrón, te busqué ayer y ni tus luces, un tipo ojeroso me explicó que habías salido; además, ¿qué hacía el motor de la panga en la cooperativa?, Compré uno nuevo y lo estoy probando, Lo irás a pagar tú, ¿Por qué no?, No tienes en qué caerte muerto:

126

quiero saber dónde andabas, Trabajando, Tu amigo dijo que habías ido al burdel, apenas puedo creer que te vayas a acostar con unas pinches suripantas, No fui al burdel, llevé a unos gringos a pescar, No me digas, ¿y entonces por qué te tragaste dos platos de caldo, eh? Sus ojos negros lo devoraban. Por mí puedes ir a donde se te pegue la gana, mi perro, lo que no me parece es que te lleves la panga, es lo único que tenemos.

¿Cuál era su rollo?, se preguntó David, Pretendientes le sobran, no hay fiesta en Altata en que no se moqueteen por ella, lo mismo que en El Vergel o en Rosamorada. Por más que pensaba, no sabía por qué lo celaba tanto, su insistencia en navegar a deshoras de la noche, llegar mar adentro, desnudarse y acribillar sus sentidos con su baile y con su aroma. ¿Por qué? No podía negar que comenzaba a gustarle ese rito, sobre todo en la luna llena, pero había jurado fidelidad eterna a Janis. Si te celan es que te quieren, dijo su karma, ¿Celos, de qué?, Aprovecha, insistió la voz, El amor sólo dura tres años; además la estás maltratando, ¿Tú crees que debería verla?, A eso me refiero.

¿Nos vemos esta noche?, le preguntó a Rebeca, ¿De cuándo acá nos vemos cuando tú quieres, mi perro?, Es que hay luna llena, a ti también te gusta, ¿Y qué?, no tienes con qué responder, Me gustaría mucho, Pues no estoy segura, Te voy a estar esperando, Nomás eso me faltaba, ¿sabes qué?, mejor vete, pinche perro, ¿Pero vas a ir?, Quién sabe, no te sabría decir.

# Trece

¿Crees que venga?, su parte reencarnable se encontraba ansiosa, Francamente, he visto a pocas mujeres como ella, con ese aroma particular. David esperaba a Rebeca sobre la *Acorazado Potemkin* y entretanto admiraba la bóveda celeste. No quiso sacar la foto de Janis, que estaba prácticamente deshecha de tanto entrar, salir y soportar humedades. A media noche cerraron la Gallera, poco después vio al viejo Manzo caminar a su casa, bastante borracho. Lo vio detenerse a encender un nuevo cigarro y pensó en su capital enterrado: cuando le dio el dinero al viejo, le preguntó si irían a pescar al día siguiente, ¿Para qué?, respondió, Con esto podremos vivir hasta que llegue la zafra.

Se está tardando, observó su karma, ¿Alguna vez vas a dejar de hablar?, Cuando te mueras, ¿tienes prisa?, No, ¿tú sabes cuándo voy a morir?, No llego a tanto, ¿Qué pasará contigo cuando muera?, Voy a descansar, tú eres mi última estación, Ah, no entendió, Después de ti voy a un lugar especial, al paraíso de las partes reencarnables, No quiero morir, No es cosa de querer, ya morirás cuando te toque; por lo pronto, Chacala es el siguiente paso, no conviene esperar, menos ahora que tienes dinero; tu madre debe de traer un nudo en la garganta, cuando tu padre sea vengado va a descansar y te colmará de bendiciones, insisto en que partamos mañana, El Cholo opina que no, Me importa un maldito bledo lo que haya dicho el Cholo, vamos a llevar a cabo nuestra venganza: cuando amanezca nos iremos, ¿no quieres ver la tumba de tu padre?, ¿no quieres reparar esa injusticia?, entonces no lo pienses, un contrabandista es un hombre de carácter. Estaba recostado en un travesaño de la lancha cuando llegó a sus oídos algo que hacía tiempo no escuchaba: *Estrellita marinera*, Rivera bajaba cantando, venía de casa de Rebeca y siguió su ruta lleno de alegría. David lo miró perderse sin dejar de oír la canción, que le parecía horrible. ¿Qué onda?, ¿por qué va tan alegre?, Su actitud me parece sospechosa, Para mí, nos acaba de ganar el mandado, Te lo advertí: es que no te pones listo, te regodeas en tus melindres, así jamás vas a lograr nada. Pasó un tiempo prudente y Rivera se perdió a lo lejos; de Rebeca, ni sus luces. No puede ser, decía el karma, Nos está fallando, vamos por ella, raptémosla, es tan especial que quedaría encantada.

Cuando pensaba irse a dormir apareció Rebeca. Venía alegre y fantasmal, con más cautela que en otras ocasiones. Su vestido era blanco con mariposas amarillas Mauricio Babilonia. Esta Luna me mata, ¿no sientes algo especial, mi perro? Una energía, un diluvio, Yo sí, murmuró la voz, No enciendas el aparato, mi perro, hoy navegamos sin motor. David empujó la *Acorazado Potemkin* hasta que requirió los remos, una vez que estuvo mar adentro encendió el Evenrude y enfiló rumbo a la boca oscura del océano, ¿Qué te parece?, Está bárbaro, ¿cuántos caballos tiene?, Setenta y cinco, ¿Y tú lo vas a pagar, mi perro?, Eso quiero. La Luna se duplicaba en el agua. Qué extraño que hoy venga tan sigilosa, pensó su karma. Al principio, Rebeca cuidó que la gente no se enterara de sus viajes, sin embargo, después de su ruptura con Rivera no le importó guardar las formas y sus paseos nocturnos pronto se convirtieron en referente, uno se podía dormir antes o después del regreso de la *Acorazado*.

Esa noche, Rebeca se colocó como mascarón de proa. David se fue despacio, por primera vez sintió un flujo al observar las caderas amplias de la morena, ¿Al fin te estás espabilando?, quiso saber la voz, Sólo la veo, Es preciosa, debería entusiasmarte. Cuando estuvieron retirados del puerto apagó el motor y dejó que la *Acorazado* avanzara con el impulso. La brisa era acariciante. Rebeca le sonreía, Mi perro, tengo algo que decirte, se colocó en el travesaño central, echó la cabeza hacia atrás para que sus senos resaltaran; nada denotaba su furor del mediodía y, como no se sentía agredido, David se estaba excitando, Vamos, tienes que acercarte, aconsejó la voz, Usa las manos, ¿Qué cosa, Rebeca?, Siempre sí me voy a casar con Mariano, ¿Con Rivera?, ¿Con ése?, la voz se desgañitó, Gulp, Sí, mi perro, y ésta será la última danza, ¿La última?, No puede ser, se lamentó su parte reencarnable, Justo cuando te estabas espabilando, ¿Y luego?, Voy a ser mujer de un solo hombre, mi perro, y no voy a andar exhibiéndome por ahí, mi padre no quiere que haga lo que mi madre y le voy a cumplir, Pero ¿por qué con Rivera?, Sí, ¿por qué con él?, ¿Con quién más? Su gesto denotaba resentimiento. Al principio pensé que me casaría

130

contigo, se acercó, Pero nunca me aceptaste. ¿Qué pues, mi perro?, colocó el pubis a la altura de su rostro, ¿No quiere disfrutar su último chance?, Por supuesto, acotó la voz, Acéptala, está tratando de despedirse, David sintió su aroma en la nariz y le pareció que la noche se incendiaba, ¿Qué dices?, anímese, mi perro, no se me duerma, hoy no tendrá que nadar hasta la playa. David dudaba, Nunca me habías dejado acercarme tanto, adujo Rebeca, y se apretó contra el rostro del muchacho. David sintió que el olor se intensificaba, Qué maravilla, el karma se oía de lo más feliz, ¿No te dice nada mi olor, mi perro?, y continuaba acariciándolo contra el pubis, Esta noche el trono será tuyo, todo lo mío será tuyo, Rebeca notó que David miraba hacia el cielo, ¿Qué tanto ves?, Ah, este, a la Vía Láctea, ahí están las Siete Cabrillas, Hércules, ¿quieres que te las enseñe? Rebeca le lanzó una mirada llena de indignación, Entonces es cierto lo de las talangas, y se retiró, ¿Cómo puedes ser tan imbécil?, increpó la voz, ¿Por qué me haces esto? Bien pudieras hacer un sacrificio. Rebeca se vistió, Prende esa mierda y larguémonos, Qué manera de valer madre.

La gente que acostumbraba dormir al escuchar la lancha se extrañó de que regresaran tan pronto. Rebeca bajó de un salto, David la vio alejarse con reciedumbre. Ni las buenas noches me dio, Es que las mujeres son para eso, lo criticó su parte reencarnable, Te exhibiste como un tonto, si tú no lo haces llega otro y mira, tan campante, la deja canturreando. David encendió un cigarro, se recostó en el travesaño y sacó el recorte de Janis.

Lo despertó el bullicio de los pescadores. Se incorporó pensando que era hora de ir a marea, pero en eso avistó un grupo que fumaba en la playa. A medida que se acercaba notó que rodeaban un bulto sobre la arena, era la lancha del Capi. ¿Habrán traído un pescadote? Ustedes me conocen, decía el marino, No pensábamos salir a marea porque no tardan en levantar la veda, pero estábamos secos, así que unos kilitos de camarón no nos vendrían nada mal; nos fuimos frente a Avándaro y tiramos unos tarrayazos, no queríamos ir más lejos, ¿verdad, mi Tibu?, Es la de ahí, Apenas la habíamos empezado cuando oímos un ruido en el cielo, del lado de los manglares, y se fue acercando, al rato vimos que era un boludo, ¿qué hace esa madre aquí?, pregunté al Tiburón, pronto lo supimos, cuando menos acordamos se nos puso encima y dejó caer ese bulto, señaló el cuerpo, ¡Chass!, cayó pegado a la panga, luego se largaron por donde habían venido; pa mí que es un cristiano, le dije al Tiburón, qué onda, ¿lo sacamos?, y ahí lo tienen, con un balazo en la cabeza, ahora la bronca es qué hacer con él. David, que escuchaba en silencio, pegó un grito en ese instante: ¡Chato!, se arrodilló sobre el cadáver, ¿Qué te pasó?, Tranquilo, compita, intentaron calmarlo, pero David se puso a llorar con desconsuelo. Chale, dijo el Tiburón, Creo que es conocido de mi compa, el Capi le pasó una botella de tequila casi vacía, Échese el último trago, compita, ¿era su pariente?, Mi primo, Ni modo, compa, son cosas que Dios manda. Pronto se vieron rodeados de mujeres asombradas, entre ellas Rebeca. En cuanto David la vio la llamó a su lado: Rebeca, es mi primo, el que vivía en la casa, Rebeca lo abrazó, Calmado, mi perro, le dijo al oído, Deja de gimotear, no les des el gusto a estos cabrones, tu primo ya está juzgado de Dios, está descansando. En eso apareció Rivera y no le gustó nada ver a su prometida reconfortando al culichi; para no perder el control permaneció alejado. ¿Vivía en Culiacán?, David afirmó, ¿Sabes cómo llegar a su casa?, Sí, Pues debes avisar, carnal: Tiburón, ordenó el Capi, Consigue la troca de la cooperativa, alguien tiene que llevarlo a la familia, Pero él no es miembro de la cooperativa, protestó Rivera, Esto es una emergencia y no lo vamos a dejar abajo más que pura madre, replicó el Capi, ¿O qué?, enojado parecía inmenso, ¿Hay alguien que no esté de acuerdo?, y Rivera se tragó sus palabras. Mientras los pescadores se cooperaban para comprar tequila, David se sumía en el caos, azuzado por su parte reencarnable, ¿Qué hacemos con el cuerpo?, preguntó alguien, Métanlo en la hielera de la cooperativa, propuso el Capi, Por si se tarda la familia en recogerlo, Vámonos, compa, David lo siguió hasta la camioneta y enfilaron rumbo a Culiacán.

¿Cómo les digo?, se preguntaba, Tienes que ser directo y solemne, aleccionó su karma. De improviso sentía ganas de llorar, pero miraba al Capi y se aguantaba, sólo el recuerdo de Janis contribuía a controlarlo, su imagen aparecía un tanto difusa entre tanto dolor. Era tan buena onda, recordó, Me enseñó a reconocer los planetas, me llevó al cine, no entendí muy bien las películas pero ahí estuvimos, después fuimos a los raspados; ¿el Cholo sabrá lo que ha pasado?, quiere que haga otro viaje, pero ahorita no puedo, por sí o por no voy a pedirle a mi tía mi pasaporte. Ojalá esté la Nena, será más fácil decirle a ella, mi tío Gregorio reniega por todo, está más enfadoso que un cochi chiquito, en cambio a la Nena le tengo más confianza.

133

Apenas estaba amaneciendo. El Capi se detuvo a comprar el tequila en un aguaje, regresar sin él era exponer su vida, Pobre de mi tía, pensó el muchacho, Se va a asustar bastante, qué mal se ve uno muerto, el Chato tenía un balazo en la frente, se veía viejo, como de ochenta años; el balazo parecía una mancha, ¿cómo voy a decirles? Ya te he dicho cómo, lo asustó la voz, Rápido y con mucha seriedad, como si fuera un soldado por el que vas a entregar una bandera.

Llegó a la col Pop sin saber qué onda, las sugerencias de su parte reencarnable le parecían insuficientes; le sorprendió encontrar a María en el porche, de pie, en bata de dormir, pero más le sorprendió que ella ya se lo esperaba. A pesar de que llevaba semanas sin verla, desde que Sidronio lo encontró en la loma, su tía no se asombró de verlo e incluso intentó sonreírle. Mijo, ¿qué pasó?, ¿dónde estabas?, En Altata, ahí trabajo, no había podido venir; ella lo condujo a la casa, donde lo abrazó llorosa, Tía, ¿por qué se despertó tan temprano?, Ay, mijo, hace tres días que no duermo pensando en tu primo, en cuanto pego el ojo se me revela, tu tío ya se dio cuenta, ¿qué nuevas me tienes de él? David supo que no iba a poder soportarlo y confesó de golpe: Tía, mataron al Chato, María suspiró profundo, dos hilos de agua corrieron por sus mejillas, ¿Quién te lo dijo?, Lo tiraron al mar, acabo de verlo, lo sacó un pescador de la cooperativa, ¿Dónde lo tienen?, Está en Altata, Voy por tu tío. Al rato apareció Gregorio, que venía murmurando: Hijos de su pinche madre.

Lo encontraron en la casa de Rebeca, porque Rivera se negó a abrir la hielera de la cooperativa. Estaba

134

cubierto con una sábana de flores moradas, los pescadores se quitaron los sombreros. David atisbaba aquel
compacto núcleo familiar que rodeaba el cadáver: la
Nena y Johnlennon sollozaban, su tía acariciaba la cara
magra y el cuerpo arrasado de su hijo. Muchas veces
lo soñé así, musitó, Barbón y consumido por las mal-
pasadas, Vamos a denunciar, musitó la Nena, ¿A quién,
mija?, explotó Gregorio, ¿A la policía?, ¿al ejército?
Para el caso que nos hicieron la vez pasada, ¿de qué sir-
vieron tantas vueltas, antesalas y entrevistas?, ¡qué
razón tuvo Alfonso, que en paz descanse! Las mujeres
definitivamente no entienden, lo mejor será enterrarlo
sin escándalos ni denuncias, sin avisar siquiera a los
amigos o a la familia, si no en menos que lo cuento
tendremos a los estudiantes y a la judicial encima.
Aunque muerto, el Chato había vuelto al seno del ho-
gar, no era ni de los comunistas ni de la policía, era de
ellos y había que darle cristiana sepultura. María Fernanda no replicó, su corazón le aconsejó paciencia,
esto no era la preservación de los osos panda; no
obstante no dejó de pensar: ¿qué pasaría si nadie de-
nunciara los atropellos?, ¿cómo sería la vida en la
absoluta impunidad? Un escalofrío recorrió su colum-
na, ya verían después del entierro. Rebeca observaba
en silencio muy cerca de David, otras mujeres simple-
mente husmeaban.

David y Gregorio fueron en el *Valium* a Navolato,
a la única funeraria existente; no tenía servicio de ve-
latorio, pero consiguieron trasladar el cuerpo en la camioneta de la cooperativa y lo velaron allí, en un cobertizo contiguo. Navolato era un pueblo cañero de
casas blancas y calles empolvadas donde no conocían

135

casi a nadie; estuvieron hasta las tres de la tarde. Después de una misa solitaria en la parroquia de San Francisco volvieron a Culiacán, directo al panteón Jardines del Humaya. Allá delante la carroza avanzaba a buen paso, una lluvia feraz acentuó la largueza de sus caras. David, dijo Gregorio cuando pasaban frente al cine Ejidal, La policía anda tras de ti, mejor espéranos en la casa, Quiero ir al panteón, Con la policía no se juega, sobrino, ahorita hay que evitar que te encuentren, Por favor, no me baje, tío, también quiero ir. Dentro del *Valium* todos lloraban, Virgen purísima, expresó María, Viejo, deja que vaya, tú sabes cuánto quería a su primo, Está bien, Gregorio calló, Pero me parece inseguro, el limpiaparabrisas era un cangrejo desvencijado.

Estaban depositando las flores sobre la lápida cuando, Glick, Glick, Glick, escucharon el ruido de las pistolas al amartillar. Estaban encañonados. Los rodeaban veinticuatro personas vestidas de negro, con camisetas de la PGR. Al frente Eduardo Mascareño, Así los quería encontrar, su uniforme brillaba plumaje de cuervo.

# Catorce

Mira nomás, dijo el comandante, Éste es mi día de suerte. Encañonados, rodeados por los Dragones, los Palafox no pudieron evitar un ligero estremecimiento ante la severa mirada del oficial. Tres horas antes, Mascareño había recibido un telefonazo del jefe de la policía de Navolato, Le informo que acabamos de recibir una denuncia anónima: en el mar acaban de rescatar un cuerpo, supuestamente se trata de un guerrillero al que apodaban el Chato; fue identificado por su pariente, David Valenzuela, alias «el Sandy», un sospechoso que llegó a Altata hace unos meses, fue él quien devolvió el cuerpo a los padres del difunto; el denunciante también agregó que David Valenzuela trabajaba como velador en la casa de un narco y que por las noches recorría los manglares en compañía de Rebeca Manzo, su cómplice: solicito instrucciones, comandante. Al instante supo cómo corría el agua y eximió al policía: Déjalo de mi cuenta, Navolato, Franco, ordenó a su segundo: un hombre atlético, pelo castaño, corte fletap, Arráncate a Altata y hazme un levantamiento, sólo para averiguar qué saben y quién sabe. Tan pronto Franco dejó la oficina, Mascareño se echó un trago de Mélox, La puta que los parió, y se preparó para la búsqueda. Los Dragones fueron a la col Pop, pero los vecinos, acostumbrados a dormir la cruda los sábados, nunca supieron responder con coherencia, no tenían idea de dónde podrían estar los Palafox; fueron a la Santa Cruz pero estaba cerrada, investigaron en las funerarias y cero, en los panteones tampoco sabían: ningún Palafox había quedado por ahí. A las cuatro de la tarde, el comandante supo dónde encontrarlos. El gerente de la funeraria de marras les explicó que una familia de fuereños había velado su muertito en el cobertizo donde embalsamaban y De ahí agarraron pa Culiacán.

Mascareño reconoció a David de inmediato y se propuso aprehenderlo sin violencia; si el viejo se ponía picudo lo metería en cintura, pero lo preferible era no llegar a las manos, en los últimos días la úlcera le lastimaba cada vez que se enojaba. Señores, los observó con calma, Necesitamos hablar, les pido que me acompañen, ¿Hablar de qué?, objetó Gregorio, Del entierro, ¿Qué tiene el entierro? No me diga que tenemos prohibido enterrar a nuestros muertos, Señor Palafox, no me grite, se lo estoy pidiendo de buena manera, su hijo era guerrillero y, ¿Eso es lo que quiere saber? Pues no batalle, para eso no necesita detenernos: ahí está mi hijo asesinado, Necesitamos saber otras cosas, ¿Quién necesita saber?, La justicia, La justicia su madre, Pues si a usted le importa madre a mí más, viejo pendejo, y rájale, lo mandó de un fuerte empellón sobre las flores; No se muevan, los Dragones cerraron el círculo, los ojos de Gregorio quemaban, No opongan resistencia, uno es el encargado de defender al pueblo pero da la casualidad de que el pinche pueblo no se deja, Ma-

138

ría se interpuso entre el judicial y su esposo: Es usted un animal, Mascareño le lanzó una mirada intimidante, Cállese, vieja alebrestada, Oiga, más respeto a mis canas, puedo ser su madre, Nada pescadito y cierre el hocico. Entonces sintió una fuerte punzada en el estómago, un retortijón incontrolable, le temblaba el bigote, que se lo estaba dejando al estilo Armendáriz. María Fernanda intentó mediar: No es el procedimiento adecuado, comandante, Cállese, si me sale otra vez con la maldita Constitución la voy a llevar presa. David miraba los Garand cerca de sus ojos y sintió ganas de evacuar, no podía cerrar la boca ni borrar la mueca de espanto, Ese militar es un desgraciado, aconsejó su parte reencarnable, Si se acerca atácalo, Levanten al viejo y vámonos, órdenó el comandante, Estoy harto de esta pinche polilla. Acomodaron a la familia en dos carros y Mascareño se llevó a David con él.

Franco manejaba, David quedó entre Mascareño y un agente en el asiento posterior. Ver el cadáver del Chato lo había intimidado, No muestres debilidad aunque te estés muriendo de miedo, sugirió su karma, Si se ponen pesados, zúmbatelos, como decía tu primo. ¿Me recuerdas, Bocachula?, afirmó con la cabeza, los Dragones sonreían sardónicos, Conocernos hará las cosas más fáciles. David sintió ganas de ver a Janis, pero contuvo el impulso de extraer la foto, Quién sabe qué clase de alacranes son estos tipos, a lo mejor me la quitan. Janis lo era todo en su vida, antes de conocerla no había tenido experiencias con mujeres, si exceptuamos el baile con Carlota; no es que no le atrajeran, sino que sus padres evitaron por todos los medios que se convirtiera en un tonto enamoradizo, así se entiende que Janis le pareciera lo máximo, el regalo que Dios le estaba debiendo, la compensación divina por haberlo hecho tan peculiar. A lo mejor se enteraron de que pensaba volver a Chacala, pensó, Déjalo para después, dijo la voz, Primero hay que salir de ésta.

Todo el viaje batalló con su vientre, más de una vez se sintió a punto de evacuar, Aguanta, aconsejaba la voz, No vayas a salir con tu domingo siete, ¿Qué van a hacerme?, Tranquilo, te van a interrogar y, como no sabes nada, te van a soltar, ¿Es por Sidronio?, ¿saben que pensaba ir a vengarme a Chacala?, No creo, tú mantente sereno y todo saldrá a pedir de boca, cuentas con el Cholo, con seguridad sabrá lo de tu primo y la Nena lo pondrá al tanto si es que no lo hizo ya. El carro tenía vidrios ahumados, no obstante lo encapucharon como indica la regla. No podía ver a los Dragones pero los oía hablar, sentía que fumaban, todo el tiempo estuvieron charlando de mujeres; de vez en cuando, Mascareño hacía algún comentario y cualquiera de ellos respondía con servilismo: Así es, jefe, o: Eso mero, mi comandante. Esta noche voy a comer aceitunas, era la voz de Mascareño, ¿Ya cayó la de Los Picachos, jefe?, Nada pescadito, pero esta noche se hace, voy a probar las aceitunas más ricas del mundo: mi primor, mi reina. David no seguía la conversación porque el temor lo atenazaba, se trataba de un temor diferente al que había conocido: el temor a los Castro o a Rivera; este nuevo temor incluía a las Brownings que lo encañonaban y a los judiciales federales, tan distintos a la policía de Chacala, integrada con vecinos del pueblo: este nuevo temor era de los que enferman.

Veinte minutos después, el carro ingresó en un amplio estacionamiento subterráneo. David escuchó que dos agentes de guardia saludaban al comandante. Al minuto distinguió unas lamentaciones que parecían cercanas y la voz de alguien que cantaba *Obladí-Obladá* en español, con voz aguda: «Fui a un mercado nuevo por primera vez, me gustó una caja musical». Cinco minutos después, luego de haberlo conducido a empujones, lo sentaron y le quitaron la capucha. Se hallaba en un cuarto sin pintar, ante la mesa de Mascareño. Lo despojaron de su cartera: A ver, ¿qué tenemos aquí?, el judicial sacó los recortes y los estudió frunciendo el entrecejo: «*David Valenzuela, the new mexican pitcher of Sacramento baseball team...*». Pinche Bocachula, si tú eres pícher yo soy Superniño; ¿y esta vieja?, «*Janis at the Fillmore west. Coming soon*»; Nada pescadito, a mí no me engañas: esta vieja es la guerrillera Sandra Romo, coincide con los retratos hablados, y guardó los papeles. No me los quite, pidió David, Cállate, lo regañó el karma, Muestra tus redaños, no tus debilidades, ¿Son muy importantes para ti, Bocachula?, David afirmó con la cabeza, Te los regreso si me lo cuentas todo, ¿Todo de qué?, No le digas lo de Chacala, te puede perjudicar, ¿Ah, no sabes?, no te hagas pendejo: te advierto que castigo severamente las prácticas dilatorias.

Mascareño le preguntó por el comandante Fonseca, alias «el Chato», y se llevó una mano a la panza: Apúrale, no tengo tu tiempo; David explicó que compartió casa con el Chato en Culiacán, luego en Altata: de repente llegaba y se la pasaba durmiendo muchas horas, luego se levantaba y se iba, ¿Nunca llevó compañeros?, No, sólo iba a dormir: uno lo veía de noche y por la mañana ya no estaba, Sigue, ¿no puedes hablar de corrido, cabrón?, ¿por qué te detienes, te gusta hacerla de emoción o qué?, No sé qué decir... Mascareño se puso de pie, lo cogió por el cuello y apretó, No me quieras ver la cara de pendejo, pinche Bocachula, dime lo que sabes y rápido, lo cacheteó. Quiero saber qué haces tú, quiénes están en tu grupo, cuéntamelo todo y hazlo bien: ¿qué hacías por las noches en los manglares?, ¿qué escondes en Atamiraco?, ¿desde cuándo eres guerrillero?, Yo no soy guerrillero, soy pescador, Pescadora tu madre, replicó el comandante, ¿Cuál es tu papel al lado de Gregorio Palafox Valenzuela?, Le juro que soy pescador, me van a llamar para la zafra, Ah, sí, ¿obstinado el muchacho? De valientes están llenos los panteones, y estás retrasado de noticias: la zafra ya empezó. A una señal suya, dos expertos se pararon de las sillas: uno muy gordo y el otro tan alto que parecía jugador de basquetbol, Te lo advertí, le dijo, y se dirigió a ellos: Está renuente, regreso en quince minutos. Una vez en el pasillo fue hasta la cocineta y bebió dos vasos de leche, Maldita úlcera, voy a tener que hacerle caso al doctor, y ahora cuando más trabajo tengo. Adentro el interrogatorio continuaba: ¿Está callado el nene?, preguntó el Gordo, ¿No quiere su biberón?, Ahorita lo va a querer, amenazó el Alto con unos chacos, Te acabas de meter en un berenjenal, señaló su parte reencarnable, Sal de aquí como puedas. Ante la advertencia pretendió confesar, pero a aquellos les encantaba su trabajo, no se sentían a gusto si no golpeaban gente, Llamen al comandante, quiero confesar, Se te hizo tarde, compita, ahorita no hay comandante, lo que tenemos es tehuacán, chile, agua, fuego, potro o picana; le mostraron instrumentos para sacar uñas de los pies y otros para emascular a los que no confesaban. A medida que lo torturaban, David aceptó declarar lo que fuera: que tenía años en complicidad con el Chato, que lo acompañó en sus misiones, que era el jefe de un comando especializado en explosivos, y todo lo que se le antojó a los policías. Cuando volvió de la cocineta, Mascareño se encontró a una sedita: ¿En qué colaborabas con tu primo?, En todo, ¿Incluso en el secuestro de Irigoyen?, Sí, ¿En cuántos más estuviste?, En dieciséis, ¿Participaste en enfrentamientos con la policía o el ejército?, Sí, ¿Cuántos?, Veinticinco, Di la verdad, cabrón, Fueron cien, ¿Producías propaganda subversiva?, Siempre, ¿Tú la redactabas?, Sí, ¿Cuántas veces declaraste en contra del gobierno de México y de sus órganos legalmente establecidos?, Muchas, ¿Tu misión era derribar al gobierno para instalar uno comunista?, Sí, ¿En qué país fuiste entrenado?, En Los Ángeles, No mientas, cabrón: ¿fue en Cuba, Corea, China, Albania o Rusia?, Fue en Rusia. Mientras confesaba sangró por cráneo, nariz y boca, le dolía el pie izquierdo, le faltaba una uña.

Esa casa en Altata, ¿de quién es?, Del Cholo, ¿De Santos Mojardín, alias el Cholo?, Sí, la sangre le escurría por la nariz, ¿También es guerrillero?, No, la casa se la regaló su jefe, Vamos a ver si ahora él nos la regala a nosotros; en conclusión: ¿eres cómplice de Gregorio Palafox?, Sí, ¿De Sandra Romo?, También. Entonces el judicial comenzó a citar nombres de empresarios, artistas y políticos de la oposición: ¿Colaboraste con Teófilo Coronel, alias el Oso?, También, ¿Con el Batman Güemes?, Sí, ¿Chino Miranda y Yolanda Márquez?, También, también, Me lo imaginaba; estás frito, Bocachula, expresó satisfecho, Franco, ordenó a su segundo, Límpiale el culo y lo llevas con los periodistas a que le tomen fotos; después te vas a Altata y me pones el pueblo patas parriba, al rato te caigo.

Al día siguiente, David mereció las ocho columnas: El peligroso delincuente David Valenzuela Terán, alias «el Sandy», alias Bocachula, fue capturado en espectacular acción del grupo de élite los Dragones, dirigido por el comandante Eduardo Mascareño. En el operativo cayeron Gregorio Palafox, alias «el Chato», alias «comandante Fonseca»; Sandra Romo, alias «Alejandra»; Pioquinto Tapia, alias «el Picho» y otro facineroso cuyo nombre se desconoce. La foto de David era espantosa.

## Quince

Santos Mojardín llegó a Altata cuando atardecía. Dejó a Pedro Infante frente a la casa de Clouthier y enfiló rumbo a su mansión. Debí citar al Sandy en Avándaro, como el lunes; a don Sergio no le gusta que llevemos la mercancía a las casas de la familia. Había oscurecido. Se estacionó en la calle arenosa, entró hasta la cocina y sacó una cerveza del refri, gritó: Sandy, y nada, se sentó en la alberca. Entre trago y trago volvió a llamarlo con el mismo resultado. Se espantaba los moscos bajo el paraguas amarillo. A los pocos minutos se desesperó, Espero que este cabrón no se haya largado a Chacala, o a Los Ángeles; a lo mejor está en el congalito de la cooperativa. A la media hora concluyó que había algo extraño, pasó por Pedro Infante y salió a buscar a David en casa de la única amiga que le conocía en el puerto, la dueña de la panga que una vez fue a preguntar por él.

Rebeca lo dejó frío. Chale, ¿estás segura que era el Chato?, Así le decía David, ¿Y sabes dónde lo velan?, No dijeron, ¿Vino alguna carroza por el cuerpo?, No, lo llevaron en la camioneta de la cooperativa, me parece que a Navolato. El Cholo no hallaba qué hacer con la carga, don Sergio había hecho énfasis en que

145

no la metiera en la casa, pero tampoco podía llevarla de regreso, tan sólo para entrar a Altata lo rebasaron dos camionetas de judiciales: Mija, hazme un paro, traigo unas cosas para el Sandy, déjame guardarlas en tu cantón, en cuanto pase esto las recojo, ¿Qué es?, Son semillas de pino, como David es sierreño, quiere sembrar pinos en todas partes, Está reloco el güey, Rebeca sonrió, Bájalas, Son varios kilos, ¿los ponemos en tu cuarto?, Pero hay un cochinero, No te preocupes, no somos fisgones, ¿verdad, mi Pedro?, y acomodaron ochocientos kilos de mota junto al ropero. No había nadie más: el viejo se entretenía en la Gallera, Rebeca esperaba a Rivera, que llegaría en cualquier momento. El Cholo prefirió despedirse, pues se estaba excitando, ¡Qué olor!, ¿cómo no le había hablado de ella el Sandy? Seguro la estaba matando y no quería que supieran, Ahí nos wachamos, gracias, arrancó lanzando arena, Rebeca traspuso el pequeño jardín ganado al arenal, Pinche loco, ¿dónde va a sembrar tanto pino?

Mojardín preguntó en la funeraria de Navolato, pero la información había sido borrada por instrucciones de la judicial: nadie sabía de un cadáver recogido en Altata esa mañana. Regresaron a Culiacán, distante treinta kilómetros, había nutrido tráfico en el boulevard Zapata, era la hora en que los agricultores regresaban de la labor. Santos se detuvo en el cine Ejidal, Pedro, te voy a dejar aquí, carnal, toma un taxi y no te muevas de tu casa por si te necesito. Entró a la col Pop, recorrió las angostas calles donde los niños jugaban beisbol con pelotas de trapo en el día y las matronas vendían asado, tostadas y gorditas por la noche, y cero, la casa seguía cerrada, los vecinos no los habían visto en todo el día, La policía también vino, le contaron. Se intrigó, eran más de las ocho. Visitó las funerarias infructuosamente, evaluó la posibilidad de que en pueblos como Aguaruto, San Pedro o El Vergel supieran algo, habló por teléfono y nada, la suerte no estaba de su parte.

Mientras el Cholo vivía su periplo, los Palafox permanecían detenidos en las oficinas de la judicial, ¿Dónde está el muchacho?, ¿por qué no lo trajeron aquí? Conforme transcurría el tiempo, una certeza tomaba cuerpo en la mente de Gregorio, Valiendo madre, ¿qué cuentas le voy a dar a la Tere?, Alfonso me lo encargó, me pidió que estuviera pendiente y me lleva la que me trajo; lo interrumpió María: Perdóname por insistir en que David fuera al panteón, Ni digas, ruégale a Dios que nos lo devuelvan sano y salvo. Trató de hablar con Mascareño, con mala suerte: Ya me mataron a uno, le confió a un agente, ¿Para qué quieren al otro? Es un hombrón de cuerpo, pero el pobre es inocente. La respuesta fue seca: Lo va a atender el comandante cuando llegue, Quisiera llamar a un abogado, No hay teléfono, Pídale que venga, No hay recadero, ¿No tiene criterio? Johnlennon dormía en una banca de madera, a su lado, María Fernanda observaba agobiada, ¿Ésa era la impartición de justicia? Qué bueno que no iba a estudiar leyes, qué bueno que no iba a entrar en esa podredumbre, qué horror, Y luego David, pobre, sabrá Dios qué le sucedería. Si en unos años no se puede pasear de noche, si este país se convierte en el paraíso de la violencia, todos seremos culpables. ¿Cómo es posible tanta impunidad, tanto abuso? Y yo aquí, chillando en vez de dar la batalla. Si el papá de

Mayté escuchara..., pero no, sería lo mismo que la vez pasada, tiene que cuidar demasiados intereses, qué falta hace un organismo de derechos humanos.

Hoy enterramos a mi hijo, refirió Gregorio, ¿Usted tiene hijos?, le preguntó al guardia, El mío iba a cumplir veintitrés, según eso apuntaba para genio, pero le metieron un balazo en la cabeza y lo tiraron al mar, con un lastre de concreto en la cintura. Un abanico de techo giraba con lentitud, Mire, señor, el caso de ustedes sólo lo puede resolver el comandante Mascareño, tiene que esperar, siéntese, ¿A qué horas viene?, No sé, pero va a venir, Gregorio se desplomó al lado de su mujer: Puta vida, qué jodidos estamos, ahora resulta que son ellos los que tienen razón, toda esa bola de greñudos que bailan como changos, que quieren tumbar al gobierno, que dicen que la religión es el opio del pueblo y los empresarios unos ladrones, ahora ellos son los que piensan correctamente, no puede ser; lo único que he hecho en mi vida es trabajar como burro, votar, no meterme en broncas y ahora resulta que el pendejo soy yo. ¿Será verdad que el nuevo presidente odia la iniciativa privada?, ¿que es más mentiroso que todos los anteriores juntos? Por un lado matan al Chato y por otro están ofreciendo becas y trabajo a los líderes del 68. ¿Qué pasa, quién le echó mierda al agua?

Era más de la media noche cuando Mojardín entró al Quijote a echarse un trago. Había concluido el último show y quedaban unos cuantos parroquianos. Estaba apesadumbrado. Conocía al Chato desde niño, cuando jugaban beisbol en el Deportes Babe Ruth, el Chato era el shortstop y era una fiera, En una temporada nadie nos robó la segunda, le gustaba esa posición para lucirse y apantallar a las morras. Después estudiaron en la misma prepa y se iban a emborrachar juntos al Triángulo de las Bermudas, memorables cantinas donde todo mundo se daba cita. En los últimos días le ayudó en lo que pudo, hasta le prestó varias veces su camioneta sin hacer preguntas. Una vez le confesé, Te quiero hacer cuñado, pero el Chato se burló: ¿Cómo puede atraerte una mujer con cabeza de sándwich?, Es mi bronca, güey, Ya sé: quieres hacer campaña para que la raza adopte un río, ¿no?, ¿o a poco creció tu interés por Greta Garbo? La última vez que lo vio, cuando lo dejó en la terminal de Navolato, le preguntó si alguna vez se retiraría de la guerrilla. El Chato no respondió de inmediato, observó los campos sembrados de soya, tomate, cártamo, ese verde húmedo que pone nombre a Sinaloa, y luego añadió: Patria libre o morir, mi Cholo, Ésas son mamadas, pinche Chato, te pregunto en serio, ¿qué onda? Hubo otro *impasse:* No sé, a veces esto es una mierda, generalmente no sabes ni madres, no se puede planear, mucha raza está emigrando a Nicaragua, tenemos a los cubanos encima, a los tupas, estamos infiltrados por la CIA, casi todo se concentra en el DF, hasta en esto somos centralistas, ¿Por qué sigues? La verdad, ya no te veo tan entusiasmado, ¿Tú crees?, Te veo cansado, como fuera de onda, De cansado lo estoy, pero pasión no me falta, quizá me volví menos acelerado, Mira, cabrón, cada quien hace de su culo un papalote, como dice tu papá, y yo, aunque siempre he querido otra cosa para ti, nunca me he metido en tu vida ni lo voy a hacer, pero me parece que debes reflexionar, carnal, neta: ¿qué futuro tienes ahí? Andar a salto de mata toda la vida ¿y qué más?, Cholo, tú no sabes de estos pedos, tú eres narco, cabrón, tú no podrías entender que queremos un sistema más justo, un gobierno del pueblo y para el pueblo, Pues se van a pelar la verga porque no van a conseguir nada, ¿Quién lo dice: el gobierno, los banqueros, la industria?, Lo digo yo, carnal, no sé ni madres de política, del imperialismo ni de esas madres, pero no van a ganar, me corto los huevos si ganan, Vamos a ganar, Cholo, el futuro es nuestro, Van a ganar pura verga, antes de que este país se haga socialista o comunista o lo que sea, te apuesto mis huevos a que todos se hacen narcos como yo, la raza no quiere tierras, Chato, ni fábricas, ni madres: la raza quiere billetes, quiere jalar la bofa y andar en carros como éste, ¿a poco no?, la raza quiere pistear y andar en el refuego, estás perdiendo el tiempo vilmente, Es tu visión y no me extraña, siempre has sido un pequeño-burgués, pero deja que yo haga mi lucha, es mi sueño, cabrón, ¿qué sabe un pinche narco de sueños?, Pues yo duermo muy bien, No seas pendejo, Cholo: mira esas tierras tan bien cultivadas, mira ese empaque tomatero, ¿sabes de quién son?, Creo que de los Ritz, Por poco tiempo, pronto pasarán a ser propiedad de la comunidad, Ah, pues si eso crees, el pendejo no soy yo, ¿a poco el dueño lo va a permitir?, No es cuestión de que lo permita, se las arrebataremos, Pinche Chato, ¿de veras crees lo que me dices?, Eso y más, somos el futuro, la reencarnación de los revolucionarios muertos. Hubo un silencio arduo. Mira, te propongo algo: si quieres descansar más en forma, pasar unos días tranquilo, pisteando, con un culito al lado, buena comida, cotorreo, dime: para eso soy tu amigo; tengo una casa en Mazatlán a la que no se acercan ni las moscas, Órale, sonrió, Ya te la expropiaremos.

Recordó su última charla ante una torta de pierna y una cerveza. Había que cuidar al David. No olvidaba la promesa hecha a su amigo semanas atrás. Hasta le agradó a Pedro Infante: Oiga, jefe, ese amigo suyo como que tiene dos voces, dos ideas, dos miradas; como que es un hombre, digamos, binario, sé que no debo preguntar, pero una persona así uno quisiera saber quién es, Es el amante de Janis Joplin, el único mexicano que mató a la Bruja Blanca, tuvo esa suerte, tiene una virtud que lo llevó a esa suerte: un brazo espectacular, una recta mataperros que pa qué te cuento, todavía hace una semana yo quería comprar a Los Tomateros para que se diera gusto pichando, pero me di cuenta de que no le gusta el deporte. En marzo pasado fuimos a jugar a Los Ángeles, sacó a diez bateadores en fila, estaban cagados los pinches gringos, pero algo le pasó, me contó que oyó voces en su cabeza y se alocó, empezó a sudar machín y le aplicaron la grúa; íbamos ganando tres a cero, ¿sabes quién produjo dos carreras con un doblete al central?, ¿Usted?, Simón, aquí mis huesos, el pinche gringo me tenía en dos bolas dos estraicks, me tiró una recta a la cintura y mocos, ahí nos vidrios cocodrilo, si te he visto no me acuerdo; después valimos madres, nos ganaron veinte a tres, pero con esos diez hombres sacados en fila india fue suficiente para que los Dodgers se fijaran en él, luego se enojaron porque se tomó como diez Budweiser y anularon el contrato, pinches güeyes; me acuerdo que los organizadores nos querían llevar a Disneylandia a ver al pato Donald, Qué Disneylandia ni qué la chingada, les dijimos, Queremos pistear, ah, y nos quedamos a pistear.

Mojardín no acostumbraba hacer revelaciones de sus amistades, pero los nervios lo ablandaron y bueno, a Pedro Infante habría que darle un voto de confianza. Pedro, te voy a dejar aquí, estaban en el cine Ejidal.

Volvió a la col Pop como a las dos de la mañana y nada: oscuridad y silencio; cuando se hartó de contemplar el porche y la ventana de María Fernanda tuvo un presentimiento. Fue hasta el cine Diana buscando un teléfono y llamó a casa del comandante Rodríguez, Está dormido, dijo su esposa, Habla Santos Mojardín, despiértelo, por favor, es una emergencia, hubo un largo silencio, hasta que oyó una voz como la de Marlon Brando en *El padrino*, ¿Qué pasó, Cholo?, Mi comanche, necesito un paro, ¿A estas horas? Me acabo de acostar, De haber sabido, tengo cinco horas haciendo tiempo pensando que debías dormir completo, mira, se trata de esto, y le contó. Rodríguez dijo que era difícil obtener información expedita si se trataba de guerrilleros, pero que haría la lucha y le llamaría a su casa. Dos horas después lo puso al tanto: exceptuando a David, el Cholo consiguió la liberación de los Palafox a las seis en punto. De allí se fue corriendo a Altata, y valiendo madre, había media población en la mansión de la playa: unos detenidos, otros de curiosos.

Se sumó al grupo de fisgones apostado detrás del yate y no logró averiguar nada, En la madre, recordó: ¡La mota!, corrió a casa de Rebeca pero no había nada que hacer: un policía la resguardaba, la droga había sido decomisada y la familia Manzo detenida. Por segunda vez había llegado tarde el mismo día.

# Dieciséis

Era de madrugada cuando Mascareño llegó a Altata acompañado de su chofer y dos escoltas. Tenía treinta y tres años y poco más de tres meses como jefe de la división antiguerrilla. La noche anterior, un comando de dieciocho elementos espulgó el pueblo y tomó por asalto la Gallera, donde, como siempre, se encontraba la mayoría de la raza tirando barra. Catearon la casa de Mojardín, que fue donde establecieron su centro de operaciones, y la de Rebeca. En su informe, el comandante Mascareño reportó que la casa que habitó Palafox era especial, perfecta para la rehabilitación del personal y sus familias. En vista de que pertenecía a un narco involucrado en la guerrilla, exigió su requisa inmediata: En el interior encontramos víveres para varias semanas y habitaciones suficientes para recibir a un grupo numeroso, tal vez instructores extranjeros, y un yate sin nombre.

Era domingo y los restauranteros se preparaban para recibir a cientos de turistas crudos y hambrientos. Las mujeres de los detenidos se hallaban felices, llevaban años implorando a Dios un susto para sus maridos y al fin las había escuchado: Gracias, Dios mío; algo equivalente deseaban para la implicada, por comemachos.

153

Mascareño fue directo a inspeccionar la mansión de la playa, esperaba descubrir armas, propaganda, planes, municiones; buscó afanosamente lecturas de táctica militar, pero junto a Franz Fanon sólo encontró a Neruda, Machado, Rulfo, Fuentes, García Márquez, Cortázar, Benedetti, Voynich, Marcuse, Sartre y siete novelas de Julio Verne entre las que se encontraba *Veinte mil leguas de viaje submarino*, Puras pendejadas. Con gesto inteligente buscó *La Sagrada Familia* de Engels, pensando que no cometería el error de tantos militares del cono sur, que siempre lo confundían con un libro religioso. Sobre la cómoda donde se encontraban los libros, en la habitación que ocupó el Chato, había un par de prendas de Graciela, Aquí estuvo Sandra Romo, murmuró, Guarde estas evidencias, ordenó a Franco, y Esta lindura será mía, susurró para sí recorriendo con la vista el amplio pasillo y el balcón que daba al mar. Bajó a la alberca, venía de una noche fatigosa pero no tenía tiempo de relajarse ni de hacerle caso a la úlcera que una hora antes lo había hecho cagar negro. Envió por los detenidos concentrados en la Gallera, se echó un trago de Mélox y encendió un churro, Ahhh. Un agente buscaba qué decomisar, tenía en sus manos el LP de los Monkees, pero no le convencía.

Cuando trajeron a los prisioneros se hallaba de mejor talante, la primera en entrar fue Rebeca, que se instaló en el comedor. Mientras el comandante la interrogaba, los otros pescadores conversaban muy quitados de la pena junto a la alberca. Aunque habían sido maltratados en la velada, ya ni siquiera traían esposas: Oye, Capi, ¿qué onda?, No pues, yo sospecho con el pecho y calculo con la mano izquierda, Alguien rompió la

154

veda ¿o qué?, Aquí lo que menos se rompe es la veda, compita, ¿tú crees que la raza tiene ganas de trabajar?, Pero a tu hermana qué tal, ¿Qué pues, mi Tiburón?, Es otra cosa, ¿Andaba en una bronca mi Sandy o qué?, Parece que le sacó la chola al jefe de bomberos de Navolato, Qué caserón, ¿no?, Aquí trabaja el Sandy de velador. Rebeca vestía su habitual combinación de falda ancha y blusa sensual, olía tan fuerte que opacó el olor de la mariguana: Señorita Rebeca Manzo, Mascareño bebió medio vaso de leche, ¿Conoce usted a David Valenzuela Terán, alias el Sandy?, Cómo no, ¿Qué relación hay entre ustedes?, Somos amigos, es el ayudante de mi papá, Ah, son amigos y salen juntos por la noche, Sí, salimos a dar la vuelta para desaburrirnos, ¿Qué sabe del muerto?, Que el Capi y Tiburón lo trajeron, dicen que cayó de un helicóptero y luego vieron que tenía un balazo en la frente; además resultó ser pariente del Sandy, porque lo vio y se puso a chillar, ¿Qué más?, El Capi lo llevó a Culiacán a avisar a sus parientes, acomodaron al difunto en el porche de mi casa y ahí vinieron los papás por él, ¿Quiénes vinieron?, Los papás, la hija, Oiga, Rebeca, ¿qué número tenía el helicóptero?, No sé, sólo oí que era una bola negra con luces, ¿Este muerto era muy alto?, No lo conocí, ¿Platicaba mucho con él?, ¿No le digo que no lo conocí?, ¿A qué venía usted a esta casa?, Sólo vine una vez, hace poco, a buscar al Sandy, ¿Se lo prohibían?, No, no tenía a qué venir, Cuando el primo venía, ¿David Valenzuela se comportaba distinto?, ¿Cómo voy a saberlo?, nunca me enteré que el primo estuviera aquí, y el Sandy tenía poco de trabajar con nosotros; una sola vez, el Sandy me pidió que hiciera caldo de pescado para su primo, pero no lo conocí, ¿David se ausentaba seguido?, Esta semana se nos perdió desde el lunes y se llevó la panga, ¿Cuándo volvió?, No sé, yo no lo vi hasta el viernes, cuando comió en mi casa, regresó con un motor nuevo, ¿Ah, sí?, De setenta y cinco caballos, dizque él lo va a pagar, Qué interesante, ¿le comentó adónde había ido?, Dijo que al Castillo, ¿Adónde?, Al burdel, ¿Va mucho?, Pues no, es medio rarito, como que no le gustan las mujeres, No me diga. Tenían media hora de charla cuando Mascareño decidió cerrar la pinza, estaba harto, no era su estilo, él llegaba, madreaba, preguntaba y siempre obtenía las respuestas deseadas, además esa mujer lo perturbaba, ese olor tan intenso lo sacaba de concentración, no se sentía seducido, sino que percibía una inadmisible pérdida de poder que le provocaba dolores en el estómago; David Valenzuela Terán es guerrillero, ¿Qué?, ¿de dónde saca eso? Si es bien coyón, se ha pasado la vida huyéndole al Rivera, ¿Quién es ése?, Mi novio, No se haga tonta, Rebeca, David Valenzuela es guerrillero y usted es su cómplice, ¿Yo?, empezó a ponerse nerviosa, de la guerrilla no sabía nada, sin embargo su intuición le indicaba que corría peligro, ella podía hacer el amor con un hombre hasta matarlo, cocinar comida del mar riquísima, pero de disidencia... que la cuelguen del palo más alto si sabía, No se haga pendeja, gritó el comandante, Todo el puerto sabe que ustedes salen mar adentro por las noches, ¿van a esconder gente, armas, o dinero de secuestros?, Oiga, nosotros no vamos a eso y no es todas las noches, Nada pescadito, Mascareño tenía los ojos inyectados de sangre, Usted es su cómplice, es una guerrillera asesina y

156

además narcotraficante, Franco, ordenó a su asistente, Quita a esta vieja de mi vista, ¡Oiga, no sé de qué me habla!, no sea injusto, Métela en la camioneta de Romero; ah, y recógele un motor de setenta y cinco caballos, ella sabe dónde está. Rebeca salió llorando, se dejó conducir por Franco ante la mirada atónita de su padre, que no terminaba de entender: toda la noche habían permanecido en la Gallera sin recibir explicaciones, ¿el Sandy tendría que ver con la guerrilla? ¡Pero qué iba a ser, si no pintaba!, desde un principio le había puesto las peras a veinticinco, Hasta le pedí que si era de esos revoltosos perseguidos por el gobierno mejor se largara, es un pobre muchacho que siempre anda con la boca abierta enseñando sus dientes de burro. Otra vecina, Virgen Soledad Zazueta, declaró que todas las noches los veía salir temprano y regresar hasta la madrugada. Mascareño también la mandó a la camioneta, el viejo Manzo fue calificado cómplice en primer grado por dar cobijo y empleo a un enemigo de la nación; los pescadores respondían tranquilos, burlándose de la situación, el Capi dijo lo mismo que Rebeca en cuanto al helicóptero y el cadáver, y no resistió hacer el comentario de que si los guerrilleros y sus cómplices eran como el Sandy, no entendía cómo seguían libres, Mascareño se puso de pie, No me digas, y con tres golpes lo tendió, Pues yo me limpio con tu opinión, el hombre que había visto las sirenas se puso de pie custodiado por dos agentes, se acercó a la mesa, miró a su verdugo socarronamente, tomó el vaso de leche, lo mordió y trituró el vidrio sin perder su actitud, como si estuviera masticando cereal. Mascareño se puso frenético, barrió el vaso violentamente

157

y lo tundió a golpes. Los agentes lo arrastraron hasta la puerta, donde lo dejaron tirado. Rivera, que había pasado la noche entre el montón, aclaró en voz baja al estar frente al jefe: Señor comandante, soy Mariano Rivera, tesorero de la cooperativa, yo fui el que llamó; Mascareño lo observó con curiosidad, ¿Por qué esperaste tanto?, Rivera encontró los ojos curiosos del Capi y se sintió bien, Aquí no hay teléfono, mi comandante, tuve que ir a Navolato y llamar de una cantina, Pero te tardaste semanas, por poco se me escabullen, de veras que lo que tienes de calote lo tienes de pendejo, Lo único que hice fue tratar de ayudar, Nada pescadito, la próxima vez haz las cosas bien o mejor no las hagas, Franco intercedió: Jefe, él me dio gran parte de la información que le pasé, ¿Ah, sí?, ¿por qué dices que Valenzuela es un peligro para los niños?, Es que acostumbra sacarse la chola, Es suficiente, Franco: manda un par de muchachos a registrar Atamiraco y los esteros, que este calote los acompañe, y llévate a los prisioneros a Culiacán, que nadie hable con ellos hasta que yo llegue; Comandante, expresó Rivera, Quiero pedirle un favor, Habla rápido, Es sobre la señorita Rebeca, ella no tiene que ver, Ya la acusaste de cómplice con el jefe de Navolato, Me equivoqué, por favor, no se la lleve, ella es completamente inocente, Imposible, no sólo es cómplice de Valenzuela sino que además es narca, y si andas con ella voy a tener que investigarte, Rivera puso cara de enfermo, No pues, dejémosla de ese tamaño, Y ni le muevas, ahora vete con los muchachos a ver qué encuentran. El Capi escuchó suficiente desde su posición en el suelo: Chale, pinche Rivera, él fue quien le puso el dedo al Sandy, ¡qué

culero!, Simón, y todo por la morra: hay chivos que
tienen madre pero éste ni madre tuvo. Entretanto, los
pescadores hallaron el dinero del Sandy: ¿Qué es eso,
mi Tiburón?, ¿No ves?, una botella, Pero está llena de
billetes, Simón, Pinche Tiburón, te forraste con el tesoro del pirata Morgan, ahora sí vamos a tener con
qué pistear sin romper la veda.

Eran las ocho y hacía hambre, antes de abandonar
la casa, Mascareño inspeccionó cuidadosamente las paredes y los muebles, pateó el piso y se repitió que era
suya, ¿por qué no? Era un hombre de merecimientos,
¿por qué tenía que compartirla con sus compañeros?
Ni de broma, sería como darle margaritas a los cerdos;
observó el yate desde el balcón y se imaginó en traje
de baño, con lentes oscuros, atrapando picudos en el
Pacífico: Pinche vida que me voy a dar. Cuando estaba a punto de salir, se detuvo a examinar los libros
otra vez: ¿Y si están camuflajeados?, examinó varios
sin fortuna, *Cien años de soledad* era *Cien años de soledad*
y *Miguel Strogoff, Miguel Strogoff*. Junto a *Rayuela*, descubrió un volumen en el que no había reparado, *Libertad bajo palabra*, de Octavio Paz, ¿Qué onda?, le llamó la atención el título, A ver, vamos a ver, leyó algo
de las primeras páginas: «Allá, donde terminan las
fronteras, los caminos se borran. Donde empieza el silencio. Avanzo lentamente y pueblo...». ¡Qué interesante!, leyó el resto de los párrafos: «Invento la víspe-
ra, la noche..., Y luego la sierra árida, el caserío de
adobe... Invento la quemadura y el aullido, la mastur-
bación...». Ándese paseando, prosiguió: «el día a pan y
agua, la noche sin agua...», luego pasó el ejemplar al
chofer, con expresión triunfante: había encontrado más

pruebas. Comenzaba a sudar, se notaban los lamparones en su playera negra, El cabrón de Rodríguez me debe un favor y grande, pensaba en eso cuando la úlcera le mandó otra señal, ¿Todo bien, mi comandante?, Todo bien. Era una mañana esplendente.

# Diecisiete

Se sofocaba en la celda. Como el dolor lo mante-
nía aparte, en una dimensión donde no cabía la per-
plejidad, sólo alcanzaba a distinguir un tarareo y un
llanto que le llegaban distantes, como si no estuviera
inmerso en ellos, ni siquiera experimentaba que fueran
tan amargos y desalentadores: Me hicieron recordar la
época de los primeros cristianos, dijo la voz, David
respiraba por la boca, Fue la primera vez que abjuré de
la vida. Alguien gritó: ¡Pinche Obladí, ya cállate, cabrón!, pero el de los ruidos seguía cantando, «Cásate
conmigo y podrás tener toda la vida tu cajita musical,
obladí, obladá...». Quiero ver a mi madre, pensó David, Imposible, estamos prisioneros en este lugar infec-
to y por lo que declaraste no creo que nos dejen salir
algún día; calculo que estamos como a cuarenta y cuatro grados, ¿nunca van a apagar ese foco del techo?,
Me quitaron la foto de Janis, Para mí que te debes ir
olvidando de tu Ancas de Rana, no creo que la vuelvas
a ver, ¿Por qué, si tengo dinero para ir a Los Ángeles?
Voy a ir a su casa, La suerte no es un asunto de merecimientos, la tienes buena o mala y ya, ¿De dónde
sacas tantas chácharas?, Tenemos que ir a Chacala,
la venganza carece de azar, necesitamos una buena es-

161

trategia para escapar. ¿Por qué todo se complica tanto? El Chato murió, quiero ir a Los Ángeles. *Are you Kris Kristofferson?*, ¿Qué fue lo que me diste?, les tengo miedo a las inyecciones, las pastillas azules me las bajé con tu jaibol y fue como ir en una avioneta en picado.

Los sollozos continuaban, Aquí nadie tiene redaños. Se encontraban en una unidad de veintiocho celdas subterráneas de uno por dos metros, una frente a otra, donde los Dragones disponían de sus arrestados hasta que los enviaban al campo militar número uno, al Cereso de Aguaruto o a mejor vida. David se hallaba confeso y pronto cambiaría de estación; con el Chato muerto, el interés en él disminuía. No obstante, Mascareño tenía sus planes: colmar la prisión hasta que vivieran unos encima de otros, y en ese momento viajaba al puerto en busca de más cómplices. Parpadeó, se espantó las moscas. Soñaba con el sol de Chacala, como de mantequilla, él y el Duque buscaban presas, Mi mamá quiere un armadillo, un conejo para Carlota, revivió el día en que mató al venado, tenía catorce años y se encontró con él, ambos quedaron paralizados durante un instante eterno, en su diestra tenía una piedra muy similar a la que le lanzó a Rogelio Castro, le tiró a la cabeza y el animal cayó como electrizado. ¡Cómo se había enojado María Fernanda! Incluso se negó a probar el tasajo.

Abrió los ojos y descubrió que estaba tras las rejas. Se puso de pie: Me duele todo, se sentía astroso, ¿Qué esperabas, abrazos de cumpleaños?, Pero ¿qué hice, por qué me golpearon así?, Somos sediciosos, ¿no entendiste?, Yo qué sé, Para un gobierno terrorista no hay inocentes, ¡Qué pestilencia! No había letrinas, ni retretes, los presos hacían sus necesidades en el piso y luego empujaban las heces al pasillo, una vez al día un empleado los bañaba con una manguera de bombero y hacía correr las excrecencias hasta un agujero en el fondo del pasillo. Janis me hizo señas y la seguí, creí que era el diablo, qué iba a ser, flaca con ganas es lo que era, se le veían los huesitos, olía raro, no como Rebeca, Ni se te ocurra comparar, esa mujer es un amor, Me abrazó fuerte, muy fuerte, como desesperada, luego cantó algo, quedito: tu luv enibari. Guardó silencio, otra canción se acercaba y pronto estuvo junto a su reja, el hombre que la cantaba lo miró profundamente sin interrumpir su canto: era lampiño, de pelo lacio, largo, peinado de raya en medio, tenía una mirada demasiado·seca: «Le di regalos a escoger, y todos me los tiró, Obladí...». Caminaba sobre la mierda que de pronto se abrió a su paso, Ah caray, formando un sendero transitable, ¿Cómo hace eso?, Lo mismo me pregunto. Escucharon al Obladí hasta que traspuso la puerta que daba al estacionamiento y ésta se cerró, dejándolo con la insana sensación de vacío, esa soledad insoportable.

Lo trasladaron a una pequeña celda de Aguaruto, en la unidad de los presos políticos, entre puros guerrilleros. Al primero que conoció fue a Radamés Peñuelas, alias el Rolling. Peñuelas se parecía a Keith Richards, vestía una playera que caricaturizaba la lengua de Mick Jagger y un short negro bastante grasiento, pero no era inofensivo. En cuanto quedaron solos se lanzó sobre David: ¡Eres uno de ellos y vienes a matarme!, David reaccionó tarde y cayeron entre las losas de concreto que servían de camas, ¡Cuidado!, A mí no me engañas, te reconozco por las orejas, le apretaba el cuello fuertemente, David no podía detenerlo, por más que intentaba zafarse no lo conseguía, Dale un rodillazo en los testículos, lo apremió su parte reencarnable, Atácalo, ¿Por qué me quieren raptar?, expresaba el agresor con rudeza, ¿Yo qué les he hecho?, David no lograba articular palabra y se asfixiaba, Pero no tendrán éxito, conozco todos sus códigos, su flora y su fauna, su orografía, ¡Rolling, carnal!, ¿qué onda?, se oyó una voz, Deja al compita. Un hombre barbado se acercó y el agresor abandonó a su presa, Sí, Chuco, como tú digas. El Chuco ayudó a David a incorporarse: No se agüite, compa, el Rolling confunde a todo el mundo con extraterrestres pero es inofensivo, Vaya manera de ser inofensivo, se quejó el karma, David pensó que ambos parecían esqueletos, Gracias, se sentó en su cama, los otros en la del Rolling: losas de cemento de setenta y cinco centímetros por dos metros. Me dicen el Chuco, se presentó el mediador, A éste nadie lo quiere acompañar pero usted no se agüite, ¿de dónde viene?, De Altata, Altata, hizo eco el Rolling, ¿Dónde lo torcieron?, Qué le importa, pensó, pero le encontró parecido al Chato y agarró confianza: En el panteón, Los panteones son lugares interesantes, dijo el Rolling, A ellos les impactan las tumbas, las cruces, los monumentos, ¿Lo detuvo Mascareño?, A mí me detuvo Mascareño, el Rolling mostró sus dientes sarrosos, Fue ese perro, Hay más de cien detenidos y setenta y cuatro han caído en los últimos tres meses, ¿usted con quién se movía? David lo miró con indecisión: ¿Por qué pregunta tanto? Le recordó a Mascareño, lo bueno es que

164

a esas alturas conocía todas las respuestas: Con Fonseca, ¿Es usted gente de Fonseca?, Sí, ¿Dónde anda?, Por ahí, No se escame, compita, aquí todos somos raza de confianza, le dieron machín, ¿no?, David afirmó con un gesto, ¿Cuándo lo torcieron?, El sábado; ¡Hey, Chuco!, un joven con bigote mexicano gritó desde la puerta, ¿Qué onda, Élver?, Es Élver Loza, lo presentó, Élver, aquí el compa acaba de llegar, Me dicen el Sandy, dijo David, Órale, *nice to meet you*, dijo Loza, a quien el Chuco se llevó del brazo. En cuanto se quedó a solas con el loco, David examinó el lugar: las celdas formaban parte de una gran jaula de varillas de hierro forjado, era evidente que sólo se podría salir cuando fueran requeridos por el director de la prisión. Estaba en eso cuando Peñuelas le ofreció la mano: Soy el Rolling, pero David la rechazó: Pinche loco, el otro no se dio por afectado, Hay que tener cuidado con los murciélagos, susurró, Con las hormigas, con las abejas y con los orejas, aquí todo se sabe y lo mejor es llevársela calmada, si alguna vez te confunden no te muevas, pueden dispararte, están en todas partes y son terribles, Qué locura tan extraña, comentó la voz, ¿De quién hablas?, De los que llegan por las noches y se cagan en las paredes, son de otro planeta, si me descuido destruyen el jardín. David lo observó, en su vida había escuchado hablar así. ¿De qué planeta son? ¿De Mercurio?, Ni de chiste, hubieran muerto de frío, son de una galaxia que nos quiere invadir, ¿De Venus?, Claro que no, los venusinos se regresaron rápido, no les gustó la Tierra, ellos comen repollos gigantes y los de aquí son muy chiquitos, imagínate: los que aterrizaron en Bélgica no pudieron contener el llanto con

165

las coles de Bruselas; ¿Serán de la Vía Láctea?, Vienen de más lejos.

Al volver, el Chuco y Élver le lanzaron miradas lluviosas y se dedicaron a inspeccionarlo. Como Mascareño infiltraba gente para obtener nombres y direcciones, empezaban a sospechar que David era uno de ellos: Así que usted es gente de Fonseca, compita, Así es, ¿Y no sabe dónde anda?, David negó, no sabía qué decir, ¿Y ahora qué hago?, le preguntó a su voz interior, Mantente alerta, ¿Cuándo fue la última vez que lo viste?, ¿Por qué preguntan tanto?, Contesta, hijo de la chingada, lo coparon, sus rostros eran fríos y estaban encolerizados, ¿Cuándo fue la última vez que viste al comandante Fonseca?, David comprendió que se había metido en un berenjenal, Sospechan de ti, sé cauteloso, El lunes pasado, ¡Mientes, hijo de la chingada!, yo soy gente de Fonseca y hace un mes que se fue a Nicaragua, Élver le puso el pie en el pecho y lo empujó contra la pared, Vas a chingar a tu madre, güey, nunca fuiste de los nuestros y ahorita vas a decirnos qué onda, te envió Mascareño, ¿verdad?, Otra vez nos toca sufrir, se quejó la voz, Y por lo que veo éstos no tienen escrúpulos, Dinos quién te mandó, agregó el Chuco, Sí, quién te mandó, hizo eco el Rolling, Mascareño es el único que pudo haberte mandado, pinche perro, pero le vas a decir al hijo de la chingada que con nosotros se chinga, el Chuco lo pateó: ¡Cantas o cantas, cabrón, hijo de tu pinche madre!, Loza estaba furioso, era el más torvo de la prisión: Defiéndete, suelta los puños, Le vas a decir a Mascareño que su espionaje con nosotros vale puritita madre, El Chato está muerto, suplicó, ¿Qué Chato?, Fonseca, ¡Tu madre!,

166

Fonseca está con los sandinistas, tú eres un pinche espía, Fonseca era mi primo, lo tiraron al mar en Altata, unos pescadores lo sacaron, Vas a chingar a tu madre, güey, estás aleccionado pero con nosotros no funciona, No miento, lo tiraron de un helicóptero, ¿Era culichi?, preguntó el Chuco, Sí, ¿En qué colonia vivía?, En la col Pop, ¿En la col Pop? Yo soy de la col Pop y jamás supe que viviera allí, eres un espía y aquí los espías se chingan, ¿Qué les dije?, es extraterrestre, Loza lo puso de pie, Pinche lacra, el Chuco le conectó al mentón y cayó desmayado en el piso. Una vez inerte lo patearon hasta agotarse: Rolling, ponte trucha, carnal, tienes un espía en tu celda, te va a acompañar Bacasegua en la vigilancia pero no lo trates mal, Sí, Élver, sí, después se retiraron.

# Dieciocho

Al regresar de Altata lo primero que hizo fue llamar a María Fernanda. Quedaron de verse por la noche: No me agrada ser latosa, pero estamos muy preocupados por David, lo acusan de guerrillero pero es incapaz de matar una mosca; ¿Es cierto que salió en el periódico?, Salió en todos, ay, no: bien feo, pusieron la peor foto que le han tomado en su vida, ¿Y tú cómo estás?, Más o menitos, Dile a tu papá que lo del Sandy lo deje de mi cuenta, mi jefe puede sacarlo, Ay, Cholo, ¿pues con quién trabajas, a qué te dedicas?, Ahí te caigo a las ocho, Vamos a rezar a las siete, por si quieres estar.

Una hora después, Santos confió el asunto a Ugarte, que lo escuchó con paciencia. Estaban en el edificio de La Lonja, el consejero de vez en cuando sonreía con displicencia. Mojardín, hay dos cosas: una, cometiste un grave error al meter gente ajena a la casa, la mansión le gustó al comandante que dirigió el operativo y quieren decomisarla, me acaban de telefonear del Estado Mayor, ¿Qué?, ese cabrón está loco si cree que se va a quedar con mi casa, Ahí tenemos un problema innecesario, creí que habías entendido que se trata de un negocio familiar, Si ese güey entra a la casa la dinamito, ¿por qué no lo resuelve de otra manera? Usted

168

encárguese: quieren dinero, con el gobierno todo se arregla con dinero; en lo que no quiero que me vaya a fallar es en lo de mi amigo. Ugarte vestía de lino, no le agradaba lo que oía, Sé mis obligaciones, en cuanto a eso no te conviene, a nadie que se dedique a lo nuestro le conviene meterse en cuestiones ajenas al negocio. Mire, lic, con usted o sin usted lo voy a sacar; si he venido aquí es porque tengo instrucciones de consultarle cualquier problema, ¿Por qué tanto interés en un sedicioso?, Es de mi gente, licenciado, el compa manejó la lancha durante cuarenta horas para que los gringos de Las Vegas pudieran apostar sin sobresaltos y yo prometí a sus parientes que me iba a hacer cargo de él; además no es guerrillero, estoy seguro de que se comete una injusticia. Mira, Santos: ni don Sergio ni Graciela quieren perder la casa, pero están conformes en que si no hay otra opción se proceda de acuerdo con los judiciales, nos conviene conservar las buenas relaciones con el alto mando, ¿Y mi amigo?, De él no puedo hacerme cargo, mi prestigio, las relaciones y el nivel que tengo en el cártel me lo impiden, pero ya que insistes, el único que lo puede sacar es Doroteo Arango, Con todo respeto, licenciado, pero ahorita no me venga con mamadas, No estoy bromeando, Doroteo P. Arango es un joven ex practicante de mi despacho, y es lo que se dice una chucha cuerera, un abogado que lo mismo se enfrenta al gobierno que a los grandes consorcios; incluso le ganó casos laborales a empresas como la Coca-Cola y Fundidora de Monterrey, ¿Y eso qué?, Eso indica que posee las relaciones y las artimañas precisas, tal vez sea el único que pueda, apunta esta dirección, búscalo.

Mojardín se dirigió al despacho del joven litigante. Enfiló rumbo a la colonia Ejidal y veinte minutos después se estacionó frente a un domicilio de la calle cuarta, lo recibió un hombre fuerte, de recio bigote zapatista, mirada entre amistosa y desconfiada y manco del brazo izquierdo. Su oficina era tan elemental que ni secretaria tenía. ¿Tiene dudas de la inocencia de su amigo?, Ninguna, Doroteo P. Arango se atusó el bigote: ¿Está seguro? Todos dicen ser unas blancas palomas y las más de las veces resultan verdaderos pájaros de cuenta. ¿Por qué lo duda?, Mire, amigo: es muy difícil ganarle al gobierno, y más en estos casos, porque toda la legislación está en contra: no hay una ley que proteja a los sediciosos, o que se pueda interpretar para lograr el sobreseimiento de la causa, ya ve cómo están batallando para echar fuera a los presos del 68, ¿Pues no dicen que todo va bien?, Ahí está el detalle, se está resolviendo por la vía política, no legislativa, por eso le repito: ¿tiene dudas de la inocencia de su amigo?, Mire, si el bato fuera culpable ni me metía, pero sé que no lo es, se trata de un pobre muchacho que lo único que sabe es pescar, además por estos días se nos casa, Pues el periódico dice otra cosa, le mostró *El Noroeste*, con la foto de David. Eso es una tomada de pelo, el que estaba hasta las cachas era Gregorio Palafox, pero a él lo mataron en otra parte y lo echaron al mar; el Sandy jamás se interesó por esos rollos, sólo es un chivo expiatorio, ¿Y los cómplices?, Son un invento de la judicial: si algún cuidado tenía el Chato, era el de no llevar secuaces a donde vivía, temía que le pusieran el dedo, ¿Tiene usted amigos en la prensa?, No, pero tengo dinero y he oído que dos que tres de la prensa son amigos del dinero, cuestión de triangular, ¿Y en los tribunales?, Ya le dije, tengo dinero, en todo caso el que debe de tener amigos allí es usted, el abogado sonrió: Si no es indiscreción, ¿a qué se dedica?, Soy ganadero, tengo un rancho rumbo a El Dorado, ¿Nomás?, ¿Qué insinúa?, Disculpe que insista, pero necesito saber quién me va a pagar, así puedo saber a qué me expongo, ¿Quiere saber cómo me gano la lana?, Más o menos, ¿Y no cree que me la gano criando Charolais y caballos de carreras?, Necesito saber, Bueno, también trabajo para don Sergio Carvajal Quintero, ¿lo conoce?, ¿Y quién no?, Además me recomendó Ugarte, Pues sí, ¿este amigo suyo trabaja para Ugarte?, No, le digo que es pescador, Le voy a pedir que no me engañe, si conozco la verdad y es preciso engañar, para mí será más sencillo, ¿Entonces acepta?, Así es.

Mire, el Sandy no es guerrillero ni narco, es cierto que hizo un viaje para ayudarme, y aunque le pagué dando-dando palomita volando el trabajo no le gustó, trae otro rollo en la cabeza, tiene un par de pecados por ahí, realmente irrelevantes, de esos que castigan los curas, pero nomás; sólo ha vivido soñando la noche en que se acostó con Janis Joplin, ¡Ah!, ¿No me cree? Es el único mexicano que ha matado a la Bruja Blanca, Entonces ese amigo suyo merece estar libre, y el que lo va a echar fuera soy yo, Eso mismo dijo Ugarte, Hoy es domingo, voy a salir con la familia, pero mañana iré a Aguaruto a medirle el agua a los camotes, Perfecto, aquí tiene para que pague el teléfono, sonrió, A eso le llamo yo hallarle los pies al gato.

Llegó a casa de los Palafox cuando había terminado el rosario. En cuanto consiguió salir al porche con

María Fernanda le platicó del litigante: Es bien loco-
chón, está manco de Lepanto, como diría el Chato; ella,
aunque su padre lo había prohibido, comentó algunos
pormenores del velorio, que al final tuvieron que dejar
el cuerpo en el patio, bajo un inmenso mango, donde
se mosqueó hieráticamente hasta que ellos salieron a la
iglesia; y como el baño de la funeraria era una verdadera porquería, tuvieron que ir a casa de sus amigos
Marcos y Javier Rangel, de Navolato, para aliviar sus
necesidades fisiológicas. ¿Descansaste?, Más o menitos,
oye, Cholo, ¿qué onda?, ¿a qué te dedicas?, Trabajo en
un rancho, ahorita no te puedo decir, luego te cuento
del negocio, la Nena abrió los ojos, y a partir de ese
momento todo fue sobreentendido, el Cholo no era el
primero de sus conocidos en dedicarse a lo mismo: según los rumores, varios de sus vecinos al parecer trafi-
caban, pero era la primera vez que sabía a ciencia cierta de alguien tan cercano que se involucraba en las
drogas. Ah, ya veo, No te agüites, apenas estoy empezando, Apenas lo puedo creer, ¿es necesario que te
pongas tantos colguijes?, Así se usa, ¿Pero tantos?
A ver: traes dos cadenas, una con la Virgen de Guada-
lupe y, ¿ése es san Judas Tadeo?, Así es, Una esclava,
reloj de oro, anillo de brillantes con tus iniciales..., son
muy toscas y están muy grandotas, Será que tenemos
con que pagarlas, además nos distingue de la perrada,
¿Y este escapulario de Malverde, qué onda?, Ya te dije,
se está usando. Oye, te quiero pedir un favor, Lo que
quieras, A mi papá no le agrada que nos ayudes, tú sabes cómo es: te estima, pero desde hace rato adivinó a
qué te dedicas, no está de acuerdo con tu negocio,
como lo llamas tú, Pues se va a tener que aguantar,

esta onda se la prometí al Chato y nadie me va a convencer de que reversee, Lo sé, aparte yo creo que te necesitamos, no sólo porque eras el gran amigo de mi hermano y lo eres del Sandy, sino porque nosotros no tenemos manera; fuimos esta tarde a ver qué onda y nada, nadie quiere decir palabra, es aterrador cómo te mandan a Lucas, Dile a tu papá que el abogado se va a encargar, De acuerdo, pero si te dice algo prométeme que no lo vas a tratar mal, Descuida, a ese viejo lépero le tengo ley, Por cierto, vinieron al rosario varios compañeros de mi hermano de economía, nos informaron que van a organizar un mitin para exigir el castigo de los asesinos, que van a invitar a gente de varias universidades, quieren abarrotar el atrio de la catedral, ¿Tú qué piensas?, No sé, me duele no haber comprendido totalmente a mi hermano, todo su rollo, pero, ¿qué hago? Todo se me hace tan loco, tan jalado de los pelos. Mojardín imaginó la muchedumbre sudorosa, gritando desgañitada, y pensó que no valía la pena, que el Chato no resucitaría, pero ¿cómo decirle a los estudiantes que sus esfuerzos serían llamaradas de petate? Por otra parte, le preocupaba el destino de David, ¿qué estaría haciendo? Seguro que pensando cómo quitarle los calzones a la Janis.

Bebían café con galletas, el resto de la familia estaba en sus habitaciones. ¿Te vas a casar?, preguntó ella, ¿Quién te dijo?, balbuceó, ¿Importa?, sonrió, Pues sí, ¿verdad?, ¿La quieres mucho?, Algo, Algo, todos los hombres son unos cretinos, ¿por qué no dicen la verdad?, Es la neta, ¿Cómo concibe un hombre que quiere «algo» a su prometida el matrimonio?, Como un juego de beisbol en la novena entrada, batea el octavo

173

en el orden, está en tres y dos, hay casa llena y dos outs, el equipo que batea pierde por una carrera, Un galimatías, Más o menos, quisieras estar y no, y en el fondo no tiene la menor importancia, El Sandy me contó que es muy guapa, ¿tienes una foto?, ¿Para qué?, Para conocerla, No, no tengo, mintió, Y si me caso con ella es porque tú me diste patrás. La Nena lo observó coquetamente, Ah, no es para tanto, aunque nunca esperé que te casaras tan precipitadamente, ¿Cuál precipitadamente? Tengo veintitrés años, mi mejor amigo ya no está, mi otro amigo está preso y la mujer de la que siempre estuve enamorado me mandó a la chingada, Yo no te mandé a la fregada, ¿No?, No, ¿Segura?, Segurísima. Estaba anonadado, sintió deseos de largarse pero hubiera sido ridículo, además de poco solidario, tan sólo se puso de pie, María Fernanda hizo lo mismo y quedaron frente a frente, muy cerca, cercanísimos, y lo besó en la mejilla. Mojardín no sabía qué estaba ocurriendo, ignoraba los recursos infinitos de las mujeres, se sentía pequeño: ¿Qué onda? Dos meses antes esto me hubiera proyectado a las alturas, pero ahora se me puede convertir en un problema: Me tengo que ir, ¿Tienes que ir a la visita?, María Fernanda se burlaba: Pinche vieja, con razón dicen que todas son iguales. Qué onda, la mataba o le hacía un monumento.

174

# Diecinueve

Me gusta estar aquí, dijo el Rolling; Bacasegua leía *Kalimán*, a su lado una pila de cómics ajados de tanta relectura, Tengo de todo: fresas, frambuesas, cerezas; las flores atraen a los colibríes, los colibríes a las mariposas y las mariposas son libres; las abejas se encargarán de polinizar y exportaremos miel, ¿has comido miel con queso? A los japoneses les encanta, les gusta más que el sumo o el origami, y como andan por el mundo tomando fotos, también andan comiendo miel con queso.

David se sentía mal, había pasado dos días en la enfermería y otros tantos orinando sangre en la celda; trataba de descansar sin perder de vista al Rolling. Estaba a punto de largarse al pasillo cuando apareció un custodio de mirada sucia, labios gruesos y oscuros, Caras vemos nalguitas no sabemos: David Valenzuela, a la reja con todo y chivas, Parece que nos vamos, dijo su parte reencarnable, y el custodio se dirigió al Rolling: ¿Cómo te has portado, pinche Rarra?, Qué tal, señor Jugo de Piña, tenga la amabilidad de decirme cómo está el día fuera, Fuera todo es chingón, pinche Rarra, mientras tú cada día estás más pirata, «Sucede que me canso de ser hombre, por eso el día lunes arde como el petróleo», No te digo, cada día estás peor, nomás te falta comer cucarachas; Valenzuela: apúrale que no tengo tu tiempo, Tenga cuidado, señor Jugo de Piña, ellos están presentes, David se paró frente al custodio sin pronunciar palabra, Últimamente están usurpando cuerpos, Jugo de Piña lo esposó y se lo llevó, Pregúntale si tienes que llevar tus cosas, Cállate, gritó al Rolling. Era una noche calurosa, cruzaron un pequeño patio donde los internos tendían su ropa en el día. Entraron a las oficinas por un pasadizo oscuro, a unos quince metros se veía luz pero no llegaron, Jugo de Piña lo empujó por una puerta lateral, ¿Qué onda?, fue recibido con un puñetazo que lo derribó sobre una silla, Caray, observó su parte reencarnable, Maldita humanidad, desde que me acuerdo, la justicia y los golpes han ido juntos, Por favor, no me peguen, suplicó, de pronto experimentó la extraña sensación de querer morir, recordó nítidamente sus ocho minutos con Janis Joplin y quiso estar con ella bañándose en el arroyo del pueblo, mojados y risueños, la veía vestida con su amplia falda psicodélica y la seguía, le ofrecía su cigarro y fumaba, le ofrecía sus labios y la besaba, le ofrecía su cuerpo y la acariciaba, *Are you Kris Kristofferson?* Luego caminaban por un pasillo largo y podía ver su trasero moviéndose sincopado, oliendo a Rebeca. No obstante, no se excitaba, la adrenalina lo tenía bloqueado, pero la veía hermosa, llegaban a un salón alfombrado y sin dejar el cigarro se desnudaba y lo inducía a imitarla, y podía ver las pecas de sus senos y los pezones menudos y un vello púbico largo e hirsuto, tenía el vientre plano y él se detenía y acariciaba su ombligo sucio y ella sonreía sin dejar de fumar o beber,

176

después le mostraba una hipodérmica con un líquido rosa en el que nadaban cocodrilos, luego miraba los carteles en las paredes, Brian Jones, Jimmi Hendrix, Jim Morrison, y Janis sudorosa y despeinada ante un micrófono, con su pelo largo y su ropa brillante.

Alguien le dio una cachetada y volvió, se hallaba nuevamente sentado frente a Mascareño, ¿Conoces a Rebeca Manzo?, Sí, había aprendido la clase de respuestas que él deseaba, ¿La mota que encontramos en su casa es tuya? Afirmó con la cabeza, Ah, no me digas, fumaba y le echaba el humo en la cara, Te lo dije: es exquisito este canalla, No está mal, ¿eh?, ¿De dónde es?, Del Triángulo Dorado, Ay, Bocachula, ¿piensas que te voy a creer?, nada pescadito, ¡qué narco vas a ser tú!, guerrillero es lo que eres y además le sacas la chola a los niños, ¿Yo?, realmente se asombró, No seas perverso, y como tampoco te gustan las mujeres quién sabe qué chingados pasa por tu cabecita; ¿conoces a Aurelio Trujillo, alias el Capi?, Sí, ¿A Danilo Manzo?, También, Pues han muerto, todos los pescadores han muerto de úlcera en el duodeno, sacó del bolsillo un frasco de Mélox y bebió, Es un desgraciado sin escrúpulos. David pensó en el viejo, Pobre, tan buena persona; pero no, no estaban muertos, tres días después de la detención, la Unión de Cooperativas Pesqueras había logrado la libertad de todos menos de Rebeca, a causa de la mariguana asegurada en su cuarto; pretendían encerrar a Manzo pero los pescadores se fajaron, alegaron tos crónica y la necesidad de hospitalizarlo. Salió fumando. ¿Y este libro?, le mostró *Libertad bajo palabra*, ¿es tuyo?, David afirmó, Habla de puñetas, rajadas y perversiones, pinche guerrillero sabihondo, no

177

sé por qué pero me caes bien, saca la lengua. David obedeció y el judicial apagó su cigarro en ella, David escupía, resoplaba como cuando se empeñaba en expulsar a su parte reencarnable, Te estás tardando en pegarle una patada a este miserable, ¿Por qué te madrearon?, la boca como embudo, trataba de escupir, Maldito salvaje, le ardía y no podía responder, Denuncia a los conspiradores, ¿Ya se te olvidó que no me gustan tus modos, Bocachula?, Creen que soy espía, ¿Espía tú? Nada pescadito, aunque, ¿por qué no? Ya te pusieron tu chinga, Me duele todo, estoy orinando sangre, No seas llorón, ¿qué tanto es tantito para un hombre que fue entrenado en Rusia y que estuvo en dieciséis secuestros? Sácalo de quicio, dile que la de los ojos verdes es tu amante. Te propongo algo, tengo la impresión de que no eres tan malvado como aparentas y te quiero ayudar. Desconfía: este policía es un taimado, Te hemos tratado duro pero no es nuestro estilo, Franco, llamó, el asistente surgió del fondo con una charola que colocó sobre el escritorio: contenía un pollo rostizado, frijoles, salsa y tortillas. Olores que matan después del ayuno, David sintió la boca mojada, ¿Se te antoja?, nada que ver con el rancho de agua con unos cuantos frijoles y hueso de vaca, Te prometo tres banquetes semanales a cambio de algo; mira: Élver, el Chuco, Bacasegua son gente mala, asesinos; tú en cambio eres diferente, quiero echarte una mano, este lugar no es para ti, a estas horas deberías estar con tu familia o echándote un raspado en Las Paraguas, o en el Triángulo de las Bermudas refrescándote, ¿qué dices?, Dile que aquí hay redaños, No es nada del otro mundo: es cuestión de que platiques con ellos, poco a poco, como no queriendo la cosa les preguntas de sus amigos, que dónde viven, dónde trabajan, en qué les han ayudado, Pídele que te curen, aconsejó la voz, Que puedas tener visitas, ¿Qué te parece? No te costaría gran cosa y te protegeríamos, filtraríamos algo sobre ti para que no sospecharan, Quiero algo más, Lo que quieras, ahora eres de los míos, Regréseme las fotos que me quitó, ¿Cuáles fotos?, Una de Janis y otra mía, Mascareño recordó: Si serás tarado, las había destruido cuando le aclararon que Janis Joplin no era Sandra Romo, no obstante, debía jugar con el preso: Franco, le guiñó un ojo, Encuentra de inmediato esas fotos y me las traes, luego tomó la charola, Huele, Bocachula, ¿qué tal, eh? En cuanto consigas la primera información, a tragar como Dios manda, ¿cómo la ves, Franco?, Yo diría que se la diéramos de una vez, jefe, parece estar dispuesto a cooperar, ¿Se la dejamos?, te estás rayando, pinche Bocachula, ni siquiera yo puedo comer este manjar, Es que ya es de los nuestros, ¿No le hará daño?, ¡Qué malditos!, comentó la voz, ¿Usted cree?, Okey, Franco, bajo tu responsabilidad; si te cayó tan bien, ocúpate de que nadie lo moleste, Sí, mi comandante, Mascareño se tocó el estómago, Mañana temprano tengo cita con el gastro, le dolía, Quiere operarme, percibía un sabor acre en la boca, Por lo que pudiera ocurrir ponte trucha, No se preocupe, mi comandante, David observó el pollo: Jamás, le había dicho su padre, Por nada te vendas, no es de hombres, tarde o temprano te arrepentirías, ¿Qué pensaría Janis?, Ésa no piensa, nomás canta, dijo la voz, Vamos, se enfría, lo invitó Franco tomando un pernil, Estoy quemado, no puedo comer, No me digas, ¿todo para mí?, mordió, ¿El Rolling sigue hablando de extraterrestres?, Sí, Cabrón zafado, pero no te preocupes, Ese cabrón está reloco, me quiso ahorcar, ¿Quién te golpeó tan gacho?, El Chuco y Loza, Cuídate de ellos, ya te vengaremos, ¿Bacasegua se está quedando con ustedes?, Sí, Es el primero con el que debes platicar.

Al día siguiente, Jugo de Piña se paró en la puerta: Jala más un par de tetas que una carreta, Valenzuela, firma aquí, y le mostró un documento; David estaba postrado, se iba a levantar pero se lo impidió Bacasegua, un joven indígena sentado con su bulto de cómics, No, dijo, y ahuyentó a Jugo de Piña: El compañero no va a firmar, ¿Por qué?, Porque no nos da la gana, Muy bien, gran jefe Toro Sentado, y el custodio desapareció sin inmutarse; David sufría, los dolores eran insoportables, apenas había probado bocado y cada día se hallaba más enteco, ¿Así que eres gente de Fonseca?, preguntó Bacasegua, David afirmó, Esta mañana trajeron un recorte de periódico donde dice que cayó en Altata junto contigo, David no pensaba responder, Antes supimos que lo habían torcido frente a la central camionera de Mazatlán cuando intentaba bajar de un autobús. Pobre Chato, cómo fregaban, que si era de la col Pop, que si estudiaba economía, que si era muy inteligente, no sabían hablar de otra cosa. Compa, hay una tormenta en tus ojos que no alcanzo a descifrar, si lo quieres saber, los nubarrones son grandes y oscuros, pero aún no tienen dirección, Lo que nos faltaba: un brujo, se burló el karma, No creo que seas espía, y me importa un pito lo que piense Élver Loza, David resistía el impulso de preguntarle por sus amigos, ¿A qué esperas?, lo apremió la voz, ¿No

180

quieres ver a Janis?, ¿Crees que me dejarán salir si consigo lo que quieren?, Haz la prueba con unas cuantas preguntas y lo sabrás. Bacasegua y Loza habían discutido sobre David: A mí ningún oreja me hace pendejo, compa, esa cara de resignado es pura pantalla, vas a ver cómo pronto lo mandan llamar, Mascareño es tan cabrón que es capaz de medio matar a uno de los suyos para hacernos caer, ¿quién le cree al compita su languidez? Y luego que se llama Sandy, ¡a otro perro con ese hueso! Bacasegua, callado como una sombra, tenía otra opinión: Voy a tender unas trusas, compita, nos vemos al rato.

Si no salgo, Janis va a tener que visitarme, pensaba David, Saca eso de tu cabeza, ésa debe de andar de loca por ahí, ¿Te acuerdas cuando la Nena me enseñó una foto donde está con su papá? Janis está niña, está con su hermana, el papá sentado en una tumbona, me la iba a regalar el día que me atacó Sidronio, Todos provenimos de una familia decente, Era una niña bonita, Tenemos que volver a Chacala, Luego nos iremos con Janis, Sí, pero lo de Chacala debe ser antes de la boda, Pinches marcianos, el Rolling estaba de regreso, David no se movió, Están muy adelantados en ciencia pero no tienen poetas, y con eso de que los mexicanos somos buenos versificadores nos quieren eliminar. El loco fue al rincón y orinó largamente, David sólo se distrajo un segundo y en ese instante el loco se abalanzó sobre él: No puedes negar que eres uno de ellos, cabrón, David lo empujaba sin éxito, aún estaba muy débil. Te conozco, mascarita. Casi a punto de la asfixia hizo un último y desesperado esfuerzo, Hasta aquí llegaste, Épale, cabrón, gritó Bacasegua que había regresado por más cómics, el Rolling soltó a su presa y sonrió, Óyeme bien: vuelves a tocar al compita y te las vas a ver conmigo, el Rolling seguía sonriendo con picardía, David respiró gordo, tosió, buscó algo que lanzar: nada. Se levantó y fue con Bacasegua al tendedero.

Había llovido toda la noche, los mosquitos fastidiaban, ¿Cómo es donde tú vivías? Bacasegua despegó la vista de *El Llanero Solitario*, Bonito, el río hace una curva y está lleno de vegetación, el viento movía la ropa, Mi pueblo también es bonito, las casas alrededor de la plaza son iguales, blancas, con portales y una cárcel, En mi pueblo no hay cárcel ni nada, es una ranchería de seis casas, mi casa es muy fresca, ahí debe de estar mi esposa, ¿Tienes mujer?, Se llama Marina Buitimea, ¿y tú?, También, se llama Janis Joplin, Eso me gusta, se burló el karma, Que no te hagas menos, A veces la sueño cuando llueve, ¿La soñaste anoche?, Sí, muy feo, que llegaba un hombre barbado a nuestra casa, que me mataba y ella se iba con él, los perseguía, pero como estaba muerto no podía hacer nada. ¿Tú cazabas?, yo, de vez en cuando, me iba de cacería con mi amigo Duque, Yo también iba con mis amigos, pero lo que más nos gustaba era pescar, hay una presa cerca de mi casa y el río pasa al lado, ¿Tus amigos son de tu rancho?, Sí, son dos: Miguel Tajia Siali y Juan Cutagocha, Qué apellidos tan raros, Son indígenas, quieren decir fuego verde y zapato de palo; íbamos a cazar con arco y flechas, ¿y tú?, Con piedras, ¿Con honda?, No, con la mano, ¿cómo te enrolaste en esta bronca?, Los indígenas estamos enrolados desde siempre, queremos otra vida, Los de Chacala también.

182

Cuando la ropa se secó regresaron a la crujía. Al Rolling le escurría la baba y escribía en la pared del fondo, «Mi mujer de cabellera de fuego de madera, de cintura de reloj de arena, de ojos de agua para beber en la cárcel». En el tendedero, Bacasegua le había explicado en detalle los motivos de la desconfianza; le pidió que fuera paciente, que sus compañeros terminarían por entender que él nada tenía que ver, pero Loza y el Chuco no bajaban la guardia. La tarde del 16 de septiembre el Chuco le hizo una serie de cuestionamientos que no pudo responder: ¿Cuántos kilómetros nadaba Mao diariamente?, ¿Cuántos más podía nadar?, ¿Los kilómetros que no nadaba, por qué no los nadaba?, ¿Qué pensaba Lenin del sol de medianoche? David quería dormirse, pero estaba a merced del Rolling, Bacasegua leía cómics en el otro extremo de la habitación, así que decidió arriesgarse, se tiró en la cama, Aguas con el loco, sin abandonar la vigilancia.

Un día después comían un rancho repugnante, el Rolling dibujaba garabatos y frases: «La cárcel es un reloj de arena». Élver, Bacasegua volvió sobre el punto, ¿No estaremos como el tío Lolo aquí con el compa?, ¿de dónde sacas que es oreja? Apenas puede con su alma y le tiene pavor al Rolling, Limítate a vigilarlo, lo que pienses me es inclusive, Pero..., Sigue vigilando, cuando necesitemos tu opinión te la pediremos. Voy a dejarte este librito rojo, se le acercó el Rolling: Es lectura obligatoria, te voy a checar cincuenta páginas diarias, enseñó sus dientes mostaza.

Jugo de Piña los visitó por la tarde: Cuando la mujer dice me caso y la mula no paso, la mujer está embarazada y la mula quiere pastura; Valenzuela, tienes

183

visita, Puede ser mi mamá, pensó David, Hace tanto que no la veo; a lo mejor me trajo tortillas de harina, duraznos, tasajo. Quiubo, pinche Rarra, ay, cabrón, el Rolling le estaba dando los últimos toques a un barco de vela, ¿Estás rayando la pared? Puta, vas a tener que soltar una lana si no quieres que lo sepa mi dire, Yo no fui, señor Jugo de Piña. Valenzuela: sígueme, Tal vez el comandante quiera verte, señaló su parte reencarnable, ¿Tú crees?, Quiere saber qué has conseguido, no se movió, Pero dice que es visita, ¿Qué les cuesta engañarte? Jugo de Piña intervino: Es el licenciado que te mandó el papel, ¿Cuál papel?, El que no quisiste firmar, Estoy harto, alzó la voz el Rolling, No resisto un momento más, me acosan por todas partes y a todas horas, es un martirio, me voy a largar como la mulata de Córdoba. Antes que alguien pudiera impedirlo, Peñuelas fue hasta la puerta y se aventó de cabeza contra el barco, Pock, cayó chorreando sangre, ¡Luisa!, gritó Bacasegua, Pinche loco, murmuró Jugo de Piña, Rápido, a la enfermería, David sintió ganas de ir al baño.

Doroteo P. Arango esperaba en una salita con dos sillas, se mesaba el bigote zapatista, La mitad de los mostachones son confiables, deslizó su parte reencarnable, Pero está manco, ten cuidado, ¿Tú eres Sandy, el que contrataron los Dodgers?, ¿el que mata venados a pedradas? David no contestó, sólo pensó que aquel tipo sabía demasiado, ¿Qué desea?, Soy tu abogado, no te han tratado bien, ¿eh?, ¿Mi abogado?, Un amigo tuyo me contrató para sacarte, ¿Qué amigo?, Santos Mojardín, ¿El Cholo?, Está convencido de tu inocencia, la noticia lo reconfortó: Mira nomás cómo estás de jodido, ¿cuántas veces te han torturado?, Tres, Cabrones, voy a tratar de cambiarte con los presos comunes para que puedas descansar, Ojalá, mi compañero está loco, habla bien raro y me ha atacado dos veces, ¿En serio?, Ahorita se tiró contra la pared, se reventó la cabeza, No me digas, Desde que llegué casi no he dormido, Se te nota, y si continúas así al rato vas a estar más loco que él, en la otra sección al menos te dejarán descansar. David estaba descalzo, con la camisa abierta, Y el papel que me mandó ¿qué decía?, Era para saber si estabas consciente, pero ya no importa, ahora cuéntamelo todo: ¿cómo fue que te detuvieron? David le contó del panteón, de la tortura y la patética estancia en las celdas de los Dragones, La otra noche me sacó Jugo de Piña y me volvieron a golpear, ¿Quién es Jugo de Piña?, El que me trajo, Mascareño me tiene amenazado y los guerrilleros dicen que soy espía, Estás bajo dos fuegos, primero, Dios, te voy a cambiar pronto, ¿algo más?, El Rolling está loco, Dile que está bien, a todo dile que está bien y no dejes que se te acerque, Dice que un mundo nos vigila, Haz como que te interesas, mientras Mascareño esté fuera de la ciudad tienes que aguantar, entretanto yo trataré de lograr tu cambio antes de que regrese, ¿Le pido un favor?, Lo que sea, ¿Es cierto que don Danilo Manzo y su hija están presos?, Danilo Manzo y el resto de los pescadores ya están libres, me tocó ver cuando salieron, Rebeca sigue detenida por tráfico de drogas, le encontraron cien kilos de mariguana empaquetada, Ni para un viaje, pensó, ¿Y está aquí?, En la sección de mujeres, ¿quieres mandarle un recado?, No, recordó que ya habían vivido su última noche y que él sería fiel a Janis.

Arango la encontró ese mismo día: no corría peligro. A las pocas horas de haber llegado su naturaleza se encargó de ponerla en brazos del jefe de custodios, Carmelo Arredondo, en cuyo cuarto vivía ahora: el jefe se encontraba tan feliz que se la pasaba cantando. La interrogó sobre David: Mi perro es incapaz de dedicarse a la guerrilla, explicó, El que es un cabrón bien hecho es el Cholo, y le contó que la había dejado embarcada con un montón de mota, Pero no se encuentra mal, ¿no?, No, chingue licenciado, nada se compara con estar fuera, además estoy agüitada, ¿sabe quién metió al Sandy en esto? Mariano Rivera, el hombre con el que me iba a casar, ya rompí con él: qué chingaos, una no se puede casar con un culero, Significa que usted estima a Sandy, Cómo no lo voy a estimar, es medio rarito pero le ayudó mucho a mi papá, Entonces ayúdelo, usted puede conseguir que Carmelo Arredondo mude a David con los reos comunes.

Un día después, entre las miradas turbias del Chuco y los insultos de Élver Loza, David se mudaba a la sección de reos comunes. Le asignaron la barraca dieciséis del edificio dos, una celda equipada con abanico, un pequeño refrigerador bien surtido, parrilla eléctrica, radio grabadora, y, Ah, caray, un caset de Janis Joplin. Esto fue obra del Cholo, pensó. Comparado con el hacinamiento de la crujía, la barraca le pareció tan segura y confortable que escuchó dos veces el caset y por primera vez en muchos días consiguió dormir a pierna suelta.

## Veinte

Sencillamente no están de acuerdo, dijo María Fernanda, Preguntan que de dónde saca el licenciado Arango que el mitin pudiera perjudicar al Sandy, En los mítines siempre se hace desmadre, la raza se alborota y al gobierno le da miedo, Ay, mira, yo no sé, eso opinan ellos y dicen que al mitin no lo para nadie, la voz atiplada se agudizó, El licenciado piensa que podría afectar el proceso, Les comenté pero dijeron que al contrario, que es presión para acelerar el excarcelamiento del Sandy y de otros, Si perjudica, creo que deberían suspender y dejarse de pendejadas, ¿no te parece?, ¿Por qué no hablas con ellos? Quedaron de venir mañana al rosario, Pinches locos, ¿qué saben ellos de cómo corre el agua?, Así decía mi papá cuando se fue el Chato, por cierto, ¿es verdad que el Chato se vestía de mujer?, Yo qué sé, ¿quién te dijo?, Mayté, que su papá comentó que lo habían detenido en una discoteque vestido de gitana, Chale, pensó, Ahora van a andar diciendo que era joto. Paseaban en el Grand Marquís.

Vamos con Malverde, quiero prenderle unas veladoras, ¿Crees en Malverde?, Vieras cómo me ha sacado de broncas, ¿y tú?, Claro que no, yo creo en Dios, en la Virgen, ¿por qué voy a creer en Malverde?, Porque es muy milagroso: un señor que siembra en el Triángulo Dorado estaba rayando su amapola muy quitado de la pena cuando llegaron los pintos, con boludo y todo, Malverde bendito, se encomendó, Si logro cosechar esta goma te prometo ayudar para que te construyan una capilla, será verdad será mentira, el caso es que los guachos pasaron de largo, Eso no es un milagro, ¿Se te hace poco salvar la cosecha y no caer al bote?, no tienes idea de cómo trata el ejército a los detenidos, Un milagro es otra cosa, algo piadoso, que un desahuciado viva, que un enfermo se recupere, los milagros no tienen que ver con bandidos generosos, ¿a poco Robin Hood es santo?, Malverde sí, con él los paralíticos caminan, los náufragos se salvan, hasta los problemas económicos se resuelven, ¿En serio crees que un simple ladrón puede hacer eso?, ¿Por qué no?

Arribaron a una capilla en construcción que parecía un hormiguero de tanta gente, un conjunto norteño tocaba el corrido *Los tequileros,* la gente entraba, salía, se hincaba, oraba, compraba veladoras, ramos de flores, exvotos de agradecimiento. Por todos lados había sillas de ruedas abandonadas, fotografías, cuadros con leyendas de agradecimiento y exvotos en forma de trailer o de ametralladoras cuernos de chivo. Todo estaba presidido por un gran busto de yeso que representaba a un hombre de unos treinta años, con el bigote cuidadosamente recortado a la Pedro Infante, pelo negro y ojos achinados.

María Fernanda dejó espacio a una joven de su edad que usaba muletas, la vio hincarse y rezar con devoción prístina. El Cholo encendió doce veladoras:

cuatro por los viajes realizados, cuatro por los que faltaban y el resto para que David saliera libre, Si me favoreces en mi negocio, ánima de Malverde bendita, musitó, Chingo a mi madre si no te traigo la banda durante un mes a esta misma hora.

Momentos después reanudaron el paseo, circulaban por la Obregón tranquilamente, ¿Quieres ir al cine?, en el Diana exhibían *Por mis pistolas,* con Cantinflas, Ya la vi, escuchaban corridos, ¿Por qué te gustan tanto los corridos?, no hemos oído otra cosa, Es música de hombres, ¿Ya no te gustan los Doors? Me acuerdo que también andabas piñado con Santana, Led Zeppelin, Eran otras épocas, además no les entiendo, en cambio esto, ¿oyes?, todo bien clarito, Qué pronto cambiaste, ¿Tú sigues con José José?, Más o menitos.

Cruzaron el puente Hidalgo, pero antes de llegar al hospital civil se encontraron con una patrulla que desviaba el tráfico: ¿Qué pasó, oficial?, Nada, una balacera en el hospital. Un hombre fue malherido el día anterior en Tamazula y sus enemigos llegaron para rematarlo. ¿Por qué pasa esto?, lamentó la Nena, ¿Ves a lo que lleva tu negocio?, Hay cuentas que tienen que saldarse, Pero nos afectan, uno no puede andar tranquila en la calle, ¿Y qué tienes que hacer en la calle?, La calle es de todos, mi mamá piensa que hay un miedo generalizado, ¿sabes cómo le dicen a Culiacán? Chicago chico, Te digo que son cuentas pendientes, como el tráfico está detenido, la raza aprovecha para arreglar sus asuntos, Pero nos afectan, la gente normal anda sobrecogida, sufriendo innecesariamente, La gente normal no existe, te pareces al Chato, que estaba clavado en darle tierra y fábricas a la raza, ¿para qué?, ¿tú crees que a la raza le gusta trabajar? Pinche bola de güevones, así no les vas a resolver el sufrimiento, ¿De veras me parezco al Chato?, Más o menitos.

Se detuvieron en la Parroquia, una refresquería de postín frente a la catedral, él pensó que ella iba a comentar sobre el mar de gente que esperaban para el mitin: los ex compañeros del Chato, gente de todo el estado, de Guadalajara y Guerrero, de Puebla y el DF, pero ni lo mencionó, en cuanto estuvieron instalados se fue por otro lado: Así que te nos casas, ¿cómo se llama la afortunada?, Graciela, respondió inquieto, María Fernanda lo ciscaba, Pues el nombre no es feo, con el popote echó un poco de jugo en la cerveza, Le vas a decir Chela o Chelito, ¿y qué hace?, Administra un restorán en Los Ángeles, Claro, una fonda de comida mexicana, Más bien es de comida internacional, Una pozolera, ¿y cómo la conociste? Ya sé, deja que yo lo diga, después de estar varios días en el otro lado lo que más extrañabas era la comida, así que decidiste buscar una fonda donde pudieras comer pozole, enchiladas, tacos, gorditas, chimichangas, así encontraste a Chela la pozolera, ¿sí o no?, Nena, ¿qué onda?, ¿Y cuándo es la fecha?, Falta poco, Por favor, no vayas a tener el atrevimiento de invitarnos, respeta nuestro dolor, y no me sigas fregando con la cancelación del mitin, yo no pienso comentar nada con los economistas, me da la impresión de que no hay quien los detenga, va a ser dentro de nueve días aquí enfrente; o sea, que mientras tú estés casándote con la pozolera, entre el olor a manteca, cebolla y orégano, nosotros vamos a estar aquí pidiendo justicia, exigiendo la libertad del Sandy,

190

porque vamos a venir, mi mamá está bien alborotada. ¿Qué le decía?, ¿de qué le hablaba?, ¿por qué se comportaba así? En los últimos días invariablemente llevaba la conversación a ese punto incómodo, así que intentó cambiar de tema: El abogado vio a David, ¿Cómo está?, Fregado, dice que lo han torturado bien gacho, que está flaco y desconfiado, Pobre, en el velorio estuvo muy circunspecto, se veía bastante afectado, Es que apreciaba mucho al Chato, A nosotros no nos han dejado verlo, hemos ido dos veces y nada, Nomás el lic tiene acceso, pero me aseguró que el domingo podremos caerle, ¿De veras? Mi mamá se va a poner feliz, ¿y qué dice, lo puede sacar?, Le está haciendo la lucha, por eso le preocupa el mitin. A lo mejor sale para tu boda, volvió a poner el dedo en la llaga, ¿Dónde te vas a casar? Se me hace que va a ser en el otro lado, ¿verdad? Déjame adivinar, todo lo pone la narcopozolera: los padrinos, las madrinas, las damas de compañía, los pajes, que va a sacar de entre los cocineros, los pinches, las meseras y sus hijos; de la cena, hasta la pregunta es necia, va a ser pozole estilo Sinaloa, con totopos.

Se le ocurrió que sólo había una manera de callar a esa mujer: besándola, pero no se iba a atrever. Comprometido con Graciela, mirar a otra mujer era una sentencia de muerte: ¿Qué hago contigo?, A ver, se burló, Pregúntale a Malverde.

191

# Veintiuno

A las seis de la mañana escuchó el escándalo: Todo el mundo a formarse, todo el mundo a formarse. No tenía por qué ir a pasar lista, pero no comprendió la explicación de su abogado acerca de la compra de la dispensa y se sumó a sus compañeros; además se hallaba despierto desde las cuatro de la mañana.

Los reos comunes se odiaban entre sí, Todos son enemigos en potencia, dijo su karma, pero intentaban pasarla bien, que aquello fuera más llevadero a pesar de las rivalidades. David salió del edificio de tres pisos, contó hasta cuatro personas en cada celda y se formó con el resto de los reos en el patio central, frente a las mesas y asientos de concreto en que se recibían las visitas familiares. El pase de lista transcurrió entre gruñidos, bromas y albures. No escuchó su nombre pero no reclamó, pensó que tal vez por ser nuevo no estaba registrado. ¿Sabe qué, compita?, lo interceptó un reo de mirada acuosa, Lo que se le ofrezca, David aceptó con un gesto, Lo que necesite, nomás pregunte por el Tenebras, antier estaba en su barraca, ahora estoy acá, en la treinta y dos, ¿me puede alivianar para una raya?, negó con la cabeza, ¿Es mudo?, David negó de la misma manera y volvió a su celda, Qué facha, debe de ser el rey del cuchillo, comentó su parte reencarnable. De los internos, unos se recogieron, otros se quedaron conversando. Comió lo primero que encontró en el refrigerador y sintió náusea, se acordó del Rolling, que consumía monásticamente las porquerías que les daban mientras hablaba de hormigas invasoras y de la imperiosa necesidad de una estrategia global para derrotar a los alienígenas, ¡Qué reguero de sangre dejó!, Pobre infeliz, Pero bien cabrón, no me dejaba dormir, casi me ahorca. A las ocho pasadas, alguien tocó la puerta de metal que se cerraba por fuera, ¿Se puede? David escuchaba *Summertime*, ¿Quién?, entró un hombre alto, robusto, camisa desfajada, con una pequeña maleta, parecía un buldózer con sus cien kilos de peso y su uno ochenta de estatura: Buenos días. Ah, caray, David apagó la grabadora, Soy Andrés Espinoza, más conocido como el Rápido y me mandó el patrón don Santos a cuidarlo. Vamos a vivir juntos pero no revueltos, voy a ser su guardaespaldas, ¿qué tal ha descansado?, puso la maleta en una de las camas, David no comprendía, ¿Te mandó el Cholo?, Don Santos, mi jefe, No me nombraron en el pase de lista, Usted no va a pasar lista, eso es para los dejados de la mano de Dios, ¿qué tal si desayunamos?, abrió el refrigerador, Es un patán, calificó la voz, Tendremos que enseñarle buenos modales, No tengo hambre, Pues para lo jodido que está debería comer, ahorita le caería de perlas un caldito de pescado o una campechana, ¿Es usted de Altata?, No, soy de El Vergel, que está cerca; A ver, explíqueme: ¿cómo que lo mandan?, ¿lo metieron preso sólo para cuidarme?, Un arreglo insignificante, Y si quiero salir, ¿puedo?, Claro, si quiere pasear, ir a las canchas o a comprar refrescos puede, nomás me avisa, y si no se mueve de su cama tampoco hay problema, el Rápido sacó un paquete de salchichas y lo empezó a engullir con un refresco, Usted es chaca, ¿Qué?, Jefe, usted ahora es jefe, Qué locura, ¿de quién?, De todos, sonrió, ¿Cómo puede el Cholo lograr esto?, Con dinero baila el perro.

A media mañana abandonó el edificio sin avisar al Rápido, que dormitaba con una sonrisa de oreja a oreja, caminó por un andador limitado por césped hasta una cancha al aire libre, hacía calor, observó el cielo azul y vacío, no le dijo nada, ni siquiera la estela blanca de un jet, para David sólo el cielo nocturno estimulaba su fantasía y sus recuerdos. Unos reos jugaban beisbol con gran algarabía. Se acercó despacio, escuchó el alboroto. Al fondo, un cerco de malla ciclónica y un muro de seis metros. Cerca de la cancha había un estanquillo donde vendían refrescos y botanas, éste se hallaba lleno de espectadores que se protegían del sol bajo una techumbre de lámina de cartón. Se acercó paulatinamente, no dejaba de observar a los jugadores, y recordó sus tiempos, ¿Cómo les puede gustar tanto?, Se distraen, Pero ¿cuál es el chiste?, Ése, no es fácil soportar el encierro, Hasta pelean, Se emocionan demasiado, A mí me iban a pagar por jugar, Lo recuerdo, el juego siempre ha sido buen negocio, Janis, qué manos tan suaves tiene esa mujer, Rebeca también, El problema con Rebeca es que cuando no huelen a crema huelen a pescado, Pero su otro olor, ¿qué tal, eh?, Janis es otra cosa, Desde luego: fea, droga y con ancas de rana, ¿Por qué hablas así?, Digo la verdad, y con Rebeca allí no sé por qué te acuerdas de Janis. Se detuvo en seco a unos metros del estanquillo: entre los espectadores se encontraba el último hombre al que esperaba encontrar en la tierra: Sidronio Castro, el hermano del hombre que había matado. Mira nomás, y nosotros preocupadísimos por ir a Chacala, Sidronio se había quitado el sombrero para abanicarse y ahí lo reconoció, Bien dicen que más vale suerte que dinero, murmuró su parte reencarnable, Castro también lo miró, pero David estaba tan estropeado que el narco no lo reconoció: tan sólo vio a otro preso barbado, enclenque y tembloroso. Nos levantamos con el pie derecho, comentó la voz, Tenemos que tomarlo por sorpresa. Dieron un batazo que acaparó la atención y David aprovechó para regresar a su barraca. Estaba por entrar al edificio cuando se dio de bruces con el Rápido, que salía a buscarlo, Oiga, no me haga esto, avíseme cuando se mueva: me descuido cinco minutos y me abandona. Regresaron a la celda, Es que lo vi dormido y no quise despertarlo, Nunca duermo cuando trabajo, pero ahorita me pasó algo muy curioso, no me lo va a creer: me eché una pestañita y no hice por despertarme porque estaba soñando una mujer, Otro loco, La primera mujer con la que, bueno, usted me entiende, ¿La soñó?, Sí, que me besaba, Yo a veces sueño a la mía, Estábamos en una huerta de mangos, se reía y me besaba, los mangos maduros caían sobre nuestras cabezas, ella me chupaba el pelo, que lo tenía lleno de miel, me lamía la cara y desperté, ¿Alguna vez le olió como se huelen los perros?, Qué pasó, claro que no, para acercarme a esa parte de ella Dios me dio esto, señaló su entrepierna, ¿Fuma?, encendieron cigarrillos. ¿Cada cuánto le tocan estos jales?, David se recostó en

195

su cama, De vez en cuando, con el patrón es la primera vez, ¿Cada vez que viene los presos son los mismos?, Conozco a algunos que tienen tiempo marcando, les echaron tantos años que ya se acostumbraron; oiga, si no es indiscreción: ¿por qué lo madrearon tan gacho?, ¿qué, estaban locos los que lo torcieron o qué?, Desde que llegué todos me han golpeado, ¿El pedicure se lo hicieron aquí?, ¿Qué?, Sí pues, la sacada de uña, Ah, sí, ¿Pues qué le preguntaron? Ni al peor de los matones lo tratan así, es el primero de los nuestros que veo tan maltratado, yo diría que necesita comer, tiene que recuperar fuerzas; con un buen plato de frijoles mayocoba, un pedazo de asadera, su chilito piquín y tortillas a la hora de comer, in'ombre!, claro que se repone: chingo a mi madre si no; mire: ¿es la primera vez que cae? Pues razón de más para estar fuerte; aquí está cabrón: el más pelón arrastra el pelo y el más tullido es alambrista, uno nunca sabe dónde puede saltar la liebre, yo, en cuanto llego, parece que me están esperando los cabrones, se arma la bronca, y pues tengo que..., se hizo a un lado la camisa desfajada y mostró una escuadra. Se ve que es un tipo de redaños, comentó el karma. Mientras Andrés especulaba, David siguió pensando en Sidronio y en el asesinato de su padre, Tu madre se va a sentir muy orgullosa cuando hagas lo que tienes que hacer, lo estimuló la voz, David transpiraba ante la perspectiva de la violencia, el abanico giraba con lentitud, Ah, cómo chingó un borracho anoche, le dijo a su karma, Momento, no tienes por qué hablarme así; concéntrate en la venganza: si tu enemigo está aquí es por algo, ¿no crees? Debió de ser el destino quien los unió en esta cárcel. La voz tenía razón: todo parecía encajar, ¿Qué hacía Sidronio allí?, ¿a quién mataría? Los Castro eran de corazón negro, nada les había importado el acuerdo, así que él debería planear la venganza, a pesar de los consejos en contra. Cuando estaban en el rancho, el Cholo trató de disuadirlo: Yo creo que están a mano, no tienes por qué matarlo; pero David no estaba de acuerdo: un padre valía más que un hermano, Un padre es el pilar del medio, Sidronio debe morir, Así me gusta: no será fácil, Pero lo lograremos, ya lo verás; el Rápido está en lo cierto: debes descansar y comer, para eso te llenaron el refri, para eso te tocó esta celda tan cómoda y con guardaespaldas. Su karma tenía razón, era necesario recuperarse, atender esos temblores de manos y esos dolores en la espalda que se negaban a esfumarse. Después de comer abundantemente se tumbó sobre la cama. El Rápido lo creyó dormido y salió. Entonces David abrió los ojos y lloró despacito, como para lavarse. No le gustaba lo que tenía que hacer, pero estaba obligado, ¿Podrías quitar esa horrible música?, exigió su karma, Janis Joplin cantaba *One Night Stand*.

Cumplía ocho días de haber cambiado cuando le permitieron recibir visitas. Era domingo, el viernes, Doroteo P. Arango les había informado que el Cholo pasaría a verlos. David, que ya comía con apetito, se mostró muy animado, pensó que no estaba solo, que tenía familia: ¿qué tal si el Cholo llegaba con su madre y sus hermanas?, ¿o con Rebeca? Por primera vez quiso verla bailar, tuvo ganas de peinar su larga cabellera rizada, de oírla gritar: ¿Qué pues, mi perro? Después de todo, la última danza había quedado inconclusa.

La mayoría de los presos aguardaba a sus familiares cerca del estanquillo, en el último retén para los visitantes. Aunque David se moría de ganas de buscar a su familia, el Rápido le prohibió que abandonara la carraca: Yo estaré pendiente, mi jefe, no conviene que se exponga entre tantos desgraciados. La mayoría de las familias se instalaban con bullicio en las mesas de concreto, allí sacaban sus comestibles y mujeres y niños abrazaban a los internos; otros, los más ansiosos, se besaban rico con sus parejas y se escabullían directo a las barracas. David ya tenía un plan casi redondo: se acercaría a Sidronio, como aconsejaba su karma, no lo pondría sobre aviso, usaría la pistola del Rápido y Adiós, señores: a California, a caminar por Sunset Boulevard. Estaba ilusionado con encontrar otra vez la casa donde la Janis se aparece, *Are you Kris Kristofferson?* Soñaba con verla cuanto antes, se largaría de Altata, Ya no puedo trabajar a gusto en ese lugar, pero antes iría a la tumba de su padre y a la del Chato, no podía demorarse mucho porque California lo esperaba, Puedo trabajar en un aserradero, de pescador o con los Dodgers, ¿Qué tal de contrabandista?, señaló su karma, ¿Hay contrabandistas allá?, Los hay en todas partes, Si el Cholo está pagando esto, a lo mejor tengo que corresponderle, quedó pendiente un viaje. Todo está muy bien, sólo que antes de California está la venganza, y como ya te dije, no es cosa del azar, debemos planear muy bien el siguiente paso, Tienes razón. Se asomó a la puerta de la celda, alguien en un radio cercano escuchaba *Like a Rolling Stone* en la 5-70, con su creador Bob Dylan. Examinó el escenario: Puedo vengarme cuando estén jugando beisbol, me acercaré cuando vea a Sidronio embebido: Vengo a matarte, hijo de la chingada, y rájale, una pedrada en la cabeza, No, te dejarían preso toda la vida, tienes que hacerlo escondido y con pistola, No sé disparar, Que el guardaespaldas te enseñe, Lo van a querer vengar sus hermanos, Si consigues matar a Sidronio te aseguro que no te seguirán sus hermanos, ¿cuántos son?, Como seis, eran siete con Rogelio.

Lo distrajo una risotada de Sidronio muy cerca de él, también en la planta baja: Me lleva la que me trajo, no sólo estamos en el mismo penal, y en el mismo edificio, hasta en el mismo piso estamos; lo único que nos falta es ser vecinos; Mejor así, dijo su karma, No puedes renunciar a tu destino, si se encuentran tan cerca es porque la venganza es ineludible. Sidronio volvió a reír, David sintió que se le estrujaba el vientre. El hermano de Rogelio molestaba a una mujer, ésta se cansó de sus insolencias y salió por un instante de la barraca: alta y frondosa, de largo pelo rojo, vestía botas vaqueras, pantalones negros y blusa a cuadros. David casi saltó al reconocerla: Es Carlota Amalia Bazaine, ¿qué hace aquí?, ¿Estás seguro?, interrogó su parte reencarnable, Completamente, no la reconocí porque se pintó el pelo, antes era medio güera. David, hasta la pregunta es necia, Si Carlota era la muchacha más bonita de Chacala no es extraño que el hermano de Rogelio también la codiciara: por lo visto quedó en familia. Puso a Janis despacio.

El patio parecía una romería. Jefe: ahí viene su gente, el Tenebras lo llamó a señas. Se había instalado con su familia en una mesa cercana, por fin la familia Palafox se hallaba a la vista conducidos por el Rápido.

No se preocupe, mi buen: vamos a estar pendientes, puede platicar sin bronca, Gracias, compa. Johnlennon fue el primero en abrazarlo, ¿Cómo está mi John?, ¿Qué te hicieron, Sandy?, Un mal paso; luego se acercó María Fernanda, después su tía: Ay, mijo, qué trago tan amargo, y al final Santos Mojardín. ¿Qué dice mi Sandy Koufax?, ¿qué musiquita oyes, eh, cabrón?, A esto le llamo yo estar completo, comentó el karma. Sólo faltaba Gregorio, que convalecía del último interrogatorio. María lo abrazó sin poder contener las lágrimas: Mijo, Dios te ampare. Como el bullicio era ensordecedor se metieron a la barraca, que el Rápido limpió por la mañana, David le había contado que su prima era muy quisquillosa. ¿Por qué no vino mi tío?, No se siente bien, pobre; dice que es el gran perdedor: quería que el Chato fuera profesionista y le salió guerrillero, que tú fueras beisbolista y te hiciste pescador, que yo fuera abogada y voy a ser periodista, Le falló gacho, Te traje tus tacos de machaca, dijo María, También fruta, esta maceta con un helecho, ah, y un jarabe Hemostyl para que te repongas, hasta vas a poder jugar beisbol, Apenas que el Cholo sea el cácher, ¿Qué pasó, pinche Sandy?, no me eches la mala sal, con que tú estés dentro es suficiente.

María Fernanda le contó que los compañeros del Chato estaban organizando un mitin, sería el jueves siguiente y vendría gente de todo el estado, Van a exigir tu libertad inmediata y castigo para los asesinos del Chato, especialmente para Mascareño, que es el más perro, ¿Y mi mamá?, Apenas le vamos a avisar, ¿Para qué le avisan?, interrumpió el Cholo, Si ya va a salir, Dirás bien, ¿para qué mortificar a la pobre?, ¿Quieres quesito?, Pásamelo, Cómo te consienten, cabrón; Sandy, no estaría mal que te rasuraras, Sí, tía. Mamá, ¿echaste las navajas?, Por ahí deben de andar, Primo, esta maceta la cuidas muy bien: la tienes que regar cada tercer día, ¿Qué le echó a la machaca, señora?, elogió el Rápido, Está riquísima, Gracias, señor. Cuando terminaron de comer, el Cholo jaló a David a caminar, ¿Cómo te la estás pasando?, Ahora bien, Ya sé que no hay como estar fuera, pero he pagado una fortuna para que te traten como príncipe, Ahorita todo está perfecto, pero antes Mascareño me torturó, No te quejes, pinche Sandy, ni te hizo nada, ¡Cabrón! Oriné sangre, me sacó una uña, No seas llorón, ¿para qué te sirve una uña? Todavía te quedan diecinueve, Me dieron toques, ¿Era golden siquiera?, No mames, pinche Cholo. No se agüite, mi Sandy, añadió con más seriedad, Y sobre todo no le ocultes nada al licenciado, ¿Por qué?, Mascareño no está en la ciudad, el licenciado quiere sacarte antes de que regrese, porque parece que el bato colecciona uñas y le encantaron las tuyas, quiere sacarte otras seis, Manos le van a faltar al hijo de la chingada, Aguanta la vara, pinche Sandy, ¿qué son unas cuantas uñitas?, David abrió la boca con tristeza y caminó en silencio, de pronto no sabía qué responder, Ya, no te agüites, es puro cotorreo, en cuanto salgas vas pal otro lado, ¿de acuerdo? La Janis te va a estar esperando con las piernas abiertas, David sonrió, Pero le tienes que dejar la marca del Zorro, ¿eh, cabrón?, y también olerla como los perros, Pinche Cholo, guardaron silencio. Al rato, David comentó: Oye, hay una onda, aquí está Sidronio Castro, ¿Cómo? Hacía tiempo que el Cholo conocía a los Castro y se hallaba

201

al tanto de la suerte de Sidronio; no obstante, jamás imaginó que el destino lo pondría tan cerca de David, en la cárcel de Aguaruto; si aprobó el traslado fue porque le pareció que era lo más humanitario para proteger a su amigo. Lo vi ayer en el patio, quiero aprovechar para vengarme, ¿Qué?, ¿estás loco? ¡Ni lo sueñes, pinche Sandy! Ahorita no te conviene: lo que tienes que hacer es esconderte de él, Pero mató a mi papá, Mantén la calma, no te conviene vengarte porque no saldrías libre, Pero rompió el convenio; el Cholo se jaló los cabellos, Mira, cabrón, estoy metiendo mucho dinero para que te dejen salir, no la vayas a regar, se nos viene todo abajo; Claro, dijo su parte reencarnable, Como el difunto no era su padre, ahí viene muy orondo a opinar; Tienes que andar con cuidado, no olvides que Sidronio es un cabrón y te puede hacer algo, hay que decirle al Rápido para que esté pendiente, Está bien, No se te ocurra salir con una pendejada y dejar a la Janis abajo, ¿eh?, ya que estés con ella y salga embarazada entonces sí, si te matan ya tienes quien te herede; no se pierde el apellido, recuerda que tienes puras hermanas. Oye, Cholo, ¿y qué onda con la *Acorazado Potemkin?*, Mal, decomisaron el motor, tuve que comprar otro, se la estamos rentando a don Danilo y ahí la trae Pedro Infante, que ya se echó otros seis viajes, ¿Qué pasó con Rebeca?, La acabo de ver a la entrada, nos ayudó a pasar sin mayores esculques, ¿De dónde sacan que es narca?, Son inventos de la poli, mi Sandy, ya ves lo que dicen de ti: dizque eres un guerrillero sanguinario y que ojalá te pudras en la cárcel; ¿sabes qué, carnal?, te delataron, ¿tienes idea de quién te puso el dedo?, Dicen que fue Rivera, ¿Quién?,

El más calote de los pescadores, levanta pesas y se la pasa haciendo ejercicio, Así le va a ir al cabrón, tú no te preocupes, come y duerme, ya le ofrecí una compensación al licenciado si te toca salir para mi boda, ¿De veras?, Saliendo de aquí nos vamos a Los Ángeles, ahí sí te cacho los juegos que quieras; por cierto, voy a aplazar la luna de miel para ir a la serie mundial, ¿Van a jugar los Yanquis?, Qué van a estar, pinche equipo sarreado, tu tío les va porque está loco, ¿Y los Dodgers?, Tampoco, les hizo falta picheo, ¿no te dan ganas de pichar?, No, De plano estás en otra dimensión.

Habían llegado al campo de juego, estaban hablando cuando se acercó el Rápido, Jefe, alguien lo quiere saludar. Por su habilidad para los negocios y por el hecho de ser el prometido de la nieta de don Sergio Carvajal, el Cholo Mojardín gozaba de gran prestigio entre los traficantes. Lo reconocían como hombre de palabra, dado a hacer favores, y a pesar de su juventud no había serrano que perdiera la oportunidad de saludarlo. Quiubo, don Santos, ¿Qué onda?, saltó David, era Sidronio Castro, que no lo había reconocido. Éste saludó afablemente al Cholo, y cuando iba a hacer lo mismo con él, Ya le cayó mierda al agua, se puso como tomate, comprendió de inmediato su desventaja: Así que éste es el más consentido de don Santos, dio varios pasos en reversa, trastabillando, el Cholo lo siguió: Pérate, cabrón, vamos a tratar este asunto como los hombres; los ojos del serrano relampaguearon, le dirigió al rival una mirada rufianesca, que David, Ora, puto, correspondió; Nos teme, observó la voz, El muy maldito se acaba de delatar como el asesino de tu padre, el Rápido no comprendía, Santos trató de mediar: Sandy, ve a tu barraca, ahorita te alcanzo; David se retiró despacio, dirigiendo miradas de odio al traficante.

El Cholo y el Rápido invitaron a Sidronio a recorrer con ellos el campo de juego. Mojardín dejó que se desahogara: como era previsible, Sidronio exigió el derecho de venganza, Dios lo puso en mi camino, don Santos, en esta vida todo se paga y a este cabrón le acaba de llegar su hora, mire lo que me hizo la otra vez, escupió verde, les mostró la cicatriz en la mitad de la frente, Y eso no es nada: balaceó a mi primo, que era mi chofer, lo bajó de cuatro tiros en el pecho, No quiero que le pase nada a este muchacho, subrayó el Cholo con impaciencia, Es como mi hermano, Pero es que me la debe, don Santos, escupió de nuevo, Mató a mi hermano de la peor manera, Ah, caray, el Rápido sabía del extraño fin de Rogelio Castro, sin embargo, jamás imaginó que fuera obra de David: lo veía tan sensato, tan poca cosa; Es mejor que te aguantes, Sidronio, no olvides que tú mataste a su padre y eso no quiero hacerlo asunto mío, Sidronio le dedicó una mirada llena de apremio: Me pide un imposible, mi hermano no va a descansar hasta que le envíe al tontolón, Ni se te ocurra tocarlo, amenazó abiertamente: ¿Por qué crees que está el Rápido aquí? Ya lo conoces... El sicario paladeó el halago, era cierto que debía más de setenta muertes en su historia criminal; Pero te voy a ser franco, continuó el Cholo, No quiero perder la relación con ustedes, creo que nos ha ido bien, ¿o no? Sidronio Castro asintió, hizo como que acataba el mensaje pero en realidad estaba pensando

204

que la vida ponía los medios y ese asunto no era cosa de palabras, Si el tontolón ha llegado hasta aquí es porque pronto lo tendré frente a frente; por lo mismo no tuvo empacho en decir: No me gusta la decisión pero estoy de acuerdo, don Santos, he trabajado muy a gusto con usted y con don Sergio y así deseo continuar; total: ya tenía resuelto cómo, dónde y cuándo realizar el ajuste con el Sandy, en una prisión las opciones siempre se reducen. El Rápido, que tenía en buen concepto a los serranos, vio con buenos ojos la respuesta de Sidronio y Vamos, compita, el Cholo cerró la pinza, No hay que perder lo más por lo menos, antes que nada está el negocio y los muertos no hacen negocio, cuando salgas nos echaremos un trago a tu salud.

En la celda, María limpiaba el refrigerador y acomodaba los comestibles, una gran olla de frijoles hervía en la parrilla, Dios mío querido, cuántas cosas han pasado: el Chato muerto, este pobre inocente preso, su familia sin saber de él; transpiraba: Vivimos en un verdadero valle de lágrimas; la Nena intentaba convencer a David de que se bebiera sus orines, ¿Qué?, Los orines son medicinales, lo curan todo, ¿Los orines?, Sí, mucha gente en el mundo se cura con ellos, Es cierto, intervino su parte reencarnable, Y son de lo más efectivos, No me la ando acabando, Pues sí: contienen desechos pero también nutrientes que al ingresar al cuerpo por segunda vez se asimilan con mayor facilidad, el hombre los ha usado desde la antigüedad, Chale, ¿tomar orines? El Chato tenía razón, ¿qué se podía esperar de una mujer con cabeza de sándwich?; Ándale, primo, deberías hacerlo, Yo paso, No tengas miedo, te ayudaría a recuperarte, Paso, Nena, de veras, nunca me voy a tomar mis miados, ¿tú has probado los tuyos?, No lo he necesitado, pero si alguna vez enfermo, qué médico ni qué ocho cuartos, puros orines, Qué persuasiva, ¿y mi tío?, Ya los está tomando, nomás que le da penita, no quiere que se sepa; ándale, no lo pienses mucho, los puedes tomar con caldo de frijoles si te da asquito, Alejandro Magno los tomaba y jamás enfermó, ¿Quién es ese Alejandro?, Un monarca que debió llamarse Alejandro Mega y no Alejandro Magno y que, bueno, para él tragarse sus orines debió de significar un placer; era el rey de Macedonia, Sandy, ni más ni menos que el del faro de Alejandría; fue a conquistar la India y durmió bajo un árbol que todavía existe, un árbol que sombrea como treinta hectáreas.

A David no le agradaba el giro que estaban tomando los acontecimientos: de seguro el Cholo trataría de evitar la venganza y lo eximiría de matar a Sidronio, Eso es impostergable, sentenció la voz, Sidronio debe morir y morirá como un perro; Ay, David, lo interrumpió la Nena, No pongas esa cara, ¿ya sabes que el Cholo se nos casa?, nomás espera tu libertad para que seas padrino de ramo, ¡Ah!, En serio, ¡N'hombre, me da vergüenza!, Pero ¿por qué?, no seas ridículo, es muy sencillo, sólo tienes que llevar el ramo, No quiero, Te vas a ver guapísimo, ¿Tú también vas a ir?, Ni lo mande Dios, Pues menos voy a llevar ningún ramo, Primero sal de aquí, ya fuera ves qué onda, dice el Cholo que tu abogado seguro te va a sacar; ¿Y Rebeca?, La acabamos de ver, al fin le pude agradecer por lo del Chato, ¿Cómo está?, Más o menitos, la acusan de narca, y debe de ser, huele horrible, como si nunca se bañara. En ese momento los dos hombres entraron a la barraca. El Cholo se sentó con los demás y el Rápido se quedó vigilando junto a la puerta, Sandy, mi mamá te puso frijoles para todo un ejército, No conoces al Rápido, comentó el Cholo; No voy a llevar ningún ramo, ¿eh, Cholo?, ¿Qué ramo?, ¿quién te dijo?, señaló a su prima, No le hagas caso, tú únicamente serás mi gran invitado; ¡Qué bárbara!, dijo María Fernanda, Ando toda turulata, ya se me había olvidado, te traje un regalo, ¿Qué es?, Ahorita vas a ver, la Nena fue a la bolsa de los comestibles y sacó un envoltorio de plástico: Sandy, ¿ya viste? La Nena extendió una cartulina frente a ellos, era un póster de Janis Joplin en Woodstock: Agasájate, primo. David lo tomó entre sus manos, Nena, gracias, sus ojos despedían ese extraño brillo de los enamorados cuando se vuelven a encontrar.

## Veintidós

A veces en el penal la calle importaba un bledo: había música y gritos a toda hora; los presos marcaban los días y se olvidaban entre bromas y veras lo que es la libertad, algunos hasta cantaban. Los que nunca descansaban y vivían cavilando en salir se estrellaban contra el maldito muro electrificado de seis metros de altura. En su perra vida habían pensado en la utilidad del salto con garrocha, hasta ahora, pero ahora se jodían. David vigilaba arduamente: Sidronio es más peligroso que veinte Rollings, casi tanto como Mascareño. En la sierra las cosas que se deben arreglar con palabras se arreglan con palabras, las que no, no, y Sidronio no parecía apaciguarse. Peor para él, dijo la voz, Entonces todo será más sencillo. Antes de retirarse, Santos instruyó al Rápido: Mantente alerta, no dejes pasar nada, y a partir de ese instante el viejo gatillero dormía con la escuadra en la diestra, silenciador colocado. Si David no abandonaba su barraca antes de hablar con Sidronio, ahora menos: vivía acostado, oyendo música y viendo el póster de Janis Joplin; intramuros había tanto armamento como fuera, de tal suerte que podía suceder cualquier cosa; por eso estaba nervioso, cada ruido lo perturbaba. A los tres días de la primera visita, Mojardín le anticipó que estaba a punto de salir, las razones de Doroteo P. Arango abatieron los obstáculos más sólidos, y cuando fallaron las razones jurídicas o las relaciones, fue el dinero del Cholo el que abrió boquetes: Sólo falta la firma del gobernador para conseguir la amnistía, carnal, si no se ha conseguido es porque el señor se encuentra en el DF y no va a regresar hasta el viernes, con suerte firmará en el aeropuerto y tú podrás salir pitando a mi boda, ¿A poco?, Neta, carnal, Doroteo Arango platicó con él, por teléfono: Sólo su firma, señor gobernador, Lo único que me preocupa, licenciado, es que el mitin será el jueves y la excarcelación de Valenzuela al día siguiente, podría interpretarse como un signo de debilidad; Al contrario, señor Gobernador: los sinaloenses lo van a ver como un humanista que ansía resolver por la vía pacífica los problemas de estos plebes que pretenden cambiar el mundo, La verga es cuadrada; mira, Doroteo, tu cliente va a salir pero no por lo que me dices, no me chingues con esas pendejadas, lo voy a sacar porque tengo los huevos muy gordos, punto.

David comenzaba a reponerse, por fin se le notaba en la cara y en la fuerza de los miembros, a cada rato se echaba sus tragos de Hemostyl y comía en serio, para ello sólo tenía que seguirle el ritmo al Rápido, que elogiaba cuanto se llevaba a la boca, desde la comida del penal, que jamás perdonaba, hasta los riquísimos guisos que María dejara aquel domingo. No había vuelto a ver a Sidronio desde el día de la visita; tan sólo una vez el Tenebras pretendió acercársele pero el Rápido lo atajó: Quiubo, quiubo, ¿pa dónde va?; es un favor muy especial, mi Tenebras, usted sabe cómo es la raza que está por asesinato, como tú, ¿verdad?, y el Tenebras, que tiro por viaje sentía la imperiosa necesidad de enviar diablos al infierno, comprendió que no iba a poder saltar esa muralla; a raíz de ello el Rápido redobló los cuidados: sabía que por un par de pesos el noventa y nueve por ciento de los presos aceptaría cualquier encargo y a él no le gustaba dejar nada al azar.

Sidronio sabía que era imposible ganarle el jalón al Rápido, por algo lo conocían como el pistolero más eficaz desde Guadalajara hasta Tijuana, así que optó por jugar fino, y eso implicaba utilizar a su mujer: Quiero que vayas a saludar al tontolón, le ordenó la mañana del miércoles. Carlota Amalia lo miró estupefacta, enterarse de la presencia de David la había inquietado, y ahora su esposo pretendía que lo visitara, No creo que deba, se excusó, Aquí se hace lo que yo mando, Sidronio le asestó una cachetada que le sacudió la falsa cabellera pelirroja, Vas a ir a saludarlo, ella se negó: No, por favor, Sidronio la sentó de un puñetazo en la boca, ¿Qué?, ¿todavía te gusta el cabrón?, Carlota Amalia pretendió levantarse, ¿Quieres bailar con él como cuando mató a mi hermano?, mira, puta hija de la chingada, comenzó a patearla, Si el tontoleco mató a Rogelio también fue por tu culpa y estás en mi lista, pinche vieja machorra; Carlota no hizo el menor gesto ni se quejó, ya se había acostumbrado a ese trato y estaba bien, desde aquella noche en que murió Rogelio todo lo que le sucedía estaba bien. Sidronio enloqueció: si algo lo sacaba de quicio era que su mujer se quedara en silencio, como ida, así que se lanzó sobre ella y la empezó a desnudar, Aquí mando yo, repetía furioso, Mi hermano está muerto por tu culpa, pinche perra caliente, le rompió la blusa y la falda hasta la pretina, le chupó los pezones y luego la penetró. Hagan algo, las mujeres que vivían en los cuartos contiguos les rogaban encarecidamente a sus maridos que detuvieran a Sidronio, pero aquéllos, Es su bronca, preferían mantenerse al margen.

David escuchaba en la radio noticias de la serie mundial, Le harían un homenaje a Sandy Koufax, el zurdo de las veintisiete victorias en el sesenta y seis, cuando un poco antes de la cena apareció Carlota Amalia maquillada, vestida de azul y con el labio superior ligeramente inflamado. Llevaba un tóper cubierto, el Rápido carraspeó e indicó a señas que iba a vigilar desde fuera, que no tuviera pendiente; David, que no podía creerlo, apagó la radio. Si Rebeca exhalaba un olor animal que enloquecía, Carlota Amalia desprendía todos los olores suaves de la sierra: el de la noche, la hora dúctil en que el viento es un habitante más, la tierra húmeda, los encinos, la secreta fragancia de los pinos al mediodía. David la vio y recordó la noche en que bailaba envuelto en su tibia cabellera, cuando quería verla desnuda, como la soñaba desde hacía años, meterla en su cama y contemplar a su lado la Vía Láctea y el lucero del alba. Pero no fue posible: ahora era la esposa de Sidronio Castro, el hombre que debía matar.

El Rápido se instaló fuera, dispuesto a intervenir en caso necesario; al principio pensó cachearla, pero no se atrevió, ¿qué hubiera pensado Sidronio?, Hola, David, ella dejó rodar una lágrima y dijo que jamás imaginó encontrarlo allí, tan flaco y tan lastimado, David descubrió que era más cómodo recordarla que en-

211

frentarla, se acordó de cuando la espiaba en el tendedero, *Yo soy rielera, tengo mi Juan;* No está nada mal,
comentó la voz, Un poco maltratada pero su belleza
clásica persiste, ¿Y tu mamá?, En Durango, Me la saludas cuando la veas, sus papás fueron muy amigos: se
prestaban palas, tazas de azúcar o alcohol, ¿Ya te ca-
saste?, él negó, le agradaba la visita, a fin de cuentas,
¿no iban a tener ocho hijos? Por culpa de ella su vida
había tomado esos derroteros; ella contó que se había casado con Sidronio y que le iba bien, que de vez
en cuando la obligaba a quedarse unos días en Aguaruto, se tocó el labio herido, y agregó: Me acuerdo mucho de ti. David pensó que coqueteaba, ¿Sabrá su marido que vino?, Con lo celoso que es Sidronio, esta
visita podría tener consecuencias, pero no la puedes
correr, le aconsejó su parte reencarnable; ahí estaban
sus piernas bajo el vestido floreado, los senos bajo esa
blusa de terlenka y sus grandísimos ojos verdes, su es-
tampa inconfundible de gabacha. David prefirió
cambiar de tema: ¿Y el Duque?, En Chacala, es el encargado de la vinata y ya se casó, voy a tener un so-
brinito, ¿Hace mezcal?, Pues claro, ¿Y Nazario?, Lo
mataron en Mazatlán, ¿no supiste?, No, ¿Y ésta quién
es?, señaló al cartel, Janis Joplin, me voy a casar con
ella, se sonrojó, Es guapa, ¿es artista?, Cantante; y Carlota señaló al tóper: Te traje chambarete en estofado,
me hubiera encantado hacerlo de conejo pero aquí no
hay. David le agradeció, ¿Todavía va el Duque de cacería?, Supongo que sí, le tomó una mano y la apretó, la
recordaba bañándose en el río, cubriéndose los senos
con la espuma, ¿Y tu chamarra roja?, Se la regalé a mi
hermana, Qué manos tiene, dijo su karma, ¿En qué

trabajas?, Soy pescador, Con razón estás tan moreno, y aparte el negocio, ¿Cuál negocio?, ¿No estás en el negocio?, ¿Cuál?, lo miró con ternura, Ay, David: el negocio de los Carvajal Quintero, Pues no; ¡Carlota!, se escuchó a lo lejos, Bueno, me dio mucho gusto verte, ¿sabes?, el estofado salió tan malo que no te lo recomiendo, mejor échalo al excusado, se puso de pie, ¿Cómo crees?, al rato nos lo cenamos, Ni siquiera es de conejo, lo tomó, Yo misma lo voy a tirar, pero David se lo impidió, No, nos lo vamos a comer, te lo garantizo, Déjame tirarlo, te puedo hacer uno más sabroso, Éste es el bueno, No, deja que te guise otra cosa, se puso pálida, Ay, David, tira eso, suplicó, Mañana te traigo algo más rico, ¡Carlota!, Bueno, se despidió, Me saludas mucho a tu mamá.

El Rápido la vio alejarse y entró, Está bonita pero yo pondría más cuidado, señor: Castro es el diablo y quiere ablandarlo, ¿por ella mató a Rogelio?, David asintió: La tenía apartada, la bailé, él se enojó, Y le madrugó, ya veo; ¿qué nos trajeron?, el Rápido olió el estofado, Lo mejor es tirarlo, a lo mejor tiene camuco, No, ¿por qué?, Mire, Sandy, el confiado siempre es la víctima, así que por sí o por no vamos a tirar esto y voy a ir por dos platos de yegua, Pero se ve riquísimo, ¿y si mejor lo probamos?, No lo aconsejo, ¿Entonces qué le digo?, Si le llegara a preguntar dígale que es lo mejor que ha probado en su vida, Mejor cenemos de lo que dejó mi tía, Con eso completamos. El matón tomó dos platos y fue a la cocina instalada en el patio, donde los presos comisionados repartían caldo de pollo, arroz y chiles, ¿No trae algo de carne, compita?, el Rápido se acercó a uno de los cocineros, ¡Ah, cómo

213

chinga mi Rápido!, ya le he dicho que no, tráguese lo
que le toca, No sea cabrón, aunque sea para una mue-
la, ¿Cree que es restorán o qué?, Hombre, qué escasos
estamos, le echó un peso en el bolsillo, el interno lo
miró serio, luego sonrió, Pinche viejo, sólo porque me
caes bien, y le puso un muslo en cada plato, Nomás
no le digas a nadie porque se me arma. Con esto y un
poco de lo nuestro la hacemos. La oscuridad se aproxi-
maba. El gatillero empezó a cenar, Levántese, Sandy, es
su penúltima cena en este palacio y necesita reponerse,
Al rato, mi Rápido.

David recordaba con embeleso el canto de Carlota
Amalia en el tendedero, *Él es mi vida, yo soy su querer,* y
lamentaba su acusada metamorfosis: si bien no sonreía como antes, su mirada seguía siendo acariciante;
sin embargo la cercanía con Sidronio no le había fa-
vorecido: le disgustó verla con el pelo largo y de color
artificial, ligeramente gorda, con demasiado maquillaje..., Pinche Sidronio. No es bueno, después de tantos
años, ver al primer amor, es preferible que quede enterrado en la memoria para siempre. Se van a enfriar
las tortillas, el Rápido lo apremiaba pero él no escuchó, de pronto vio que la figura de Janis crecía y no
quiso abrir los ojos, lo que flotaba en su mente no era
el póster, hasta su parte reencarnable empequeñeció y
dejó de oírse, *Is this the Chelsea Hotel?,* se dejó atrapar,
atrapar y con esa imagen se quedó dormido.

Despertó con el pase de lista a las seis de la mañana. En la penumbra distinguió al gatillero en la cama
contigua. Se le cansó el caballo, pensó, Rápido, ¿ca-
lentaste agua para el café?, pero el matón no se movía;
Rápido, te estoy hablando, ¿qué onda? Al encender la

214

luz vio un cuerpo rígido y retorcido, que tenía la boca negra, ¡Ay, cabrón! ¿Qué pasó? Lo movió, Rápido, ¿qué onda?, Está muerto, explicó la voz, ¿Quién lo mató?, Ni idea, no te distraigas, lo importante es esconder su pistola, ¿Pero dónde? Seguro van a revisar hasta el último rincón, En la maceta. A punto de colocarla allí prefirió guardarla en la habitual olla de los frijoles, que estaba a la mitad; la envolvió en una bolsa de plástico, la metió hasta el fondo y echó más agua. ¿Y ahora?, Lo mejor es avisar. Tan pronto salió al patio lo abordó el Tenebras, ¿Qué pues, mi ésele?, páseme pa mi raya, ¿no?, Cuando venga, Ya dijo, y fue a dar parte al edificio tres, donde pasaban lista.

Toda la mañana lo retuvieron en las oficinas. Tuvo que declarar lo mismo seis veces ante distintas personas: que el Rápido y él eran compañeros, que comían juntos, que la noche anterior se había zampado dos raciones de yegua, algo de carne deshebrada y un buen plato de frijoles con chile; en lugar de realizar una investigación, los custodios se limitaron a llenar unas formas amarillas con el sello del gobierno del estado. Todos sabían a qué entraba el Rápido y no le iban a mover. El forense explicó: infarto al miocardio, pero lo hizo por llenar el expediente, las muertes en el penal eran muertes que a nadie importaban, Uno menos, decían, y aunque el Rápido fuera un preso tan particular, muerto no tenía la menor importancia; sólo esperaban que su deceso no tuviera mayores consecuencias.

Cuando corrió la voz de que en la barraca dieciséis había fiambre, los reclusos se agolparon, A ese muchacho tan serio se lo cargó la chingada. A Sidronio lo arrebató el alborozo: Servido, hermanito, celebró mientras su mujer, sintiéndose perra, cocinaba huevos con chorizo para el desayuno. No habían pasado diez minutos cuando supieron la verdad, ¡Hijo de su puta madre!, ese cabrón tiene más vidas que un gato, mi hermano tenía cartucho cortado y no alcanzó a jalarle, yo lo acribillé antes de que me pegara el botellazo y ni siquiera lo rocé, mi primo lo persiguió por atrás de su casa y nada, dicen que lo torturaron para sacarle la verdad sobre un cargamento de chiva y míralo: hasta está engordando, el cabrón, ahora en lugar de tragarse él el estofado se lo comió el Rápido, además le di una lana a los cocineros para que le dieran un extra ¡y tampoco le afectó! Sidronio comenzó a hacer cuentas: Si contamos que cuando tenía doce años se cayó al barranco y sacó puros rasguños, van seis, le queda la última vida. Carlota Amalia sirvió los huevos en una mesa plegable, calentó tortillas de harina y no pudo disimular su satisfacción, ¿Y tú, pendeja, de qué te ríes? El impacto del plato con huevos en la cara no le dolió, era tanto el deleite que tampoco le importó el golpe en la cabeza; Total: una raya más al tigre.

Cuando David volvió, los reclusos lo rodearon, querían saber de qué había muerto el Rápido: Un hombre tan sano, de tan buen humor; el Tenebras también se hizo presente: Yo soy amigo de los amigos, compita, lo que se le ofrezca, ya sabe: estoy aquí enfrente en la treinta y dos, y le recuerdo que me prometió para mi raya. David le dio diez pesos y se encerró en su cuarto. Sidronio, desde su celda, observaba cautelosamente el remolino. Por la tarde abordó al Tenebras, que le debía trescientos pesos, lo abordó mientras caminaba rumbo al campo de beisbol: Mi Tenebras, encendió un Delicados, Quiero mi lana, Uy, mi jefe, ahora sí me la puso cabrona, no tengo ni en qué caerme muerto, Para eso sobra suelo, mi Tenebras, ¿en dónde quieres caer?, Jefe, la neta, no tengo lana, de veras, además ya le he dicho, se lo puedo pagar con algún servicio, total me echaron cuarenta años y no llevo más que seis, ¿cuándo voy a salir?, ¿Pues no dicen por ahí que se te arruga?, el recluso echó humo por la nariz, ¿A mí? Ni en el pensamiento, mi jefe, ¿por qué cree que estoy aquí?, A poco muy felón, Ahí nomás pal gasto, deme chanza y verá, Entonces despacha al de la dieciséis, ¿Al muchacho?, ¿Cuál muchacho?, ¡es un cabrón gandalla que me la debe!, quedamos a mano con la deuda y aparte te doy cincuenta pesos, ¿qué dices?, De acuerdo, pero hágamela buena, jefe, deme de perdida cien para estar tranquilo una semana, Ni tú ni yo, que sean setenta y cinco, con el Rápido muerto no tendrás dificultades, todo es cuestión de llegar y órale, a como te tiente.

Como siempre, antes de cenar, David sintonizó la radio. Para su sorpresa, el locutor hablaba de Janis Joplin. ¿A poco? No lo podía creer. En unos minutos repasaron su vida, el hecho de que tenía poco pegue cuando estudiaba *high school,* que se consideraba fea y trabajó de mesera, sus raíces *country,* su influencia negra, el éxito que tuvo en Woodstock y Monterrey, la manera en que impuso su estilo. La sequedad con que se referían a ella comenzó a inquietarlo y en eso el locutor repitió que habían encontrado el cadáver de la cantante en la ciudad de Los Ángeles, ¿Qué?, Fue en un cuarto del hotel Landmark, amables radioescuchas, sus amigos Vince Mitchell y John Cooke descubrieron

217

el cuerpo entre el buró y la cama; todo indica que se trató de una muerte accidental causada por alcohol y heroína extraordinariamente pura. David lloró como los que han perdido todo, Janis llevaba dieciocho horas muerta y él ni siquiera lo sospechó embebido en su póster: estaba ahí, llena de energía, en plena actuación. El locutor continuó: Un día antes de morir estuvo en el estudio donde The Full Tilt Boogie Band trabajaba en la banda sonora de *Buried Alive in the Blues*, de Nick Gravenites. Acarició la figura del póster, Su cuerpo fue cremado y sus cenizas esparcidas en una playa de San Francisco, lugar donde la cantante acostumbraba pasar sus momentos de soledad, Saca los redaños, la voz ocupó toda su cabeza, Dejó material grabado que aparecerá en los próximos meses con el nombre de *Pearl*, ha muerto la reina, descanse en paz, y pusieron sus canciones.

Ánimo, tal vez salgas mañana, ¿Para qué?, ¿ahora qué voy a hacer sin Janis?, ya no sé adónde ir, con quién vivir, nada, No te dejes abatir, tienes que pensar en vengarte, ¿Para qué?, no tengo a nadie, Señoras y señores, dijo el locutor, esto es *Me and Bobby McGee*.

## Veintitrés

Esa noche, Arango recibió una llamada de Mojardín desde Los Ángeles, donde ese fin de semana se celebraría su boda: ¿Cómo va todo, licenciado? Arango le contó del deceso de Andrés y le aseguró que lo de David estaba amarrado: al día siguiente aguardaría al gobernador en el aeropuerto a las nueve de la mañana, le sacaría la firma y para las doce David estaría echándose una helada en el Triángulo de las Bermudas, Ya era hora. El Cholo creía haber convencido a David de estarse quieto, pero no confiaba en Sidronio Castro; sabía que el deseo de venganza convierte a muchos en verdaderas alimañas: Mi lic, tiene que conseguirle otro guardaespaldas al Sandy, el Rápido, que en paz descanse, decía que el confiado es la víctima, no nos vaya a pasar igual, consígalo para esta noche, Yo me encargo, no se preocupe, Que el director le recomiende un preso, un custodio, no sé, pero que le garantice que lo va a cuidar bien, yo prometí ayudar a ese cabrón hasta las últimas consecuencias y lo voy a cumplir, me vale madre, No se preocupe, En cuanto salga me lo manda, no deje que se vaya a Chacala buscando venganza, Entiendo, Otra cosa: voy a girarle una lana para que se la entregue a la familia del Rápido, búsquelos en El Vergel, ¿ya se sabe de qué murió?, El forense del reclusorio alegó un infarto, pero no fue eso, ¿Entonces?, Fue la cena, No lo puedo creer, ese cabrón tenía un estómago de piedra, Pues tragó estricnina como para matar a todas las ratas del penal, ¿Cómo chingados se la administraron?, Yo pregunté lo mismo y el doctor me sugirió que la dejáramos de ese tamaño, Mire, lic, no olvide lo del guarura, no quiero que le pase lo mismo al Sandy, No hay que perder la calma, una noche como quiera pasa, Me doy cuenta que no tiene ni la más remota idea de cómo son los Castro; licenciado, óigame bien: no lo vaya a dejar a la buena de Dios, hable con él y dígale que se ponga trucha, tengo planes y no me pueden fallar; sé de buena fuente que mi regalo de bodas serán Los Tomateros, dígale que si no quiere ser jugador está bien, a lo mejor le toca ser gerente, Yo le digo, ¿Y de las otras cosas cómo vamos?, ¿ya echaste pa fuera a Rebeca Manzo?, No ha querido el jefe de custodios, ¿Cómo?, Sí, ya viven juntos, Pues que se case con ella pa tener vieja todos, ¿no?, Cuente con ello, ¿quiere saber lo que me dijo Ugarte?, ¿Ya arregló lo de la casa?, Nada, me dijo que él informaba directamente a don Sergio, Pues búscalo y dile que le informe a quien le dé su rechingada gana, pero que más vale que arregle el asunto, porque esa casa no me la van a transar: ya dije, la dinamito antes de que el primer policía meta las nalgas, ¿Algo más?, No, ¡ah, sí!, ya se me estaba olvidando: se murió Janis Joplin, quítale el radio a David antes de que se dé cuenta, ¿En serio?, Sí, aquí hay desmadre en las calles, que no se entere mi Sandy porque quién sabe cómo vaya a reaccionar, ¿Cómo murió?, No sé, parece que se quedó arriba, aquí por todos lados hay raza llorando y desgarrándose las vestiduras. Oiga, don Santos, ¿y ya supo lo del mitin?, Ah, cabrón, ¿ya fue? Ni me enteré, Sí, fue hace rato, ¿Y cómo estuvo?, Dicen que fue la concentración más grande de que se tuviera memoria en Culiacán, sin contar la balacera, ¿Hubo balacera?, Y de las nutridas, me topé con los estudiantes cuando iba a platicar con Ugarte, ya ve que La Lonja está cerca de la catedral, pedían libertad para David Valenzuela y para otros presos: Peñuelas, el Chuco Salido, Bacasegua Buichimea y muchos otros; las pancartas condenaban el asesinato de Gregorio Palafox Valenzuela, Estuvo de pelos entonces, ¿y crees que afecte, que se raje el gobernador?, Ni lo mande Dios, ¿Supiste si fueron los papás del Chato?, No supe, ojalá y no, pobre señora, Los noticieros de acá no dicen nada, Los diarios de aquí tampoco, pero hubo hasta gases lacrimógenos y, según, bastantes heridos en ambos bandos, Deben de haber estado los Dragones, He escuchado que hubo al menos cuatro muertos y cuarenta y ocho heridos, como dieciséis descalabrados, Valiendo madre, qué raza tan alebrestada, ¿no podían suspender el combate y juntarse a fumar un cigarrito? Podían haberlo platicado: ¿Dónde consigue la mota, mi general?, Me la mandan de Badiraguato, Qué afortunado, ¿Y ustedes?, Nos la llevan a la universidad, No está mal, ¿eh?, Está de sueño. Esa intimidad podría llevarlos a resolver sus diferencias sin violencia, como gente bien intencionada, ¿Alguna otra cosa, don Santos?, No, es todo, cambio y fuera.

# Veinticuatro

Había sido educado en la idea de que los hombres no lloran, pero no hizo el menor intento por impedirlo, encendió un cigarrillo y siguió gimiendo por Janis, Sosiégate, ¿Podrías callarte? Me gustaría pasar unos días en silencio, por mi dolor, Lo siento, Quiero ir a esa playa donde arrojaron sus cenizas, Primero debes vengarte, No quiero hacerlo, primero voy a ir a esa playa, ¿Estás olvidando la muerte de Sidronio?, Que muera cuando le toque, Parece que perdiste la cordura, ¿ya pensaste en tu madre?, ¿en tus hermanas?, ¿estarían de acuerdo con tu proceder?, En la radio dijeron que el entierro fue una ceremonia privada, a la que sólo acudieron familia y amigos, ¿por qué?, ¿acaso yo no tenía derecho?, Claro que no, para ella no significaste nada, fuiste su amante por ocho minutos.

Esa noche, David no durmió con el fin de acentuar la vigilancia. Si de momento perdió el interés de viajar por la muerte de Janis, ahora quería ir cuanto antes al lugar donde habían tirado las cenizas. A partir de las nueve, las celdas eran cerradas por fuera con una gruesa barra de metal, excepto las especiales, como la de David, por las que se pagaba una cuota y podían ser manejadas al arbitrio del poseedor. David tenía atrancado por dentro y aguardaba el amanecer, entretanto oía ruidos de ratas, de platos rotos, lo asediaban los mosquitos. En cuanto cerró la puerta la imaginación le jugó una broma: le pareció ver al Rápido en su cama, comiendo la sopa como si nada, y oírlo repetir: ¡Qué bárbaro, don Sandy!, vaya que se la hizo buena a ese crápula del Rogelio, todo mundo habló de eso, lo escuché en La Petaca, en Palmarito, en Mexicali, hasta en El Vergel oí hablar de un serrano que había matado a otro de una pedrada en la cabeza, ¡y dónde lo vine a encontrar!; ya sabe cómo somos aquí: nos matamos como sea, con cuchillos, pistolas, metralletas, con lo que sea, pero de una pedrada está café, ¿no gusta una probadita?, se le van a enfriar las tortillas.

Estaba muy nervioso, ¿De dónde saldrá tanta neblina?, Pa mí que este cabrón fue envenenado, dijo el jefe de custodios, Mírale la jeta, Ya le tocaba, ¿Pues qué le dieron de comer? Recordó la visita de Carlota Amalia, una Luna intensa cruzaba el firmamento y se colaba por las claraboyas de la pared que daba al patio, la misma Luna de aquella noche lejana cuando lo invitó a bailar a sabiendas de que no podía negarse, No creo que se parezca a lo que guisa tu mamá, había dicho, ¿Por qué insistió en que tirara el guisado?, ni duda cabe. En esos momentos se preguntaba si Sidronio respetaría el convenio. Su resquemor provenía de que en la sierra cada asunto tiene su modo y hay tratos que es difícil sostener, ¿No mataron a su padre, pues?, ahora deseaba que el convenio no se violentara, Debes vengarte, insistía su parte reencarnable, Déjame en paz, me tienes harto, sólo sirves para perturbarme, una vez más sintió la soledad del que sólo cuenta consigo mismo.

A pesar de las precauciones del Cholo, el guarura nunca llegó, ¿Qué onda?, esa noche se tendría que rascar con sus uñas. Extrajo la Smith & Wesson de la olla de frijoles, se esforzó en recordar las instrucciones del Chato y la dejó al alcance de la mano, lista para jalar el gatillo. Ya que Sidronio se encontraba a unos cuantos metros, tendría que pasar la noche en vela, Que duerman los patos canadienses, nadie le impediría llegar a la playa de Janis, y se dedicó a esperar. Si era cierto lo que decía el licenciado, al día siguiente dejaría esa cueva de ratas para siempre. A medida que avanzaba la noche le entraron ganas de comer caldo de pescado y chupar los huesitos, de ver a Rebeca bailando en la proa de la *Acorazado Potemkin*, La Luna está en todo su esplendor, mi perro, mientras la brisa fresca agitaba su blusa, ¿No quieres machaca de camarón? En cuanto saliera iría a casa de sus tíos a recoger el pasaporte, el licenciado le compraría el boleto a Los Ángeles y luego, Pata, a la playa de Janis.

De alguna celda llegaban carcajadas, Como veo doy, alguien mentaba madres, otro se tiraba pedos. Los que podían pagar por tener a sus parejas, mujeres u homosexuales, disfrutaban con ellas, los que no, acudían a dos barracas en las que se ejercía el comercio carnal. Entre esos ruidos la noche transcurría, y conforme avanzaba se llenaba de miedo, Tengo que aguantar despierto, dentro de pocas horas voy a salir, Estás desperdiciando una oportunidad de oro, toda tu maldita vida te vas a lamentar, vas a ver, No quiero que me madruguen, no quiero morir, La muerte es rápida e indolora, ¿A ti no te pasa nada?, No, sólo el suicidio me afecta, afortunadamente, después de ti viene mi

224

eterno descanso. No pegó los ojos ni siquiera horas después de que los ruidos cesaron. Por eso detectó de inmediato el sonido de pasos que venían, se encomendó a Dios y aguardó: Lo que tenga que pasar va a pasar de volada.

# Veinticinco

Sidronio sabía que David estaba por irse: Parece
que se va el Caras Vemos Nalguitas No Sabemos, le
deslizó un custodio, ¿El tonto ese?, El mismo guerrillero de mierda, ¿Guerrillero el tontolón?, seré la Virgen María, ¿cuándo se va?, Según mi dire se va mañana, Va a salir pero en calidad de fiambre, pensó. Se
apersonó en la celda del Tenebras, pero éste navegaba
apacible con su dosis de heroína. Está jetón, dijeron
sus compañeros, Pinche Tenebras. Se arrepintió de ha-
berle dado dinero, Déjenme despertarlo, lo movió pero
fue inútil, Cincho que no despierta hasta *tomorrow,* le
dijeron, Es que le tripleteó, había una hipodérmica a la
vista. Lo sacudió y nada, le habló y tampoco, le echó
agua en la cara y ni señales de que lo hubiera sentido,
¿Se le ofrece algo, don Sidronio?, Realmente no, Si le
urge algo, lo que sea, nomás diga, esta barraca es la de
los tragaldabas, *That's true,* Órale, es bueno saberlo.
Volvió a su celda encabronado, encendió un churro y le dio el golpe, Ah, Carlota Amalia se dejó llevar
por el nerviosismo, Dios mío, sabía que en esa situación podría ocurrir cualquier cosa, Dame fuerzas para
aguantar, la radio transmitía canciones del Piporro,
Carlota fingía estar concentrada en planchar la ropa,

Tiene que ser ahora, murmuró Sidronio, el Piporro cantó: «Esta noche tú vendrás, porque me quieres todavía...», Ya sé cómo le vamos a hacer.

A las tres de la mañana despertó a Carlota Amalia, ¿Qué pasó?, Quiero cenar, ¿Cenar?, ¿Estás sorda o qué?, No, lo digo por la hora, ¿no será desayuno?, ¡Qué desayuno ni qué la chingada!, yo ceno a la hora que me da mi rechingada gana, ¿Qué se te antoja?, Tamales, frijoles y café, la mujer se levantó, encendió la luz e inició su tarea, ¡Qué remedio!, no sabía cómo pero a la mañana siguiente se iría, lo tenía decidido, no le importaba que los hermanos de Sidronio la persiguieran, le urgía alejarse; varias veces había experimentado el imperioso impulso de acuchillarlo, y cada vez le costaba más trabajo controlarse.

El hombre se sentó a una de las mesas de concreto a fumarse un nuevo carrujo, llevaba horas de beber mezcal directamente de la botella; Santos Mojardín puede pensar lo que quiera, el destino le concedía la oportunidad de cobrar él mismo la afrenta de Rogelio. Que don Santos piense lo que le dé su rechingada gana, todavía se escuchaban los últimos ruidos sexuales, el ajetreo venía de la celda veintiuno, Pinches putos, son los únicos que cogen toda la noche, Santos Mojardín puede intentar lo que sea, que se olvide del pinche tontolón, Ya están los tamales, dijo temerosa la mujer, ¿Te sirvo?, Tú no me sirves para nada, pinche puta, tráelos. Carlota le colocó el café a un lado y la comida enfrente, Sidronio observó el plato sonriendo con acritud y lo aventó al suelo, Siéntate, pinche bruja, y óyeme bien, hablaba bajo, A mí no me vas a envenenar como al Rápido, el pistolero temerario, la ca-

227

gada grande de la costa del Pacífico, conmigo te chingas, primero te enveneno yo a ti, Pero tú echaste la estricnina, Cállate, perra, la tomó del pelo, Cuando yo hable tú cierras el hocico; si mi hermano hubiera sabido la clase de mujer que eres, jamás se hubiera fijado en ti, pinche perra caliente, pero todo se paga en esta vida, y si el tontolón tenía siete vidas, ya nomás le queda una, y tú vas a ayudarme, ¿Yo?, Carlota dejó correr una lágrima solitaria y concentró su odio, Sí, no me digas que ya no te gusta, si cuando regresaste de con él venías rojita, ¿crees que no te vi? No me haces pendejo, se ve que ese cabrón despierta tu putería, y ahorita me vas a ayudar, lo vas a sacar de su celda al güey, quiero que todos vean cómo vengo a mi hermano, No quiero, No te estoy pidiendo parecer, lo vas a hacer y punto; le llevas este café. Sidronio jaló a Carlota de los cabellos y la paró, Vas ahorita y me vale madre, ¿oíste?, Carlota intentó volver a la celda, pero Sidronio la arrojó del cuarto: No seas terca, pinche mula, el tontolón está allá, No creo que esté despierto, Pero te ha de estar soñando, ni modo que no se acuerde, No quiero ir con este camisón, Así vas a ir para que se emocione, lo despiertas, cuando te vea va a creer que su sueño es realidad, entonces le hablas y lo sacas, échale mezcal al café para que piense que vas a pistear con él, la empujó en dirección del Sandy, Y apúrate, le dio un empellón más y casi le tira el café. Sidronio la siguió de cerca y, cuando estuvieron frente a la barraca dieciséis, se escondió tras una de las mesas para las visitas. Carlota retrocedió un paso, iba a desistir pero tropezó con Sidronio, pistola en mano, que le explicó a señas que no le permitiría retroceder. Tocó con timidez, Da-

228

vid, susurró, ¿Estás despierto?, ábreme, soy yo: Carlota, Qué maravilla, musitó su parte reencarnable, Huele nomás ese café, David, ábreme, Tengo miedo, no creo que venga para nada bueno, ¿Cómo puedes temerle a una mujer?, Abre, por favor, ¿Qué quieres?, ¿Qué quiero?, pensó ella, Este hombre perdió a su padre por mi culpa, le robaron sus tierras, su familia cayó en la pobreza, no es justo que lo perjudique más; estuvo a punto de gritar: Sidronio está aquí, te quiere matar, pero vivía aterrorizada y no tenía fuerzas: Te traigo café con piquete, Magnífico, susurró la voz, Nos ayudará a controlar la fatiga, Hasta acá huele, ¿Tiene mezcal?, Sí, ¿no me vas a abrir?, Mejor vete, No seas descortés, acotó la voz, Sólo vine a traerte café, no puedo regresar con él, comprende, ¿Por qué me lo traes a estas horas?, Necesito platicar, la espoleó Sidronio. David no sabía cómo proceder, veía trozos de blancura a través de las celosías, y recordó la vez que bailaron entre las cachimbas, la noche aquella bajo la luz de la Luna, Está bien, alcanzó a decir, se hallaba bastante excitado, Voy a abrir, ¿qué hacía Carlota Amalia tocando a su puerta?, ¿estaría enterado el marido?, Ándale, escuchó, David veía flotar el blanco camisón bajo la Luna, oía su respiración agitada, olía el café. Está bien, pensó, Voy a abrir pero no bailaré canciones con ella ni me voy a tomar el café, lo tiraré como el estofado.

En cuanto abrió se desató el torbellino, Carlota fue derribada por Sidronio Castro, que le colocó la pistola dentro de la boca, Llegó tu hora, tontolón, David identificó el tufo a mariguana y sintió ganas de correr al baño, Parece que nos vamos a separar, expresó la voz con una claridad inusitada, Sólo quería alcanzar a Janis, pensó, Mataste a mi hermano, No fue fácil estar contigo, Y eso sólo se paga con la vida, te voy a dar en la madre, cabrón pendejo. David experimentó agudos apremios, Carlota había caído dentro de la habitación y trataba de incorporarse, Vas a pagar por Rogelio. No podía hablar, Sidronio le aplastaba la lengua, Vivimos cosas terribles, dijo la voz, Ahora espero reposar, comprendió que no tenía remedio, por fin iba a morir y a descansar de su parte reencarnable, Adiós, miserable, había sufrido demasiado, si iba al cielo reconocería la Vía Láctea, lástima: nunca supo lo que era para los aztecas, y si iba al infierno, al chamuco patas de chivo, ¿encontraría a la Janis?, Ahí me saludas al diablo, tontolón, la pistola salió de su boca y David escuchó el zumbido atenuado que provocan las armas con silenciador. Sidronio se deslizó con los ojos muy abiertos, sarcástico; David no entendía, Carlota Amalia había disparado la pistola del Rápido. Me lleva la que me trajo, el disparo acabó con Sidronio, que cayó fuera del cuarto, Carlota empezó a sollozar. La claridad de la noche alternaba con la oscuridad de la celda. Sidronio había caído con el tronco fuera, el arma aferrada entre los dedos, David pensó en llamar a los guardias pero no sabía qué decirles. Pobre Carlota, gimoteaba sin lágrimas, su cara era una máscara esquimal, allí estaba el hombre que tanto la había martirizado, el que la raptó del patio de su casa y la violó en el asiento de una camioneta, el que le regaló a su padre la misma camioneta como indemnización, después la había traído por Santa María y medio mundo, siempre humillándola, un ser detestable que con esa cicatriz en la frente se veía aún más repulsivo. David intentaba consolarla, No me importa, dijo con voz quebrada, No me importa nada, aventó el arma, David tomó al muerto por los brazos y lo jaló hasta la zona de las mesas, luego tomó el arma y la llevó al cadáver, le pareció el mejor lugar y ya no la necesitaba, Bórrale las huellas, sugirió su parte reencarnable, Límpiala con un trapo. Ve a tu barraca, pidió a Carlota, No has hecho nada, ¿No?, No, lo miró con tristeza, Te eché a perder la vida, Me la acabas de salvar, vete, repitió David, estaban haciendo mucho ruido, ¿qué pretendía?, ¿que salieran los presos a fisgonear?, No hables, ve a tu celda, falta poco para que amanezca, no te muevas de ahí. ¿Tú qué vas a hacer?, No sé, Sales libre, ¿no?, Eso espero, Prométeme algo: si me quedo, visítame, Está bien, se puso de pie llorando, Me hubiera casado contigo, lo abrazó, Te juro que lo hubiera hecho, no me hubieran importado las murmuraciones. Echó un vistazo al cadáver, la Luna se ensañaba en su cara, luego se marchó, cruzó el patio como espectro y se metió a su celda. David se encerró también, sólo se oían las voces de los jugadores de póquer, pronto vendrían a pasar lista.

# Veintiséis

A ver, cuéntanos todo, inquirió el jefe de custodios, Vi morir a Sidronio Castro, confesó, Lo vi porque caminaba cerca de mi barraca hablando solo, Ah, ¿con que nomás lo viste?, ¿y de qué murió?, De infarto al miocardio, sonrió con toda la boca, Ah, ya veo, son del mismo pueblo, ¿no?, Sí, de Chacala, Ah... Luego de insistir por varios minutos, el jefe, que estaba crudo y desvelado, comprendió que no iba a sacarle nada, Todos los presos son iguales, y lo condujo a manos de los expertos.

A David lo invadieron los nervios. ¿Y si me preguntan de Rogelio?, No saben de eso, ¿Y si lo averiguan?, Si no saben de Sidronio menos van a saber de Rogelio, diles que ser del mismo pueblo es un accidente; seguro que la vas a llevar fácil. Lo bueno es que la venganza está hecha, tu madre va a estar orgullosa de ti, quién lo iba a pensar, Carlota Amalia matando al marido, ¿No te ibas? Me parece que estabas muy decidida, ya hasta te habías despedido, Los designios del destino son inescrutables, lo único que sé es que de ahora en adelante marcharemos juntos y hacia adelante, eres mi último cuerpo y no tengo prisa. El primero en entrar fue un agente mofletudo que recordaba al

Gordo de Mascareño: ¿Así que tú viste morir a Sidronio Castro?, Sí, ¿Y para qué te fue a visitar?, No me fue a visitar, Ajá, ¿a qué horas oíste el disparo?, No oí ningún disparo.

El gordo llenó un formulario amarillo, lo pasó a una sala y le indicó que esperara. Apenas se había sentado cuando entraron dos custodios con el Rolling. Peñuelas venía rapado, vestía la misma playera con la lengua de Mick Jagger y ostentaba una costura de diez puntos en la cabeza, Ay, cabrón, el pinche loco. En cuanto lo vio, el Rolling se le fue al cuello: No mereces vivir, eres un espía asesino, mataste a Walt Disney y a Jimmi Hendrix, eres un enemigo del arte, Quieto, piratín, los custodios levantaron los bastones, pero antes de que pudieran golpearlo el Rolling lo soltó y saltó ligero al otro extremo de la sala. Están en todas partes, se los advierto; David se hallaba muy asustado, y lo miró con desconfianza: no había nada que lanzarle a la cabeza; tan pronto salieron los custodios, el Rolling se sentó a su lado y le habló con voz y actitud normales: ¿Cómo estás, Sandy?, ¿Qué?, observó la voz, David se levantó de un salto, Tranquilo, *brother*, oí que ya te vas. Peñuelas le hablaba con calma, tenía una actitud sosegada, muy distinta a la que sostenía en las celdas, Debe de ser porque ésta es la antesala de la calle, agregó, Ha fingido locura todo este tiempo, dijo su parte reencarnable, Rolling, ¿qué onda?, ¿Tú qué crees? Quería salir y parece que lo he logrado porque aquí no quieren locos; no me digas que tú no finges: esa cara de retrasado mental, la boca siempre abierta, yo, la verdad, no te creo; en eso se abrió la puerta y el Rolling retomó su cantinela: Necesitan sangre nueva para su motor, hombres, mujeres y niños, flores y cigarras, Vamos, piratín, tus padres te esperan, los custodios se lo llevaron. David se sentó sobándose el cuello, Qué convincente, dijo su karma, ¿Convincente? Qué cabrón.

A las doce cuarenta y cinco, Doroteo P. Arango le entregó al director del penal la orden para liberar a David firmada por el gobernador del estado, Ojalá me lo pudiera entregar en este momento, me gustaría llevarlo a comer, pero su optimismo se derrumbó cuando el licenciado le dijo que a David Valenzuela lo estaban investigando en relación con un asesinato. ¿Cómo?, Sí, ese Valenzuela es tan bruto que se descabechó a uno justo antes de salir, y no te rías, Doroteo, que no es broma: el angelito estuvo ocupado toda la noche, ¿Y el guarura?, Ni falta le hizo, Pero si quedamos que..., No te entretengas con eso, Doroteo: Valenzuela es un pájaro de cuenta, en dos días tenemos dos muertos relacionados con él, ¿no se te hacen muchos?, Entonces écheme una mano, licenciado, aquí está la orden firmada por el gobernador, que era lo que usted exigía, Lo sé, pero comprende que aquí y en China esto altera las condiciones, Por favor, licenciado, tenemos un convenio, le suplico que se apegue a él, don Sergio quiere a este muchacho fuera, no le quedemos mal, Claro, pero ponte en mi lugar, acaba de matar a uno y lo dejo libre, imagínate; Licenciado, con todo respeto, no espante la gallina de los huevos de oro, ¿Cómo crees?, pero entiende que tenemos que vivir al día, hoy es hoy y mañana quién sabe dónde estaremos. Arango supo que no lo iba a convencer con razones, el director era un zorro y quería sacarle más jugo a la situación, ¿Y quién es el muerto?, Sidronio Castro, Mira nomás, pensó, Y Mojardín preocupadísimo, ¿Cómo ubicaron a mi cliente, licenciado?, Nos lo dijo él solo, mintió, A la hora del pase de lista encontramos el cadáver frente a su celda, Valenzuela confesó que estaban jugando cartas, que Castro lo acusó de hacer trampas, que le quiso pegar, y que le madrugó en la pura cabeza, Alegaré defensa propia, Esas madres aquí no funcionan, Entonces, ¿cómo le hacemos?, este hombre tiene que estar mañana en Los Ángeles. El director descolgó el teléfono, Creo que debemos llamar al que todo lo puede, Antes permítame recordarle que tenemos un trato y que estoy aquí con la representación de mis clientes. Doroteo, déjate de pendejadas, pareces chiquito, ¿quieres fuera a Valenzuela o no?, Usted sabe que vine por él, Entonces déjame hacer lo mío, esto no es beneficencia pública más que pura madre, Es que francamente no me gustaría molestar a mis clientes, ¿Algún problema con Santos Mojardín?, Santos es lo de menos, el que se va a poner como agua para chocolate es don Sergio Carvajal Quintero, Ah, caray, creí que esto era asunto del Cholo, Don Santos es el intermediario, ya sabe usted cómo trabaja don Sergio, Pues negociamos de nuevo o no hay trato, Pero licenciado, Me la estoy jugando, Doroteo, además, comprende que ya me estoy arrepintiendo de dejarlo ir, si es cierto que tiene tan buena puntería como dicen, se me ocurre que falta picheo en el equipo de la Peni, ¿qué tal si lo dejamos como refuerzo?, No es mala idea, pero me lo tengo que llevar y aunque no lo crea no le gusta el beisbol, Pues qué pendejo, pero no nos perdamos: si quieres al muchacho tienes que llamar, ¿o tú vas a apechugar?, Necesito que me lo entregue, licenciado, La verdad ya me hice a la idea de que se va, para eso hemos hecho todo este merequetengue, pero estarás de acuerdo conmigo en que han variado las condiciones, deberías explicarle a tu cliente. No le dejó opción, Doroteo P. Arango le marcó a Mojardín y le planteó el asunto, Dile a ese ladrón que acepto pagar el incremento, se enojó el Cholo, Bien hecho, dijo el director, Luego resolveremos la muerte de Sidronio, por lo pronto urge poner a salvo a ese buen muchacho.

El director no se la acababa, un miserable interno le había dado a ganar diez mil dólares en diez minutos. ¿Me lo puedo llevar? El director sonrió, No quitas el dedo del renglón, ¿verdad? Dame un par de horas para que se lleven el cadáver y cerrar el expediente, Pero mi cliente corre peligro allá encerrado, No te preocupes, se va a quedar conmigo en la oficina hasta que termine el papeleo; tú vete a descansar tranquilamente. Arango aceptó, total: el vuelo a Tijuana no era hasta la mañana siguiente. Por fin comenzaba a relajarse, cada vez que terminaba un caso se sentía tranquilo, suelto de cuerpo y espíritu; y decidió ir a su casa por un rato.

En cuanto Arango se marchó, el director llamó a David a su oficina: Valenzuela, ¿cómo te han tratado?, David lo miró a la cara con una mezcla de rencor y desconfianza, Bien, respondió, No cabe duda que Mojardín es tu mejor amigo, sólo los verdaderos amigos pueden pagar el precio que cuesta abandonar este hotel; si fueras ahorita a tu barraca, algo que no va a suceder, la encontrarías vacía, ¿Cómo?, Es la ley, amigo Valenzuela, cuando alguien se va sus pertenencias son repartidas, ¿Qué te dije? No es más que un desca-

236

rado pillo de siete suelas, David seguía sin comprender, el funcionario continuó: El licenciado Arango no tarda en venir por ti y de aquí te nos vas para Los Ángeles, a la boda del patrón, así que vístete de una vez, ahí te dejaron ropa, señaló una silla donde se veía una bolsa. David estaba por explotar de gusto y sonrió con todos los dientes, ¿Y el caset?, ¿Eh?, El caset que tenía en mi barraca, No te preocupes, ya te vas, allá fuera comoquiera encuentras otro.

Se puso la ropa que el Cholo le mandó: un pantalón de terlenka café, botas negras y una camisa del mismo color. Luego compartió con el director un caldo de pescado que les enviaba el jefe de custodios, Un verdadero manjar, comentó el funcionario, David reconoció la sazón, ¿Te gusta?, afirmó con un gesto, Unos días antes que a ti, trajeron una mujer con un olor a sexo que, ay, amigo, a lo mejor la conoces, es altateña: una maravilla, y el jefe de custodios, No pues, luego luego agandalló, De aquí soy, dijo, Y ahí tienes que ya ni a su casa va, ella es la que hace este caldo. No quiso saber más, se concentró en la sopa, tenía razón el director, por fin estaba tranquilo, ni el dedo sin uña le dolía, y en cuanto llegara Arango se largaría de allí para siempre. Ya se conseguiría otro caset, iba a Los Ángeles, ¿no habría allí casetes de Janis?, Claro que sí. Se hospedaría nuevamente en el Six, tomaría cubitos de hielo, se daría tiempo para recorrer Sunset Boulevard y localizar la calle donde se conocieron, la casa de los pósters y las figuras indias, los almohadones, *Are you Kris Kristofferson?*, Dime qué recuerdas y te diré quién eres, Doroteo no tarda en llegar, hace como dos horas que se fue, dijo el director, Yo regreso en un rato, si quieres recuéstate en aquel sofá cama, sólo te aconsejo que no salgas de mi oficina. En cuanto el director salió, David se recostó en el sofá, el caldo lo había puesto somnoliento, además no había dormido nada la noche anterior y todavía se sentía en peligro; se preguntó si sería imprudente echarse una pestañita pero su karma opinó que no: Si tu amigo te logró sacar a pesar de todo, ¿por qué no podrías descansar aquí?, tal vez el Cholo también había pagado por eso... Mientras se iba durmiendo pensaba que debía cuidarse de los hermanos Castro, Eran como siete, ¿cuántos quedarán?, me buscarán por todas partes, pero no me van a agarrar. Z.

# Veintisiete

Sintió comezón en la nariz y se rascó suavemente, algo le escocía, volvió a rascarse y nada, la picazón lo despertó. Abrió los ojos y tuvo la certeza de estar alucinando, Dios mío querido, tenía enfrente a un Mascareño cadavérico, que le sacudía la nariz con el cañón de su Smith & Wesson, ¿Qué pasó, Bocachula?, ¿cómo que te vas sin despedirte?, su palidez era alarmante, Nada pescadito, si hasta eres de mi gente, ¿qué nuevas hay de Bacasegua?, ¿no te quedaste a vigilarlo? Entonces supo que no alucinaba, a una señal del comandante Franco y otro judicial lo obligaron a levantarse; David vio al director muy circunspecto sentado a su escritorio y supo que algo no marchaba, Ah, caray, hasta el habla se le fue. Ah qué, mi dire, ¿por qué cambió a este reo sin mi consentimiento? Que sea la última vez, sin excusa ni pretexto, que contraviene mis disposiciones, no permitiré que se entrometa en mi territorio, ¿entendió?, el director se atragantó; Me lo voy a llevar y se lo regreso en un par de horas, Pero ¿por qué, comandante?, Este sujeto tenía una misión secreta y debe informarme, ayer hirieron a varios de mis hombres en un mitin en honor a este sujeto, lo palmeó dos veces, Y necesito platicar con él; el direc-

239

tor se atragantó, Pero, comandante, estaba acalambrado de ira, ¿Qué, no está de acuerdo?, Mascareño lo interrumpió sin el menor respeto, Ah, ya entiendo: el factor humano, está bien, en función de ese factor humano, ¿hay algo para mí?, su voz acusaba fragilidad, su lividez se había acentuado, el director tuvo la esperanza de no quedar mal ni con Dios ni con el diablo, Si me permite hacer una llamada, Hágala, licenciado, hágala, dígales que tenemos voluntad de negociar, que como el muchacho es nuestro, pues queremos saber si han pensado en nosotros, Este hombre es un coralillo, dijo su karma. El director le explicó la situación al Cholo, Mojardín no lo podía creer, Hijo de su pinche madre, nos alcanzó en la raya, pásemelo, ¿Don Santos?, Al grano, comandante, Bueno, si así lo quiere: incluyendo lo que me debe Rodríguez, ¿qué le parece la casa de Altata por liberar a su amigo?, el Cholo se trabó, apretó la Magnum que tenía a la vera para no mentarle la madre y trató de apaciguarse, ¿Qué dice?, Sé muy bien que usted no quiere ceder la casa al cuerpo de policía, y que incluso prometió dinamitarla; está bien, no la ceda al cuerpo de policía: cédamela a mí a cambio de su amigo, el Cholo tragó saliva, Esa casa tiene un valor de ciento ochenta mil dólares, le doy doscientos mil en efectivo, No me interesa el dinero, señor Mojardín, la casa o nada pescadito, Comandante, somos hombres de negocios, comportémonos como tales, Nada pescadito, lo toma o lo deja; conservar la casa era cuestión de orgullo, ¿cómo iba a quedar ante su gente si permitía que se la arrebataran?, además había aprendido muy bien que tratándose de la policía todo era cuestión de pesos más, pesos menos; Honestamente, me la pone difícil, ¿Por qué lo duda tanto?, Es que la mujer con la que me voy a casar adora esa casa, ¿qué tal si le pongo doscientos cincuenta mil cueros de rana en Culiacán para que la olvide?, Creo que el que no se está comportando como hombre de negocios es usted, y para que vea que sí sé lo que quiero le doy media hora para que lo piense, Espere, espere, ¿y el muchacho?, Llámeme al dos cero cinco setenta, y colgó. Sus hombres sonreían satisfechos, Nada pescadito, le dijo al director, luego se dirigió a David, Mi estimado, quería que me ayudaras pero ahí me las arreglaré; tienes la fortuna de tener un amigo tan desprendido, puedes irte, ¿Estoy libre?, Ni más ni menos, señor Valenzuela, ahueque el ala de inmediato, Su abogado quedó de pasar por él, intervino el director, Nada pescadito, ¿para qué hacerlo esperar? Adelante, David, agarra tus chivas y vete, la libertad está en el aire, David se puso de pie, quería alejarse lo más pronto posible de Mascareño, pero el director lo llamó aparte y le dio para el taxi: Mucha suerte, muchacho, lo despidió Mascareño, Mucha suerte, y no lo olvides: valen más los amigos que el dinero.

David abandonó la oficina escoltado por el director: Ten mucho cuidado, esto no me huele bien; dime adónde irás para notificarle a Doroteo, Con mis tíos, a la col Pop, Está bien, y le ordenó a un custodio: Llévalo a firmar su salida con Carmelo, luego lo acompañas a la puerta a que tome un taxi. Ya que estaban fuera, A ver, Caras Vemos: ¿traes dinero? David mostró el billete que le dio el director, el custodio se lo arrebató, Así es aquí, mano: vete en camión, y le dio dos pesos. Lo miró alejarse y escupió, Que se joda, pinche lugar de mierda. Los campos tomateros nada le sugirieron; en cambio, la lejana serranía hizo vibrar su corazón. Por fin libre, caminó hasta la carretera a Culiacán, tomó un urbano a la central camionera, el sol de las cuatro abrasaba su cara. Sea lo que sea ya salí, pero ¿cómo voy a pagarle al Cholo? Ni llevando lanchas toda la vida, Muerto el Rápido, a lo mejor te conviertes en su pistolero de confianza, Eso no me interesa, tendré que jugar beisbol, espero que los píchers ganen bien allá en Los Ángeles, tengo que ir a Altata por mi tesoro, Olvídalo, con el Cholo no creo que te haga falta, ¿no piensas volver a Chacala?, Puede ser, sintió ganas de ver a su madre, y le echó una última mirada a la prisión: ¿Cómo se sentirá Carlota velando a Sidronio?, sus hermanos van a buscarme, pero yo estaré en Los Ángeles buscando las cenizas de Janis, ¿y si siguiera viva? Puede ser, luego los artistas se fingen muertos para escabullirse.

Llegando al entronque de la calzada aeropuerto con la carretera, Franco subió al camión y fue directamente a David, Hey, protestó el chofer, Hay que pagar, pero el judicial se volvió y le mostró una cuarenta y cinco, ¿Qué onda?, David sintió intensas ganas de defecar, el policía apañó al liberto y lo bajó sin decir palabra. Se dejó conducir con los dientes trabados, ¿Y ahora?, lo empujaron en el asiento posterior de un carro, entre otro agente y su secuestrador. Hola, saludó Mascareño con voz meliflua, ¿No tenías ganas de vernos?, Esto es amor, no flores secas, comentó su parte reencarnable; a pesar del aire acondicionado el comandante transpiraba y su palidez aumentaba, David lo miró con temor, otro agente manejaba, ¿Querías largarte sin que cobrara mi parte? Nada pescadito, ¿conoces al señor?, Mascareño señaló al agente al que David no había puesto atención: era Élver Loza, Élver, ¿qué onda, te detuvieron?, Loza lo miró con desprecio, Idiota, Mascareño aseveró con presunción, Él era nuestro espía en la cárcel, hace tiempo que se convenció de lo importante que es cooperar, pronto nos puso tras los pasos de su mejor amigo, un güey que no aguantó, que perdió el juicio y se la pasaba cantando *Obladí-Obladá;* luego nos dio información sobre tu primo, que al fin cayó cuando paseaba frente a las oficinas del Banco de México en Mazatlán. La cara de David se fue agriando hasta quedar convertida en un esperpento, Mira nomás, el más bravo nos salió camuco, comentó su karma, La contribución de Loza ha sido importantísima para eliminar focos de disidencia, y como aquí ya terminó, ahora va a Guerrero, lo infiltraremos en el ejército de Lucio Cabañas, Hijos de sus furcias madres, pensó David. Se esforzó en no mirar a nadie, por nada del mundo quería ver a Loza, pero se topó con las sonrisas de Franco y Mascareño. ¿Por qué se burlaban de él?, ¿no habían llegado a un arreglo con el Cholo? Diez minutos después se detuvieron en el restorán Los Picachos, Mascareño lo hizo esperar en el coche mientras el otro agente lo encapuchaba. El comandante bajó con Franco, los recibió una hermosa morena de ojos aceitunados, Comandante, ¿cómo le fue? Supe que lo internaron en un hospital de Houston para operarle la úlcera, Ya estoy bien, ¿no se me nota?, ¿Cuándo llegó?, Hace tres horas, ¿No debería estar convaleciendo? Está usted lívido, Eso hago, solamente que fui a revisar unos asuntos y no aguanté las ganas de verla, Favor que me hace, comandante, cuídese, no olvide que las recaídas son peligrosas, ¿van a comer?, Mascareño la observó ávido, Comer quisiera, ella sonrió con coquetería y sonó el teléfono, la muchacha levantó el auricular: Es para usted, comandante; Mascareño tomó el aparato y la mano, Esos ojos me matan, Melita; Bueno, era la voz del Cholo: Se la voy a poner fácil, comandante, estaba irritado y nervioso, A ver: soy todo oídos, Vaya al Mercado Buelna, en la esquina de Juárez y Granados está una mujer chaparrita en un Renault blanco, ella le va a entregar trescientos mil dólares para que me suelte al muchacho, Mascareño comenzó a reírse: Nada pescadito, creí que era más listo, o me entrega la casa o su amigo se pudre en el campo militar número uno, Santos tragó saliva, Está bien, comandante, usted gana, la casa es suya, ¿Y los papeles?, Vea al licenciado Ugarte, tiene su despacho en La Lonja, ¿qué me dice del muchacho?, Lo dejaré libre en cuanto vea los papeles, colgó y se dirigió a la chica, ¿En qué quedamos?, ella enrojeció: Ya le dije la otra noche, no puedo, Conste que le hice caso, me operé y todo eso que me pidió, Es por su bien, Ojalá y fuera también por el suyo, volvió a sonar el teléfono y Mascareño abandonó el lugar. Franco, le confió a su asistente antes de llegar al carro, Esa mujer tiene que ser mía, Le recuerdo que el novio es hijo del presidente de la Asociación de Agricultores, Mascareño se notaba agobiado, No me importa, ya te dije, tiene que ser mía, Entiendo, comandante, usted dirá.

Cruzaron la ciudad hasta el edificio La Lonja. LIBERTAD PARA DAVID V, exigían algunas bardas musgosas, con tanta humedad. Culiacán es de las ciudades que llora por sus hijos. Los recibieron Arango y Ugarte, ¿Y los papeles?, Aún no los han traído, comandante, llegarán aquí en unos momentos, Ajá, ya veo, ¿Y nuestro cliente?, Me lo voy a llevar de paseo hasta que vea los papeles: dígale a don Santos que cada minuto vale una uña.

Mascareño entró al carro casi desvanecido, Vamos al changarro, ordenó. David respiraba con trabajos, ¿Qué onda, por qué no me sueltan?, de pronto identificó una vez más el olor a mierda y las voces lastimeras de los detenidos: estaban en los separos de los Dragones. Trata de no cometer errores, aconsejó la voz. Lo llevaron hasta el fondo de un pasillo y le quitaron la capucha: era la misma habitación donde lo torturaron. Un grito se le atoró en la garganta, se repitió: No va a pasar nada, no va a pasar nada, pero fue inútil, pues la angustia se le había hecho nudo, Estoy muy encabronado contigo, le gritó el comandante, Mascareño tenía los labios resecos y los ojos hundidos, Me informaron que ayer en el mitin parecía que no había otro preso, todos coreaban libertad a David Valenzuela, ¿me puedes explicar por qué, Bocachula?, ¿quiénes fueron los organizadores y de dónde te conocen?, ¿son amigos de Santos Mojardín?, se me hace que eres su líder, ¿verdad, cabrón? Eres un zorro. David vio que el Gordo y el Alto estaban a un lado y, haciendo de tripas corazón, preguntó: ¿A qué horas me van a soltar?, Mascareño casi estalló: ¿Soltarte? ¡Vas a chingar a tu madre, cabrón! ¿Crees que por una pinche y pulguienta casa te voy a soltar? Nada pescadito, olvídalo, los Dragones valemos más; pinches narcos, se creen los dueños del mundo, pero conmigo se chingan, Mojardín está pendejo, ¿por qué apoya a los guerrilleros?, ¿qué gana con apoyarlos? Conmigo se las va a ver negras, ya verás. David notó que Mascareño quedó extenuado con el discurso. Yo sé cumplir un trato, dijo de pronto, Claro que te voy a soltar, pero antes me vas a decir quiénes organizaron el mitin, Le juro que no sé nada, yo estaba encerrado, Franco lo interrumpió: Mira, cabroncito, así decía tu primo, que no conocía a nadie, pero luego lo madreamos, le cortamos los huevos y se los comió, por cierto, le cambió la voz, y como le gustaba vestirse de mujer terminó hablando como mariquita, Hijo de tu pinche madre, ¿Qué dijiste?, Mascareño hizo una seña al Gordo, que derribó a David de un puntapié, el Alto trajo un tehuacán, con una mano le tapó la boca y con la otra se lo echó por la nariz, mientras tanto Franco y Loza se pararon en las piernas del reo. David sintió que se ahogaba, cada burbuja era una temporada en el infierno, al grado que su parte reencarnable hablaba de viajes submarinos y sables oxidados. Lo soltaron al vaciarle todo el líquido; tardó en reponerse, parecía que el escozor infernal no se atenuaba. Mira, Bocachula, Mascareño se veía bastante pálido, pero aun así sacó su miembro con torpeza y orinó en la botella, Sabemos que te encanta el sidral, vas a tomarte unos tragos. Cuando terminó de orinar respiraba con trabajos, se dirigió a Franco y a Loza, A ver, les pasó la botella, Aporten para la causa. El envase se llenó con el tercero, No quisiste tomar tus orines, ahora te las verás con los ajenos, dijo la voz, Pues a ver si me alivio, Olvídalo, los orines ajenos no hacen efecto, A ver, Bocachula, lo agarraron entre el Alto y el Gordo, híncate.

246

A pesar de su fatiga, Mascareño se empeñó en ser él quien lo obligara a beber, el Gordo le tapó la nariz y el comandante le introdujo la botella en la boca, Te voy a liberar, ya te dije, pero quiero que te vayas sin sed. Era un sabor ácido, tuvo que sofocar varios violentos arqueos, Disfrútalo, Bocachula, Cae más pronto un hablador que un cojo, comentó la voz, Mira nomás, se burló Franco, Le gustó la malteada, Se me hace que quiere más, dijo Loza, Vamos a tener que llamar a todo el regimiento. David terminó a tragos largos, Bien, Bocachula, así me gusta, que sigas siendo de los nuestros, necesito datos, del Chuco y Bacasegua ya tengo, pero de los nuevos, de los que están entrando ahora, me faltan, y como Loza se va a Guerrero adivina quién se va a quedar en la cárcel. David eructó, los demás rieron, Ni modo que no quedaras satisfecho, y esto es el principio, la próxima vez te vas a tragar nuestra mierda; el rostro de Mascareño acusaba cada vez mayor fatiga, de pronto su vista se empañó y soltó la botella, Franco y Loza se apresuraron a sostenerlo, Comandante, salgamos para que le dé el aire, tiene razón, Imelda, necesita descansar, Mierda de herida, si fuera de bala no molestaría tanto. En cuanto el Gordo abrió la puerta, David se lanzó por el envase, Recuerda que hay oportunidades que sólo se presentan una vez en la vida, Aguas, aguas, dijo Loza, antes de que pudieran desenfundar David se paró y lanzó el envase con toda su alma: Por el Chato, gritó. Franco ni siquiera alcanzó a subir las manos, vio venir la botella y, Pock, el impacto fue tan fuerte que cayó contra sus tres colegas, los cuatro se desplomaron al piso. El Alto fue el primero en levantarse, corrió hacia el preso y lo derri-

247

bó de un derechazo brutal; Loza se sacó a Franco de encima, Desgraciado, y se levantó a prestar ayuda a su jefe. El cadáver de Franco se desangraba. El Alto comenzaba a estrangular a David cuando, Nada pescadito, ordenó Mascareño, No me lo toques; su piel tenía el color del talco.

Franco yacía en un charco oscuro. El Alto tumbó a David, que buscó desesperadamente algo que arrojar, Nada pescadito, se burló el comandante, ¿Matarme a mí?, pendejo, aún no nace quien me ponga una mano encima; a cada palabra transpiraba, amenazar le costaba trabajo: Eres un idiota, vas a correr la misma suerte que tu primo, sólo que a ti te voy a lanzar vivo, llévenlo al helicóptero, Pero, jefe, todavía hay sol, Me vale madre, amárrenle un yunque al güey, nada de lastres que se desmoronan, pinches guerrilleros de mierda, además coludidos con narcos.

Comenzaba a atardecer cuando se alzaron sobre el Mar de Cortés. Luego de inhalar su segundo pase de cocaína, Mascareño lamentó la muerte de Franco, Qué chinga nos paraste, Franco era mi mano derecha, su palidez había disminuido pero seguía conmocionado; el piloto miró a David con curiosidad: ¿Quiere un toque, compa?, y David aceptó, el hombre se parecía a aquel que lo sacó de Chacala muchas noches atrás, la noche en que empezó todo. Como estaba esposado, el Alto le puso el cigarro en la boca y David jaló profundamente, Cualquier cosa es buena antes de morir. Le pareció que el mar se oscurecía poco a poco, le habían amarrado un bloque de hormigón al cuello y el peso descansaba sobre sus muslos; tenían la puerta del boludo abierta y lo habían sentado en la orilla, las pier-

248

nas colgando hacia fuera. Cuando sobrevolaban la punta de Atamiraco se preguntó: ¿Y la *Acorazado Potemkin?*, pero volaban tan alto que no alcanzó a distinguir nada, era evidente que no tenía salvación. Entonces el boludo giró y descubrió la Luna, alumbrando el mar, presidiéndolo todo.

A un lado del piloto, Mascareño se volvió e hizo la señal de que lo echaran, y David sintió deseos de defecar. Al fin nos vamos a separar, dijo su parte reencarnable, No sabes cuánto lo anhelé: tu muerte significa vida para mí, ¿Qué quieres decir?, Todo este tiempo trabajé para perderte. La revelación lo sacudió. No te imaginas lo bien que me voy a sentir cuando me liberes, si me demoré en provocar tu muerte es porque eres demasiado bruto y siempre me contradecías, nunca aceptabas mis órdenes, ahora sólo espero que te pudras en el infierno, Eres una infeliz, Y tú un pobre imbécil que pronto será la cena de los tiburones, Maldita, Nunca quise estar contigo, yo quería a alguien con más malicia, que no anduviera con la boca abierta, ¿quién crees que te indujo a enfrentar a Rogelio? Ese payaso presumido, no tenía por qué apuntar al cielo en lugar de matarte; lo mismo pasó con Rivera, que debió hacerte pedazos.

David observó por la ventanilla, ahí estaba Venus, pronto se vislumbraría el resto de las estrellas. ¿Qué era la Vía Láctea para los aztecas?, se preguntó, Una serpiente de nubes, recordó, Es cierto, se alegró de no sentir retortijones, La Vía Láctea era una serpiente de nubes para los aztecas, ¿Lo aventamos vivo, mi comandante?, Exactamente, expresó Mascareño, Pero primero cástralo, ¿o qué?, ¿piensas que Franco no lo merecía?

David se puso de pie, miró al comandante y sonrió, Eh, cuidado con el pendejo, luego se inclinó sobre el vacío, Agárrenlo, agárrenlo, ¿Qué estás haciendo?, dijo su karma, y dio un solo paso: Noooo, gritó su parte reencarnable, Suicidio nooooo, Nada pescadito. La caída le pareció eterna. Mientras caía jalado por el bloque de concreto escuchó la voz de Janis Joplin, Hey, chavo, ¿qué onda?, ya sé que no eres Kris Kristofferson, pero sígueme, te he estado esperando, despedía un suave aroma oriental, Sé que siempre me fuiste fiel, Claro, respondió. Entonces se impactó con el agua y sintió que su parte reencarnable se separaba de él y se hundía girando en forma de espirales, ¿Qué onda?, ¿estaré muerto?, pero no le importó: allí estaba Janis con su pelo ondulante, preciosa, llena de collares exóticos, vestida con su túnica blanca. Vio pasar un cardumen y en él a un pez de colores, luego el agua borró todo, el mundo se hundía y todo se puso oscuro, oscuro. Lo último que distinguió fue al Obladí flotando a media agua.

*Latebra Joyce, agosto de 2001*

# Últimos títulos

478. Conejo es rico
John Updike

479. La mujer en la Muralla
Alberto Laiseca

480. El diagnóstico
Alan Lightman

481. Amrita
Banana Yoshimoto

482. En casa de los Krull
Georges Simenon

483. El libro de las pasiones
Mario González Suárez

484. El ángel descuidado
Eduardo Mendicutti

485. Los palacios distantes
Abilio Estévez

486. La música de una vida
Andreï Makine

487.  Sputnik, mi amor
      Haruki Murakami

488.  El pensamiento de los monstruos
      Felipe Benítez Reyes

489.  Cómo me convertí en un estúpido
      Martin Page

490.  Muerte en directo
      Toby Litt

491.  En el estanque
      Ha Jin

492.  El caso Arbogast
      Thomas Hettche

493.  Los perros de Riga
      Henning Mankell

494.  El arco iris de gravedad
      Thomas Pynchon

495.  La vida ordenada
      Fabio Morábito

496.  Al este de Edén
      John Steinbeck

497.  El asalto
      Reinaldo Arenas

498.  El paraíso de los caballos
      Jane Smiley

# ACKNOWLEDGMENT

I would like to acknowledge my family and friends
who have been a significant part of my journey.
Thank you for always supporting me when I wanted to give
up. This book wouldn't be possible without you.
You are greatly appreciated.

# CONTENTS

Introduction      i

Day 1    Ratchet but Righteous      1

Day 2    Shooketh      4

Day 3    You Gotta Chill Fam      7

Day 4    It Ain't Nothing to Cut that Off      9

Day 5    Boy, Bye      11

Day 6    Hurt Bae      13

Day 7    Alexa, Play Me, Myself and I      15

Day 8    Stop Being Crazy      17

Day 9    Give it to God and Go to Bed Chile      19

Day 10    Chill Bro      21

Day 11    Issa Test      23

Day 12    L's Teach Lessons      25

Day 13    Do Something Strange for a Piece of Change      27

Day 14    You the Baddest      29

Day 15    Drop That Ten Percent Fam      32

Day 16    Fake Woke      35

Day 17    Wanting New Ish, but Doing Old Ish      38

Day 18   Shoot Yo Shot Fam                           40

Day 19   Build                                        43

Day 20   That Ain't It Sis                            45

Day 21   Get You Some Real Friends                    48

Day 22   It's Gon' Cost Ya!                           50

Day 23   Ain't No Complaints                          52

Day 24   It's Hard Outchea!                           54

Day 25   It's a Reason or a Season                    56

Day 26   You Don't Want These Problems                58

Day 27   Don't Do it for the Gram                     60

Day 28   Real G's Move in Silence                     62

Day 29   Don't Get Finessed                           64

Day 30   Jesus Ain't Your Sugar Daddy                 66

Day 31   You Gon' Wait, or Nah?                       68

Day 32   Oh You RUNNING, RUNNING                      70

Day 33   Your Next Move                               73

*The following thirty-three devotionals
are based on things I encountered through
transitional phases in my life.
I hope you find them helpful.
Lisso*

# INTRODUCTION

The pace at which pop culture moves today makes
Ratchet Revelations *necessary*. It is a modern-day tool
written with millennials in mind, to help us engage
with God's word. Each day features a verse, Bible
story or short explanation of scripture to provide a
better understanding of the Bible. I also share
personal stories which highlight how Jesus worked
in my life. Take this journey with me as I seek to
support people who are sincerely trying to get closer
to Him...just like I am. My hope is that you find the
devotional relatable and encouraging.

We will explore the fact that although culture
constantly shifts, God's promises remain the same.
He is a unique God who demonstrates miracles
differently in the lives of individuals. Our responses
to Him are unique as well. A classic example is the
four Gospels which tell the story of Jesus' life, death,
and resurrection. Matthew, Mark, Luke, and John
have distinct perspectives although the main
character (Jesus) and the stories of all He's done are
the same. Each man experienced Him in a different
way.

Like me, you have your own story and God is
calling us to be the Matthews, Marks, Lukes, and
Johns of the millennial age. He wants us to share
what we've seen, where we've been and how He has
saved our lives and delivered us. Here is my account.
The Gospel as Lisso *(that's me)* understands it.

# Day 1
## RATCHET BUT RIGHTEOUS

*And you will know the truth, and the truth will set you free.* **John 8:32 (NLT)**

So, let me keep it real; I am not perfect. This book wasn't written because I believe I'm doing everything right. The truth is, I've made many bad decisions and I'm sure there will be more. If you're looking for a role model this book is not for you. If you picked it up because you need help finding Jesus as you navigate through your own encounters, keep reading. *Ratchet Revelations is for the faithful, not the perfect.*

Wikipedia describes *ratchet* as, "a slang term in hip-hop that in its original sense referred to an uncouth woman, a Louisianan regiolect version of the word "wretched." The term now has broader meanings and connotations and is no longer strictly bound by race or gender. It gained popularity in 2012 through music artists and celebrities and has been used similarly as the word "ghetto" (garish or crass). *Ratchet* can be used as an adjective, noun, or verb. The word has evolved to have many different meanings, and it can have either positive or negative connotations.

*Thank God for that.*

Some of my behavior can be considered ratchet. I'd get *lit* on the weekends, enthusiastically engage in jigging and twerking, then milly rock during praise and worship on Sunday. I wear risqué, sexy but classy clothing. Did I mention my Dad is a pastor? Society has certain standards for how preacher's kids (PK) should act. I don't meet their standards. The truth is, I have not fully given up my "carnal ways," but I am constantly seeking God, so I can turn away from behaviors which displease Him.

I love Jesus Christ with every inch of my being. He delivered me from loneliness and hopelessness. He opened doors I would've never imagined. He's the reason I exist. This book is for those who continue to press to become more like Him.

The first step to freedom is to accept all your truths. John 8:32 says, "And you know the truth, and the truth will set you free." Some people are still enslaved by sin. They will never be free because they portray an, "I love Jesus" lifestyle to the world on social media when, in reality, their life says otherwise. I encourage you to embrace your "mess." God takes our messy situations and creates messages to teach others. I've learned to not feel ashamed of my mistakes because I know *He uses flawed people to share hope in a flawed world.*

Noah planted a vineyard, got lit from the wine, and passed out in his tent (Genesis 9:20-21). Paul, who was once called Saul, was a murderer who persecuted Christians (Galatians 1:13). Peter denied Christ three times (Matthew 26:69-75). Jonah ran from God and refused to follow his instructions (Jonah 1:3). Rahab was a prostitute, throwing it back for multiple men (Joshua 2:1). God still used them to do great things for His kingdom. I encourage you to learn to understand and embrace your imperfections. Use them to help others. God creates purpose out of pain.

**PRAYER**

*Lord, help me to confront and accept the mistakes I have made. Use them for Your glory. Amen*

# Day 2
# SHOOKETH

*Each time he said, "My grace is all you need. My power
works best in weakness." So now I am glad to boast about
my weakness, so that the power of Christ can work through
me. That's why I take pleasure in my weaknesses, and in the
insults, hardships, persecutions, and troubles that I suffer for
Christ. For when I am weak, I am strong.*
**2 Corinthians 12:9-10 (MSG)**

In college, I was a witty, 4.0 grade point average
student who was typically reserved and focused on
academics. During freshman year I met a guy who
challenged my innocence. He was smart, romantic,
ambitious and finer than the wine I was too young to
buy. Our relationship defined my college experience
and eventually consumed my life. In the beginning, I
was satisfied, as one might be when they cash their
first little payroll check from the local retail store.
After a while, that little check is no longer
substantial. Soon, you question if the overtime hours
you now need to work are worth the small pay.

Eventually, the feeling of love disappeared
and so did the six-year relationship I'd given my all.
I felt lost during the breakup. The fine face I used to
dream about tortured me in what seemed like a
recurring nightmare. I was tripping hard. Anger and
depression consumed me. I spent countless nights on

tear-drenched pillows, beauty store lashes drenched in a pool of sorrow and regret.

I started partying. At the time it seemed there was nothing like a stranger offering watered-down drink specials all night with sultry music in the club to pass time. I thought no one would see my hurt if my twerk was always in motion, but deep down ya'girl was SHOOK.

Paul wrote letters to the church of Corinth about Christian misconduct. He admonished, encouraged and inspired them to get their act together. In 2 Corinthians he explains that though God does not take away our troubles and temptations, He sometimes allows things. Grace is enough to comfort us in times of distress.

God uses those who are desperate for Him. His strength is made perfect in our weakness (2 Corinthians 12:8). We lean, He works. You may feel weak, but God's power is great. You'll need His grace in difficult times. He will mend the broken pieces of your heart. You can depend on Him to do what is needful in your life. That's when transformation begins.

The process of moving forward from hurtful situations was challenging. I cried for countless nights, yet constantly chased God. I begged Him to help me let my ex-boyfriend go. When I thought I couldn't make it, I sought His presence. I listened to gospel music and countless Beyoncé songs such as, "Best Thing I Never Had."

Encourage yourself in the Lord daily. You will mess up. When you feel sad or lonely, hold on to the fact that His grace *is* sufficient! God is all you need to sustain peace, hope, and strength.

### *PRAYER*

*Dear Lord, when I feel down and defeated, please help me turn to You for strength. Let me realize that Your grace is enough to get me through difficult times.*

# Day 3
## YOU GOTTA CHILL FAM

*Delight yourself in the Lord, and he will give you the desires of your heart.* **Psalm 37:4 (ESV)**

As I navigate the *single woman* life, I often plot and scheme about how I will find my future man. Maybe it will be at some casual Friday night turn up. I envisioned finessing my way into the arms of a guy who'd been my sole focus for a long time. Who likes being alone? Issa no for me.

I constantly talked to friends about discovering love in every guy I came across. After countless unresponsive text messages, and a few pointless Netflix and chill dates, I quickly figured it was time for me to stop looking for this fairytale man and let God take control of my love life. We like to be in complete control, right millennials?

Yes, it's a challenge when life is not going the way we've planned. We sometimes lose the control we desire to have over our future. We must learn how to sit down somewhere (*literally*), without being anxious, and allow God to fulfill our desires. Submit to God today. Let Him take the driver's seat.

In Psalms 37, David tells us to not only surrender to God but to also find comfort and peace with Him. He breaks it down, simply:

1. Find comfort in your intimate time with God.
2. Love God and live for Him. Be pleased with Him.
3. Make *all* your affairs known to God. He will grant you your heart's desire.

Once I decided I no longer wanted to be a booty call, I was able to relax and wait for God to place the right man in my life – in His time.

What aspects of your life are you not placing in His hands? Is it your career? Your relationship? Or a business endeavor? Learn to seek God in every area. This involves praying in the morning when you wake up, on the way to work or even in the shower. Really fall in love with Him. He is dope, I promise.

If we develop a never-ending chase for Jesus Christ, everything else in our lives *will* fall into place. His word says that "He is a rewarder of those who diligently seek him" (Hebrews 11:12). Let God do what He needs to in your life. *He's got you.*

**PRAYER**

*Lord, help me to seek Your face daily for direction and to fully submit every situation I encounter to You.*

## Day 4
## IT AIN'T NOTHING TO CUT THAT OFF

*When she got him to sleep, his head on her lap, she motioned to a man to cut off the seven braids of his hair. Immediately he began to grow weak. His strength drained from him.* **Judges 16:19 (MSG)**

There are people in our lives that create confusion, anger, sadness, and bitterness. They may be friends, co-workers or family members. Look at your inner circle and ask yourself, *what is this person's purpose in my life*? If you can't provide a logical response, get to snipping. This advice is coming from someone who is uncomfortable with change. I don't like letting go. Instead, I try to find the good in every individual. Sometimes, I'm blind to their true character. Samson suffered from the same thing y'all.

He had *supernatural strength*, which set him apart (he killed 1,000 Philistine men at once). Then, he met a treacherous, beautiful, Philistine woman named Delilah. The Philistine rulers offered her money to tell them what made Samson so strong. She was relentless in her efforts to deceive him into giving up the source of his strength. He lied to her twice and each time they tried to bind him, he broke free. On Delilah's third attempt, Sampson finally told her the truth. It was his long hair. He was captured, his eyes gouged out, then thrown into prison (Judges 16).

Don't let people come into your space and steer you away from God's plan for your life. If we're keeping it real, the devil really wants you to be in relationships with negative people, because they keep you from your next level. In Samson's case, it is clear he was seduced by Delilah's beauty. He couldn't see her for what she was, *a snake*. Listen to God. He will show you those you need to let go.

**PRAYER**

*Lord, please help me to identify the people in my life who need to be cut off. Amen*

## Day 5
## BOY, BYE

*Become wise by walking with the wise; hang out with
fools and watch your life fall to pieces.*
**Proverbs 13:20 (MSG)**

Proverbs, also known as the book of wisdom, was
written to teach us how to live our best life; a life
which reaps great benefits. Solomon cautions about
walking with fools, specifically, *stop associating with
foolish people, because your life will be in shambles*
(Proverbs 13).

When you're cutting folks off, your emotions
may be confused. Sometimes there is guilt when we
end toxic relationships with people who are close to
us. Don't apologize for loving you. People in your life
must push you towards purpose, not pain.

You shouldn't harbor regret for getting rid of
negative energy. Everyone's not going where God is
taking you. People will come into your space to
interrupt your grind. As my favorite singer Beyoncé
said in her hit song "Sorry," *Boy, Bye.*

The irony of cutting people off is that when
you finally find the strength to disconnect, that's
when they come running back. Let me be the first to
tell you, it is a trap from the enemy. If you want to
live God's purpose for you, start walking with wise

people and eliminate those who are irrelevant. This is a season for glowing and growing.

**PRAYER**

*Lord, allow me to remain unapologetic for removing people who hinder me from your blessings. Amen*

## Day 6
## HURT BAE

*GOD, my God, I yelled for help and you put me together. GOD, you pulled me out of the grave, gave me another chance at life when I was down-and-out.*
**Psalm 30:2- (MSG)**

Have you ever gone through a hopeless phase where you were uncertain about God's plans for you, and just wanted to explore? When my relationship ended; that phase began. I lived with no regard for repercussions. At the time, it felt good to be unrestricted after *losing* in this game called love. Receiving those late night, "you up?" text messages was temporarily invigorating. After being exclusive all through college, the possibility of not having another lonely night was ideal, even if it was for a few pointless minutes. I was broken and lost. It was a time of great despair. I wasn't even talking to God because I truly didn't care. I'd gone off track. *Let me just live my life*, I thought.

When we are sad and broken, we often find unhealthy ways to escape our emotions. The exploration process becomes an unending journey, as we search for something we may never find. Do you seek corrupt escape routes in these times? Are you pursuing God? Have you made Him your safety? The

Bible says He is a present help in trouble (Psalms 46:1). Instead of turning to God, I ran to men and the Friday night turn up to suppress my pain. I didn't want to face the reality of being *hurt bae.*

If you're looking for comfort and cannot see yourself healed from emotional pain, let God fill the void in your heart. Trust Him, allow Him to heal the broken places in your life. He knows your heart and your desires.

In Psalm 30, David thanks God for delivering him from afflictions. He says, when we cry out to God, He hears us and puts us back together. Cry out to Him today. Surrender what seems to be hopeless. He can and will hear you!

**PRAYER**

*Lord, when I feel broken and hopeless, I will always put my trust in You. Amen*

## Day 7
## ALEXA, PLAY ME, MYSELF AND I

*To acquire wisdom is to love yourself; people who*
*cherish understanding will prosper.*
**Proverbs 19:8 (NLT)**

After being in a relationship of any sort, it is hard to go back to being alone. You become accustomed to having someone there on a consistent basis, and thoughts of, *what am I supposed to do now?* may arise. This is a critical moment. You need to draw closer to God; not get into another relationship. Do you know what triggers certain actions and responses from you? What brings you joy and happiness? What makes you angry? Get to know yourself well.

When I became single, I felt liberated. I traveled, celebrated my friends finishing their college degrees, and stepped out of my comfort zone to discover different things. I made what I felt were necessary modifications in my life. I changed my wardrobe, tried out new hairstyles, and learned how to just love being with me for a while. There was also a lot of alone time for emotional exploration. I learned what made me insecure, and what brought me happiness.

In Proverbs 19, Solomon writes that those

who consequently love themselves, gain wisdom; *true* knowledge and understanding about who they are. Create opportunities to learn about you and grow your relationship with God. Treat yourself to something new (but don't overspend), read books, educate yourself on topics you're interested in, travel, hang out with friends, set new professional goals, get a gym membership. Most importantly, read your Bible and pray every day. Ask God to reveal things you may be unaware of about yourself. This is the time to practice loving you.

Millennials are always on the go. We don't make time to be alone. If you attempt to fill voids with anything other than God, you delay becoming whole. Forget distractions. Let God do the work. Singleness is the most important time of your life. Don't give unqualified people and things space because you're lonely. Be careful not to use the microwaveable version of processing through your stuff. Take time to sit in the oven and truly bake.

**PRAYER**

*Lord, during times of loneliness and despair, please give me the strength to turn to You. Help me to become comfortable with being alone and loving me. Amen*

## Day 8
## STOP BEING CRAZY

*He heals the brokenhearted and binds up their wounds.*
**Psalm 147:3 (NIV)**

Singleness is important. It allows us to understand the root of our problems. Are you still *hurt bae*? Did you allow God to heal you from past hurts, whether from a parent, past relationship, or an old friendship? Sometimes, we miss God's blessings because we have not resolved to take control of our emotional incongruence. We hold onto pains. Let that hurt go fam.

One thing I had to deal with was a craving for constant attention. I wasn't completely healed, and God knew that. He had to show me it was okay just being with me. Are you provoking your insecurities and projecting them onto others? When irrational thoughts and emotions emerge, think the entire situation through. How desperate are you for your breakthrough? Will you take drastic measures to receive complete emotional healing?

There was a woman in the Bible who bled constantly for twelve years. Imagine having a menstrual cycle for that long, with no chance of it coming to an end. She spent all her money consulting doctors, and there was still no remedy.

One day, Jesus was walking in the crowd, and the woman decided if she could just get close enough to touch the hem of His garment, she would be healed. When she pressed her way through the crowd and touched His robe, He asked, "Who touched me?" This question seemed foolish since there were so many people. Once she revealed it was her, Jesus knowing the level of her faith said, "Be of good comfort, thy faith has made thee whole" (Luke 8:43-48). She was determined.

We need the same resolve. The first step is to let God show us who we are. We begin to move toward own healing by relentlessly seeking Him. He gives insight. He renews.

### PRAYER

*Dear God, please heal me from all wounds, so that I may be renewed. Amen*

## Day 9
## GIVE IT TO GOD AND GO TO BED CHILE

*Don't fret or worry. Instead of worrying, pray. Let petitions and praises shape your worries into prayers, letting God know your concerns. Before you know it, a sense of God's wholeness, everything coming together for good, will come and settle you down. It's wonderful what happens when Christ displaces worry at the center of your life.* **Philippians 4:6-7 (MSG)**

Do you typically reflect on issues or do a self-evaluation when you go to bed? I know I do. Usually, I'm up thinking about how I can repair negative situations in my life. There are many things I've prayed about but would still stay up thinking about methods to fix what I *claimed* I'd placed in God's hands. I was anxious. How could *I* make things better? Sleep wouldn't come.

The Apostle Paul writes the Philippians to thank them for the gifts given to him in prison, and to encourage them while they were persecuted. He told them not to worry about anything; but to trust and believe that God is bringing everything together for good (Philippians 4:6-7). If you keep trying to fix things after you've prayed, you're telling God you don't trust Him. He has the power to move obstacles out of your way. He doesn't need you to micromanage His movements. Sincerely release your worries. Receive God's peace.

**PRAYER**

*Dear God, help me to fully surrender every situation to You. Remove worry and anxiety and help me realize that You have every aspect of my life under control.*

# Day 10
## CHILL BRO

*Guard your heart above all else, for it determines the course of your life.* **Proverbs 4:23 (NLT)**

Don't give energy to things you shouldn't. When my ex-boyfriend and I broke up, I dated this guy. After our initial in-depth conversation, I really liked him. We hung out, talked on the phone quite a bit, and then suddenly, he disappeared. The phone calls and text messages stopped; he went ghost on ya' girl.

For weeks, I replayed every conversation I'd had with him to my friends. Where did he go? Why did he go? Had I done something wrong? I'd gotten attached and was determined to talk to him again. It was frustrating. What a nightmare, not only for me but also for my friends who had to listen to my ridiculous stories, countless times. I'd allowed my heart to cloud my judgment.

This experience showed that God will allow people (and situations) to come into our lives to teach a lesson. Let what He sends come, learn from it and let go when it's gone. Don't dwell on *what ifs*. Move toward what God has for you. I plotted and schemed to get the guy to talk to me again. I wasn't trusting God or guarding my heart.

Proverbs 4:23 tells us to, "Guard our heart at

all times because everything we do flows from it."
The two qualities I both love and hate most about
myself are the ability to be empathetic and having
unconditional positive regard for people.

I have a huge heart. Many times, I allow my
emotions to be in charge. It's not healthy to be so
emotionally driven. What or who have you let
overtake logical thinking? Are they hindering God's
will for you?

After my breakup, I assumed there would
never be anyone who could remotely spark my
interest. When God showed me men who had the
qualities I wanted, I finally entertained the thought
of experiencing love again.

Keep your cool. Don't let hard to understand
situations consume your time and energy. Develop
emotional maturity.

**PRAYER**

*God, please let me remain unbothered in situations
that do not require the amount of energy I invest
into them. Help me to stay in tune with my emotions,
and practice emotional maturity. Amen.*

# Day 11
## ISSA TEST

*When you go through deep waters, I will be with you.
When you go through rivers of difficulty, you will not
drown. When you walk through the fire of oppression,
you will not be burned up; the flames will not consume
you.* **Isaiah 43:2 (NLT)**

Did you ever go through a time where there was just
one problem after another? As soon as you got over
one, something else snuck up on you. At one point, I
wanted to square up with God. I grew tired of what
seemed like a never-ending financial struggle. I was
broke, my car was always breaking down and living
with my parents became complicated. I fixed my car
and two weeks later it broke down again. I was
trying to save, but unexpected expenses devoured
my money.

   When God tests you, don't complain. Ask for
wisdom. Try not to fail the same tests repeatedly. Do
not take control or you will continue to be tested
until He sees you have learned the lesson. I don't
know about you, but I don't like that kind of do-over.

   The Bible describes a man named Job as
"perfect" (Job 1:1). He was righteous and wealthy.
Satan believed Job was only faithful to God because
God blessed him. He got permission to test him. In
one day, Job lost his livestock, servants, ten children

and his wealth. The Bible says, "he tore his clothes and shaved his head in mourning, still he blessed God." Then, he was afflicted with terrible skin sores from head to foot (Job 2:7). They itched and oozed so badly, he used broken utensils to scratch them. Job's wife insisted he curse God for allowing it. However, Job responds, "We take the good days from God-why not also the bad days?" (Job 2:10). This story reminds us that though we experience severe hardships, we should never turn our backs on God.

If you were stripped of everything you love, would you still serve Him? Most times, if we try to fix things on our own, there are greater consequences. When I experience unexpected struggles, I take a step back and ask God what He is trying to show me. He gives me a roadmap detailing how to manage each situation. You may be experiencing strenuous situations today, but be reminded, God will not let you down.

**PRAYER**
*Lord, please allow me to remain strong when my faith is tested! Amen.*

## Day 12
## L's TEACH LESSONS

*If you need wisdom, ask our generous God, and he will give it to you. He will not rebuke you for asking.*
**James 1:5 (NLT)**

Every now and then, in our testing, we take what seems like a loss. Do you feel that you are doing all the right things, but not reaping the benefits? You can do all the right things yet not reap what you sow. There was one point in my life where I took losses at literally every turn. My relationship ended, I felt unappreciated at my job, and my bank account was constantly hit with unexpected expenses.

I was faithful and committed to my man at the time, and he left me hanging. I worked diligently for over a year and a half, yet no promotion. I tithed faithfully but struggled with my finances. What next? *Depression.* It seemed like God didn't care. I didn't deserve what I was going through. I sometimes wondered if "God is good," or if He was even interested in what was best for me.

James writes a letter to encourage those facing trials. He wanted us to view trials, whether large or small, as a test of faith in God. Sometimes we see them as God having some type of *beef* with us. It is hard to recognize who He is when our back is against the wall. When I'm in a tough process, prayer is the furthest thing from my mind. Instead, I feel like having a large glass of wine to suppress the daily struggles.

As I reflect on those experiences, I realize we will be hit with occasional losses. God's not mad at cha! He wants you to level up your faith. I say all this to say, whenever you get hit with a loss keep the right perspective. He's trying to educate you, and in turn, increase your faith in Him. When you hit rock bottom, the only place to go is up. Today, you may be experiencing a lot of losses. Ask God, what are you trying to teach me? How can I grow from this?

### PRAYER
*Dear God, for every loss, help me to learn the lesson You are trying to teach me. Increase my faith in you. Amen.*

## Day 13
## DO SOMETHING STRANGE FOR
## A PIECE OF CHANGE?

*For I know the plans I have for you, declares the LORD,
plans to prosper you and not to harm you, plans to give
you hope and a future.* **Jeremiah 29:11 (NIV)**

Aren't we all out here trying to make that money? I
sure am. After my college graduation, I landed an
entry-level job in higher education. I was excited.
God had opened the door in my field of interest. In
the first year, I was given opportunities for
professional development and networking, as well as
basic training and other skills which made me more
marketable. I had no complaints. In the second year,
there was a shift in dynamics at my workplace.
Opportunities for growth dwindled and I became
complacent. I never considered looking elsewhere
because I'd become comfortable.

Abraham's story is the best example of
someone who did something unusual and stepped
out in faith. God told him to leave his country and
family. He promised to bring him to a new place
(Genesis 12). Instructions were few, but the
scripture says, "Abraham departed and did as the
Lord instructed" (Genesis 12:4). God asked him to

make difficult decisions, yet Abraham had no clue where He was taking him.

If God gave you those same instructions, would you leave everything behind? Many people are uncomfortable with change, including me. God will place us in unfamiliar territory to increase our faith. I want to be like Abraham, willing to leave everything behind and trust that God *will* provide for me.

Don't become complacent. You won't grow. Set high goals and standards. Sometimes, we miss out on what God has for us because we're afraid of change. We are content in situations, afraid to leap into something new. Don't remain where you are because you're accustomed to it. If you truly want all God has for you, venture into that unfamiliar territory and be willing to adjust. That's what it takes to advance. Confront complacency today. Be willing to change!

**PRAYER**

*Lord, please help me to identify the areas in my life where I am complacent. Give me a desire to change. Amen.*

## Day 14
## YOU THE BADDEST

*I praise you, for I am fearfully and wonderfully made.*
**Psalm 139:14 (ESV)**

The way you view yourself determines what you believe you are worth. People who have a negative self-concept often settle for less than they deserve. Insecurity caused me to regularly do so because I was oblivious to my value.

I defined less as inconsistency, cheating, lying, unfaithfulness, and being unsupportive. I engaged in crazy scenarios like stalking social media pages, *pulling up* on my man and getting into altercations with different women. There are two sisters in the Bible who had issues because they were married to the same man, at the same time (Genesis 29).

Rachel and Leah's story is hot, so bear with me while I take you on their journey. Jacob (Isaac's son) went to live with his uncle Laban because he was afraid his brother Esau would kill him for stealing his birthright. Laban had two daughters, Rachel and Leah. The way Rachel was described, she had the body of a goddess and the face of a supermodel. Leah, however, was labeled as the one with "weak eyes."

Jacob fell in love with Rachel and wanted to marry her. Laban told him he had to work for seven years for that to happen. After seven years, Laban tricks Jacob and gives him Leah instead (it was the custom for the youngest daughter to be married first). My boy Jacob was heated. He did not love Leah *at all* (Genesis 29:31). After another seven years, Laban allows Jacob to marry Rachel.

Leah may not have been the prettiest, but she was able to have children while Rachel was barren. Leah kept having them, hoping each time, it would cause Jacob to one day love her more than her sister. This did not happen. Then, she decided to focus on God. She blessed and worshiped Him, despite being in a loveless marriage. She realized God would *never* stop loving her.

For a long time, I felt like Leah. I accepted less while waiting for someone to see my *worth*. I didn't consider myself the most attractive growing up, so I'd take whatever came my way. I lacked self-confidence. However, after spending time with God I understood His love for me and knew He would never keep me in a situation where I'd go through countless hurts, just for someone to *finally* appreciate me.

Some millennials have accepted the idea of waiting around for a man or woman to get it right. Some stay in *situationships* with no real commitment. In this story, Leah was married so she waited for God to reward her patience.

Are you willing to wait around for a man or woman to see your worth? I am, for sure, not waiting seven years for a man to see my value. Make sure you receive love, consistency, and appreciation. Don't settle for less than you deserve, *ever*!

**PRAYER**
*Lord, please help me to not settle for less than I deserve. Amen.*

## Day 15
## DROP THAT TEN PERCENT FAM

*If God gives such attention to the appearance of wildflowers— most of which are never even seen— don't you think he'll attend to you, take pride in you, do his best for you? What I'm trying to do here is to get you to relax, to not be so preoccupied with getting, so you can respond to God's giving. People who don't know God and the way he works fuss over these things, but you know both God and how he works. Steep your life in God-reality, God-initiative, God-provisions. Don't worry about missing out. You'll find all your everyday human concerns will be met.*
**Matthew 6:30-33 (MSG)**

How is your bank account looking? Sad? Well, if you aren't tithing that may be the reason. Tithing has been a controversial topic. Some do it while others are opposed. It is when you give God ten percent of all your earnings. So, if you make $3,000.00, you give God $300.00. Yes, I know, you may be thinking, *I am not giving God $300.00.* That's a car note, rent, insurance payment, or a phone bill. In addition to all your adulting obligations, you may not make an adequate amount of money to give anything additional, nevertheless, tithing works.

I have tithed since I started working, and it benefits my life. When I get paid, that ten percent comes out first. After that, I budget the remaining funds to pay my rent, car note, phone bill, and other expenses. One thing I can say for sure, I have never gone without. My bills are paid in full, and God opened doors in areas I would never have imagined.

As millennials, we sometimes feel as though our income is not enough to fund our bills *and* dreams. However, I'd like to remind you of the Bible story about the young boy who gave his five barley loaves and two fish to feed a crowd of 5,000 (John 6:1-14). God created a miracle with a little offering. You may be asking, *how can five loaves of bread and two fish possibly feed a crowd of 5,000?* It was possible because God blessed it.

Stop trying to do everything on your own and place your finances in His hands. If you offer the little that you have to Him, He has the power to multiply it and give you more than you could ever want or need.

When I was trusting God to go back to graduate school, I didn't want student loans. He heard my prayers and worked it out. I was offered a scholarship that would essentially cover all my costs. I didn't have to ask our federal government for one dime. Tithing comes through in the clutch.

When you tithe, you're saying, *God, I trust you with all my finances*. He can and will provide for you. This goes back to the principle of submitting yourself fully to Him. Matthew writes, "If God can provide for wildflowers, don't you think he will provide for you?" (Matthew 6:30). We must come to a place where we trust God with every part of our lives, including our finances.

### PRAYER

*God please take control of my finances. Help me to not stress about bills, but instead, have faith that you will provide all my needs. Amen.*

## Day 16
## FAKE WOKE

*Study to shew thyself approved unto God, a workman that needeth not to be ashamed, rightly dividing the word of truth.* **2 Timothy 2:15 (KJV)**

There is so much violence, social injustice, oppression, and inequality in our world. Many millennials really don't know the history and context of these issues but pretend they do, just to sound smart (we think). We're very opinionated and want to be considered experts on every topic. Everyone wants to be *woke* even when we have no credible sources to back up our opinions. As young adults, it's important that we educate ourselves about relevant things which happen in our society. Listen to the news or podcasts daily. Read books. It's crucial that we stay woke; not be *fake woke*.

When discussions are held in the workplace, with your friends, or on college campuses don't stay quiet. Be well-spoken. Contribute to the dialogue, but only if you have sufficient knowledge on the topic. Don't entertain this "fake deep" movement, trying to sound good, but not be able to back it up with facts. I learned not to comment on every situation or controversy that takes place. Sometimes, I truly don't have all the answers, or may not have done enough research to provide an informed opinion.

2 Timothy 2:15 says we must study to show ourselves approved. Paul is speaking to Timothy. He encourages him to be consistent and thorough in his work and studies. We are also asked to learn and understand God's word, so we can share His message with others. Continue to read it daily to gain clarity about what He's saying. One thing I wish to get across is that we hop off the fake deep wave and gain true knowledge of God's word.

When you read the Bible, it is important to understand who is writing, the context of the account, and why the author is speaking. You may not know where to start, so, I've included some tips below.

1. First, I would recommend using Google to find scriptures that identify with the specific situation you are experiencing. (i.e. scriptures on feeling lonely, or feeling depressed etc.) Google will populate a good selection.

2. Once you find the scripture, look at the history of what takes place in this period. Who is the author? Who are they speaking to? You can find all this information by using Google, Bible Commentaries (like Matthew Henry's among others), or Life Application Bibles.

3. Apply what you read to your life. Understand what the author is saying and figure out how you can make it applicable to your situation.

These three tips will assist. As you read your Bible, ask God to reveal what He wants you to understand in the passage. Stay woke!

**PRAYER**

*God please provide me with resources that will allow me to stay woke and educated in your word, as well as in our society. Thank you. Amen.*

## Day 17
## WANTING NEW ISH, BUT DOING OLD ISH

*Forget about what's happened; don't keep going over old history. Be alert, be present. I'm about to do something brand-new. It's bursting out! Don't you see it? There it is! I'm making a road through the desert, rivers in the badlands.* **Isaiah 43:18-19 (MSG)**

We miss out on God's blessings when we refuse to get rid of old habits and tendencies. If He blesses you with new opportunities, adjust your mindset to handle it. A leveled-up life requires a leveled-up mindset. Webster's dictionary defines opportunity as "a good chance for opportunity or advancement." Many times, God gives us those good chances, but because we remain stuck in the past, we miss out on what's ahead. A great example is Lot's wife.

In the book of Genesis, God said He would destroy Sodom and Gomorrah, but He gave Lot and his family an escape (Genesis 19:17). They fled as instructed, but Lot's wife looked back and became a pillar of salt (Genesis 19:26). She lost her life because of that decision.

What are you missing out on because you keep looking back? Let God move you forward. He does not want to withhold anything from you. If you hold on to past hurts or habits, you hinder the good

He wants to provide. God has major things in store for you. Don't miss your blessing.

**PRAYER**

*Lord, please don't allow me to bring old habits into new relationships and miss the blessings you have in store for me. Amen.*

## Day 18
## SHOOT YO SHOT FAM

*Have I not commanded you? Be strong and courageous. Do not be frightened, and do not be dismayed, for the LORD your God is with you wherever you go?* **Joshua 1:9 (ESV)**

Are you maximizing every God-given opportunity? The Bible says, "Faith without works is dead" (James 14:26). If you say you have faith but refuse to put in the work to achieve your goals, your faith is purposeless. We pray hoping God will answer, however, opportunities benefit those who prepare for them. Participate in your success.

Sometimes, it is frightening to step out on faith. You ask, "Is God really with me?" or "Can I accomplish this goal?" or "is this idea too far-fetched?" As I wrote this book, I researched ideas about how to become a best-selling author. You may think, *Sis you are way in over your head*, but faith in my dreams kept me writing. The thought of putting a book out there is frightening, but I must trust that God will allow success to come my way.

It's scary to chase your dreams. I've learned that God allows us to go through the process of fear, so we may always be reminded that He is sovereign. Kobe Bryant of the Los Angeles Lakers is one of my favorite basketball players. Statistics show he was arguably one of the best shooters in the league during his time. He took the shot regardless of where he was or who was in front of him. Some call him "cocky" or "arrogant." I say he was confident and fearless.

He is known for going into savage mode during the fourth quarter to secure the win. There were countless times where the odds were against him and he stepped up to help his team succeed. Kobe didn't wait for another team member to do it. They called him Black Mamba. Do you have a Black Mamba mentality?

Moses was chosen by God to deliver the people of Israel out of Egypt and into the promised land. After he died, it became Joshua's (his assistant) responsibility to assume the role. Imagine how frightened Joshua felt when faced with the new task. He had to put faith into action to claim the blessings of the new land. God encouraged him, "Have I not commanded you? Be strong and courageous. Do not be afraid; do not be discouraged, for the Lord your God will be with you wherever you go" (Joshua 1:9 NIV). We can learn from Joshua. He put fear aside.

Millennials are smart and innovative, yet, I know many people filled with great ideas, but are too afraid to bring them to life. God is here to work beside you, not *for* you. He's equipped you for success. You won't enjoy His blessings if you're lazy.

There may be roadblocks, but don't let that discourage you. Take the first step toward accomplishing your goals and allow God to do the rest. You can and will make it!

**PRAYER**

*God, please help me to step out on faith, and trust that you will guide and lead me in every aspect of my life. Amen.*

## Day 19
## BUILD

*He is like a man building a house, who dug deep and laid the foundation on the rock. And when a flood arose, the stream broke against that house and could not shake it, because it had been well built.*
**Luke 6:48 (ESV)**

A solid foundation is critical if you want a strong building. If you don't build well, what you construct is likely to fall apart. God talks about the importance of a house having a sturdy foundation. The well-built house in this passage stood against rising flood waters (Luke 6). You will first need the necessary tools, as well as step by step instructions. Do you have all the parts and instructions needed to make you a solid individual?

There are many people who have not asked God to reveal the parts of them which need to be worked on. I'm a big advocate of self-awareness. For a long time, I wasn't comfortable in my own skin. I sought validation from people because I didn't allow God to fulfill me. I was missing pieces needed to make me whole, including self-love, self-acceptance, and confidence. I wasn't self-aware, nor did I allow God to mold me into the person He created me to be. My foundation was built on what I felt I needed to be for others. A secure foundation is less likely to be broken.

At times you may feel like you're falling apart, but you will stand because God has created a solid foundation in you. Spend time with Him. He is all you need to withstand the tests and trials of life. Allow Him to make you whole. It takes time and patience to build anything great. I encourage you to enjoy the process.

**PRAYER**

*Lord, please let me to establish a solid foundation on which to build. Help me to build well. Amen.*

## Day 20
## THAT AIN'T IT SIS

*My dear friends, don't believe everything you hear.
Carefully weigh and examine what people tell you. Not
everyone who talks about God comes from God.*
**1 John 4:1 (MSG***)*

Are there people in your life who are no good for
you? Observe carefully when you interact with them.
Listen well when they speak. Let them show you
who they really are. They are haters, liars, cheaters,
or thieves who serve absolutely no purpose and try
to cause havoc in your life (your categorizations may
be subjective). Pray for discernment (some people
call this intuition; that feeling you have when
something or someone is not right). Ask God to
reveal what you need to know.

　　There are two traits I both love and hate
about myself; the ability to be empathetic and my
unconditional positive regard for people. These are
necessary for a counselor, so I am undeniably in the
right field. However, I have to be mindful of who I
allow into my life and heart. I always find a way to
see the "good" in everyone or let people take
advantage of me (didn't even realize I was doing it)
and it hurt. People who were no good for me did
whatever they wanted *to* me because I didn't discern
their true character and intentions.

John writes to the Christians in Ephesus because people in the churches were being taught the wrong things. He corrected and admonished them to be mindful of false teachers, as everyone who speaks of God is not necessarily from God (1 John 4:1-3). Have you done a thorough examination of the people in your life?

The scripture says we must analyze what a person says to verify if it is true. Though John was speaking of false prophets, this applies to us too. Sadly, we may believe everything we see without evaluation, whether people, things we see on social media, or on tv. We take everything and run with it.

Discernment is important. It is defined as the ability to judge well. When we don't discern, our decisions are contrary to what God wants of us. Sometimes, we end up being used and taken advantage because of poor judgment. Recognize and immediately remove the wrong people from your inner circle.

So, how do we become more discerning? It all comes down to knowing God's voice. When you have a relationship with Him, you know when He is talking to you. He says, "My sheep know my voice (John 10:27). Learn to recognize when He is speaking and avoid negative situations.

**PRAYER**

*God, please help me to develop a spirit of discernment and recognize people and things that are not for me. Amen.*

## Day 21
## GET YOU SOME REAL FRIENDS

*Become wise by walking with the wise; hang out with fools and watch your life fall to pieces.*
**Proverbs 13:20 (MSG)**

Look at your inner circle. It determines where you're headed. If you're surrounded by individuals who are not focused, driven, or making moves, that's how your life will appear. Spend time with like-minded people. Your crew will always understand what you've been through.

I'm thankful for the friends God has placed in my life. They can be a little over the top sometimes, but anyone who really knows me knows I can be extra too. Here's the bottom line though, we all have similar qualities, morals, and values, *and* they usually give great advice.

Proverbs 13 makes a comparison made between good and bad company. "You become wise by walking with people who are wise and have a yielding desire to become wise. If you are hanging with fools, your life will fall to pieces." I've had friendships which caused my life to be in shambles. My association with these individuals, who I'd allowed into my inner circle, kept me from being where God needed me to be.

Are the people in your inner circle adding to your life, or subtracting from it? Friends should push you to your purpose. Don't stay in relationships with people who are using you for personal gain. They'll prevent you from growing. Your growth requires separation from those who are not favorable to God's plan for you.

**PRAYER**

*Lord, please put positive people in my life, those who help me grow, glow, and flourish. Amen.*

## Day 22
## IT'S GON' COST YA!

*For which of you, desiring to build a tower, does not
first sit down and count the cost, whether he has
enough to complete it?* **Luke 14:28 (ESV)**

There were often great crowds following Jesus. He
was the cool guy, doing great things. They saw the
miracles He performed, and how He lived, yet did
not understand what it would cost to follow Him. He
broke it down to them, *you've got to give up
everything. If you're not willing, then straight up, you
can't roll with me* (Luke 14:25-27).

We must do a thorough examination of our
visions and dreams and ask if we're willing to make
the necessary sacrifices to accomplish those things.
What will it take to make yours come true? Be open
to taking risks to make them a reality! You may
have to get off the scene for a while, quit a job, or
make huge financial investments.

When I decided to go to graduate school, I
chose to work full-time, take four classes per
semester, and work a side job as an academic coach.
My daily schedule started at 7:30 a.m., and ended
around 10:00 p.m. That didn't even include trying to
factor in a social life, time with family, writing this
book, and staying on top of my bills. However, I had

to do whatever it took to get my master's degree, so I could have my dream job.

Sometimes, we don't want to go the extra mile. There is a sense of entitlement. We think everything should be handed to us on a silver platter. That's not how it goes. We must work to give life to our dreams.

There were many times I stayed up late to do homework or try to complete a chapter of this book. Everything was so overwhelming. With great sacrifice comes great reward. Assess your visions and goals. Make sure you are willing to do what you need to see them come to fruition.

**PRAYER**

*God, please give me the tenacity and the drive to accomplish my dreams, no matter the cost. Amen.*

## Day 23
## AIN'T NO COMPLAINTS

*That is why I tell you not to worry about everyday life—whether you have enough food and drink, or enough clothes to wear. Isn't life more than food, and your body more than clothing?* **Matthew 6:25 (NLT)**

In the sixth year of my relationship, I realized I was not living my best life. My thoughts, actions, and activities were solely about academics and keeping my man. I was so in love with him, I didn't realize he was distracting me from being great in other areas. Although I graduated college within four years with a good grade point average, I missed most of my college experiences because I was in a relationship I had no business being in. I didn't engage in the normal college turn up or become involved in student organizations on campus. I was filled with regret.

We must live according to God's plans and purposes. What's hindering you from reaching your full potential? Are you truly living your best life? Have you capitalized on opportunities?

We're sometimes distracted by our heart's desires. We can be pulled from things which push us to our fullest potential or do the right thing at the wrong time. Luke 10:38-41 includes a short passage about distractions.

Jesus and His disciples traveled to Mary and Martha's home in Bethany. There was a lot to do since they had many guests. Martha became anxious and upset that Mary would not help. Mary was more interested in being with Jesus. Martha was so busy doing working, she missed what Jesus spoke to those surrounding Him.

Millennials create impact yet are sometimes so distracted we miss what God is saying. We can be preoccupied with relationships, unhealthy friendships or time-consuming careers. Thoroughly evaluate your life. Eliminate things which would cause later regret. Remove obstacles which hinder you from accomplishing your dreams. Ask God to shift your focus. You've only got one life. *Live it to the fullest.*

**PRAYER**

*God, please help me to live my best life. Remove distractions which hinder me from being great. Amen.*

# Day 24
## IT'S HARD OUTCHEA

*So let's not get tired of doing what is good. At just the right time we will reap a harvest of blessing if we don't give up.* **Galatians 6:9 (NLT)**

I don't know about you, but for me, living right is hard. It's exhausting to constantly remind myself to resist the desires of the flesh. Sometimes, I just want to get my twerk on, and live my life with no penalties. It's easy to return to bad habits when you're vulnerable, but bad habits have bad consequences. There may be times when you read your Bible, go to church, pray, ignore text messages from that trash ex-boyfriend or ex-girlfriend or even get in the gym on a consistent basis. You just want to catch a break. You're doing your best and it's tiresome when you don't see the benefits of those efforts.

While I was single, there was a temptation to text the ex-boyfriend when I got lonely. I wanted companionship. The single life was handing me a bag full of losses. If I texted him, I would be right back in a relationship I knew was no good for me. I grew weary. There were nights I would cry to God, and ask, "Why me Lord?" I worked hard to put the shattered pieces of my heart back together, yet I struggled. In what areas of your life have you grown weary?

The Apostle Paul writes, "We should not be weary when we do good deeds for others, as well as for ourselves" (Galatians 6:6). It's easy to get tired and depressed, but every good deed is like a seed. We're not sure when our harvest will come. Be comforted. It *will* come to those who diligently seek the Lord.

If you feel like you're consistently working but can't see the benefits, continue to believe God. He sees you out here working. He knows how you feel. Just when it seems like you're at the end of your rope, He shows up. He will see you through; DO NOT GIVE UP.

Wait for your time of abundance. Trust God in your dry season. He will cause your dreams to come to life. You're almost at the finish line. Breakthrough is on the way!

**PRAYER**
*God, please allow me to continue to trust in you when I am at the end of my rope. Help me to not give up. Amen.*

## Day 25
## IT'S A REASON OR A SEASON

*Don't befriend angry people or associate with hot-tempered people, or you will learn to be like them and endanger your soul.* **Proverbs 22:24-25 (NLT)**

Long-time friends and family sometimes turn their back on you. It's true that the ones who are closest can cause the deepest scars. Though difficult to accept, it happens. Despite this, we still have a responsibility to love. Yes, as crazy as it sounds; always choose love over hate. You don't need to get even. Be kind.

Judas, one of Jesus' disciples, was with Him daily. He saw Him perform miracles and listened to His teachings yet betrayed Him for thirty pieces of silver. How could he sell Him out?

There may be someone in your life pretending to be your friend, but deep down they're jealous and conniving. They act as if they want to be on your team yet want to see your downfall. Millennials' tolerance for inconsistent people is slim to none. We are quick to *cut people off*. That's not what Jesus did. He *knew* Judas would betray him and chose to love him anyway. In the end, Judas committed suicide because he was unable to live with what he had done. If you choose love, your enemies will eventually leave you alone.

Choose love. Love in spite of, love even when you know people are secretly hating. Love those who have done you wrong. Vengeance is in the hands of the Lord. Don't feel like you must get even. Love from a distance and allow God to handle your enemies.

Jesus washed His disciple's feet then revealed one of them would betray him. Everyone wanted to know, who? He never said. He just loved.

**PRAYER**

*Lord, please help me to display a spirit of love, always. Amen.*

## Day 26
## YOU DON'T WANT THESE PROBLEMS

*But the Lord said to Moses and Aaron, "Because you did not trust in me enough to honor me as holy in the sight of the Israelites, you will not bring this community into the land I give them.* **Numbers 20:12 (NIV)**

Some of us push our luck when God gives us many opportunities. At some point, we'll run out of chances. Let's not play with God by getting back into relationships we *know* He did not sanction or engage in irresponsible sexual behaviors which can cause sexually transmitted diseases and unplanned pregnancies.

We purchase items after He says wait, then complain when we're broke; or accept a job offer He specifically said was not His plan for us. Listen when He speaks, and you won't suffer later.

I paid a very hard price by making bad decisions and refused to heed God's instructions at great cost - until I got *it*. It's tough when reality sets in. I don't know about you, but I don't want Him teaching me the *hard way* anymore.

When we ignore God, we end up in broken relationships, financial struggles, or deal with health consequences. Whatever our decisions, they result in permanent outcomes.

God commanded Moses to strike a rock to make water flow in the desert. Another time, He told him to speak to the rock, again promising water. Moses made a bad move. Instead of speaking to the rock, he struck it. His disobedience robbed him of a chance to bring the Israelites into the Promised Land. God was not playing. Obey God so there's no need for His stern correction. Don't be like Moses.

**PRAYER**

*God, please help to me listen to the direct instructions You give so I don't miss out on the blessings you have for me. Amen.*

## Day 27
## DON'T DO IT FOR THE GRAM

*Watch out! Don't do your good deeds publicly, to be admired by others, for you will lose the reward from your Father in heaven.* **Matthew 6:1 (NLT)**

We live in an era where everyone is trying to portray a certain lifestyle on social media. A lot of what we see is false, people flexin' their cars, designer clothes, and relationships. While this is all fine, some do it just to get attention from people they don't even know. They show one thing to the world, though their reality is quite different. How hypocritical!

I can recall times when I posted my significant other on the Gram (Instagram) all the time, and our relationship was so far from what I portrayed. The fine man I constantly posted as my "MCM" (man crush Monday) had my edges falling out. I wanted people's praise for the "happy" relationship I'd captured in pictures.

Matthew gives his account on one of Jesus' sermon on the Mount. He called out the hypocrites and warned about a display of vainglory (Matthew 6:1-7). He encourages us to take heed and not engage in activities just for people's praise. He is not a fan of hypocrites who show and tell just to be seen. Stop making moves to impress the world, instead be intentional and purposeful. Our heavenly Father wants us to be real.

Social media has become the reason for some people's existence. I'm all for getting on the Gram for an occasional flex, especially if my outfit is fire, but not for praise. Don't become just hype.

**PRAYER**

*Dear God, please help not to seek vain glory.*
*Amen.*

## Day 28
## REAL G's MOVE IN SILENCE

*Understand this, my dear brothers and sisters: You must all be quick to listen, slow to speak, and slow to get angry.* **James 1:19-20 (NLT)**

Don't be too quick to share your dreams with everyone. Stop running with half the information. First, find clarity and understanding about what God tells you. Follow His directions carefully. If you ask others for insight, you may stray from the path God is pointing you toward. Sometimes, you've got to move in silence. James says we must be, "Quick to listen and slow to speak" (James 1:19). Listen to what God is saying to you *before* you decide to tell the world about it. Once the vision is clear, take the next steps.

When I decided to write *Ratchet Revelations*, I was strategic about who I shared the vision with. It was important to make sure I'd undoubtedly heard from the Lord. This required time alone with Him for direction. I knew from the beginning that the purpose was not to gain popularity, or make a ton of money, but to encourage millennials. I didn't want to listen to negative criticism or be deterred from fulfilling the assignment.

Seek validation from God, not people. Are you announcing every move you make? A secure person doesn't find it necessary to broadcast each step they take. Joseph's story is a great example of why this can become a major mistake. He was the youngest of twelve brothers, the "favorite" son. He was a snitch who reported on his brothers to their father. Joseph was also a dreamer. He dreamt that the sun, moon and eleven stars bowed down to him. When he told his brothers, they hated him even more (*It should be noted the sun and moon represent his parents and the stars were his eleven brothers*). The thought of him ruling over them was too much. They sold him into slavery.

If God has given you a vision, be thoughtful, strategic and wise in the process of bringing it into existence. Only share it when He gives the okay.

**PRAYER**

*Lord, help me to not announce every move I make to the world before I've heard clearly from You. Amen.*

## DAY 29
## DON'T GET FINESSED

*Don't copy the behavior and customs of this world, but let God transform you into a new person by changing the way you think. Then you will learn to know God's will for you, which is good and pleasing and perfect.*
**Romans 12:2 (NLT)**

The mind is the devil's playground. He uses our thoughts and emotions to get us off course. Don't let him finesse you. As one who often gets caught up in my thoughts and emotions, I was being defeated by my thinking. *I will never get my dream boo*, or *I will never get the job*, or even *I'm not good enough*, frequently entered my mind. It felt terrible.

Satan's ultimate finesse was what he did to Eve in the Garden of Eden. God told Adam they could eat from any tree in the garden, except one. Satan, disguised as a snake, spoke to Eve saying that she would become like God if she ate the forbidden fruit. She believed him. Not only did Eve eat from the tree, but she also convinced Adam to do the same. Their bad decision affected every generation which followed.

Paul makes another appeal to the Christians in Rome (Romans 12) to change the way they think. Carefully examine your thoughts. They affect your choices. What you think is what you will do. If you refuse to change your thinking, you will overwhelm yourself with things which are not Godly or may not be part of His plan for your life. Negative thinking equals negative outcome.

Don't let the devil finesse you before God can make His will clear. If Eve was more mindful of God's specific instructions, she would not have been tricked by the enemy. Her most consistent thought process affected her decision.

Is your mind set on the things of God? Let the Holy Spirit guide you. He will continue to mold you to be like Him. Renew your mind. Set your thoughts on His promises. Don't miss what He has for you. If you change the way you think, you *will* change your life!

**PRAYER**

*God, please help me to cultivate thoughts which glorify you. Amen.*

## Day 30
## JESUS AIN'T YOUR SUGAR DADDY

*Enter his gates with thanksgiving; go into his courts*
*with praise. Give thanks to him and praise his name.*
**Psalm 100:4 (NLT)**

We tend to forget God when everything is well in our
lives, but when troubles come, run to Him for help. If
you don't like to be used, why do you think He does?
Some people have a "Sugar Daddy" relationship with
God.

A Sugar Daddy is someone with gifts and
money, who is called *only* when an individual is in
need. That's what we do with God, run to church or
pray when we need doors opened, but not when all is
going our way.

On the road to Jerusalem, Jesus met ten men
who had an infectious skin disease called leprosy.
They cried out, asking to be healed, and He sent
them to a priest. In the Israelite community, the
priest determined whether they were contagious
(unclean) or not. As they went, they were cleansed.
However, only one returned to say thanks. Jesus
was disappointed that the others didn't (Luke 17:11-
19). He wants us to give thanks in all things (1
Thessalonians 5:18).

I did a thorough examination of my prayer life as I reflected on this. I'd only been praying when I needed God to make something happen for me. I was convicted. My prayer time was inconsistent. Imagine having a friend who you are always supportive of, but they never do anything in return. This is how we are with Christ when we constantly go to Him with requests, but never say thank you. No one wants to be abandoned or rejected. I don't know what I would do if Jesus ever turned His back on me. Learn to talk to Him like He is your best friend.

**PRAYER**

*God, I am sorry I've only been coming with requests, and not with thanksgiving. Please help me to have a better relationship with You. Amen.*

## DAY 31
## YOU GON' WAIT, OR NAH?

*But those who wait on the Lord shall renew their strength; They shall mount up with wings like eagles, They shall run and not be weary, they shall walk and not faint.* **Isaiah 40:31 (NKJV)**

Waiting on God can sometimes feel like taking a quick trip to Walmart for one item, then standing in line for almost an hour to check out. There are many people ahead of you, and the lanes are mostly full. What do you do? Complain about the terrible service? Place that item next to the candy and chips near the register and walk out? If you'd waited a few more minutes, you might have seen there was another lane being opened.

Millennials do not embrace the waiting process (including me). We are used to having just about everything at our fingertips. God is not into instant gratification. He teaches us to listen, trust, learn and grow. I often wonder why He puts us in predicaments which involve long waits. When He doesn't move as fast as we want Him to, we push our dreams aside and do something contrary to His plan. He's saying, *if you just hold on a little bit longer, you will see I am opening another lane just for you.*

Stop complaining, stop questioning the process and WAIT. God is about to do something awesome for you. Don't leave the Walmart in your life and head over to Target. You will miss out on the great value in store (pun intended).

The prophet Isaiah writes, "They that wait on God will be renewed" (Isaiah 40:31). This scripture was written to encourage the nation of Israel, who'd had a long and grievous captivity. God allows us to wait so He may guide, groom, and grow us up. I'd like to encourage you as well; wait on God! As the quote says, "Don't make permanent decisions based on temporary feelings" (Unknown). Wait for the new dimensions He's opening. Let Him take you to a higher place. Trust and believe in the process. Just wait!

### PRAYER

*Lord, create in me a spirit to wait on You. I may not understand, and I may not agree, but give me the strength to wait. Amen.*

# DAY 32
## OH YOU RUNNING, RUNNING

*One day long ago, GOD's Word came to Jonah, Amittai's son: "Up on your feet and on your way to the big city of Nineveh! Preach to them. They're in a bad way and I can't ignore it any longer." But Jonah got up and went the other direction to Tarshish, running away from GOD. He went down to the port of Joppa and found a ship headed for Tarshish. He paid the fare and went on board, joining those going to Tarshish—as far away from GOD as he could get.* **Jonah 1-4 (MSG)**

God sent Jonah to prophesy Nineveh's destruction. He tried to avoid the mission by going to Joppa and boarding a ship to Tarshish. While he was at sea, God caused a great storm. The ship's crew tossed him overboard to stop the sea from raging. A big fish swallowed him, and he spent three days and nights inside its belly. Jonah pleaded for mercy and God was gracious; the fish spit him out.

He traveled to Nineveh and fulfilled his purpose. 20,000 people were spared destruction because of him. His refusal to obey God would have caused Nineveh's entire population to be wiped out. We can learn several things from his story.

1. Do not run from the purpose God has for your life.

2. Your disobedience can cause unnecessary havoc in your life as well as the lives of others.

3. Your purpose may be designed to save someone who is on the verge of destruction.

Who does God want you to rescue? If He's given you a dream you have not yet brought to fruition, you're delaying the opportunity to possibly help someone. There are people who're waiting for you to fulfill your destiny.

I don't know who I'm writing this book for, but I encourage you to live your purpose! Whether it's launching that podcast, opening a business, starting a clothing line, writing that book, starting your YouTube Channel, or launching a makeup line...Do that thing.

You may be thinking, "I don't' have the education," or "I know nothing about business." Who cares? Just step out on faith and do it! Know this about God, "He doesn't call the equipped; He equips the called" (Rick Yancey). He'll provide resources for all you do to benefit His kingdom and make your dreams a reality!

God created us all for a purpose. When you truly walk in yours, there's a sense of fulfillment no one can take away. You will have drive, passion, and ambition because you walk in God's purpose. Don't run from the dream He's given you. Put it in His

hands and let Him do the rest. Never let circum-
stances deter you from what you were born to do.
You may not be where you want to be, but you are
where you *need* to be. God will set you up for
greatness if you trust and believe in the process.

**PRAYER**

*God, I will no longer run from my calling.
I will continually seek your face and
live my purpose.*

# Day 33
## YOUR NEXT MOVE

*We humans keep brainstorming options and plans, but God's purpose prevails.* **Proverbs 19:21 (MSG)**

Are you walking in your purpose, not what your mom or your friends want you to do, but what God wants? Our generation strays from what He created us to be because we are often trying to please others. The thought of writing a book was *never* in the forefront of my mind. Personally, I don't like writing, nor do I read books regularly. However, God saw this book in my purpose.

I will never forget what happened at the end of my freshman year of college. I'd attended a summer revival at my home church (at the time) and went to the altar for prayer. The Bishop, Abram Dixon, said, "God gives you dreams. You need to begin writing them down." I thought, "Yeah. Absolutely not." For five years, I did nothing. Though I had many dreams, I didn't feel they were worth writing down.

At the end of 2017, I was in a transitional phase. It felt like God had forgotten me. I was mad because my Christian walk was consistent, yet I couldn't see the benefits of my diligence. On October 15th, during our morning service, Psalms 37:4 was shared during praise and worship. The verse says, "Delight yourself in the Lord, and he will give you the desires of your heart." It hit me then, I felt unfulfilled because I was not delighting myself in God but in what I thought I needed. The revelation empowered me. Our desires must align with God's. I was ready to truly submit myself to Him. I vowed to align everything in my life with His will.

That night, I decided to post on Instagram to encourage others who could be having the same experience. I wanted to share what God had revealed that day, in my own way. As I was writing, it hit me, "Ratchet Revelations." Instead of "delight yourself in the Lord," I wrote, "You GOTTA chillll Fam, he got you." I'd relayed the same message in a way my peers would understand. That's what ratchet revelations is all about, bringing the word to millennials in our vernacular. In one night, God gave me my purpose. A prophecy received more than five years earlier instantly took shape. I wrote almost daily after that.

The reason some people don't understand their purpose is because they have no patience to wait on God or the wisdom to let Him reveal the process step by step. We are the generation of prompt satisfaction, who try to find ourselves through other people. Our selfish desires leave us unfulfilled, chasing things God never told us to go after. You may be plotting and scheming to figure out God's purpose for you. He will reveal it in your intimate time with Him.

I could never have written as I have without time spent with God. I dug deep and gained a new appreciation of His love for me. The process required time to analyze and accept why He put me through the things He did. I write this understanding that many consequences were a result of my choices.

What are you naturally good at? How can you use those things to bring positivity and change to the world? What do you like to do? Those questions were easier to answer once I figured out who I truly was. Yes, I'm a smart, sophisticated, yet ratchet millennial woman, who is trying to inspire, counsel, and share the good news of Jesus Christ to my generation.

### PRAYER

*God, please help me to find my purpose. Align me with the correct people and resources and allow me to understand what you have called me to do. Amen.*

Visit www.ratchetrevelations.com
for More Information

**Follow on Social Media**

Instgram.com/ratchetrevelations
Facebook.com/ratchetrevelations
Twitter.com/ratchrevelation

## ABOUT THE AUTHOR

Melissa Knight, a native of St. Croix, U.S. Virgin Islands, is a millennial sharing the good news of Jesus Christ with her peers. She was raised in Houston, TX and serves there at Lifestyle Christian Ministries where her father, George Knight, is a Pastor. Melissa earned an M.Ed. in Clinical and Mental Health Counseling and is a counselor in the Houston area. She believes *there is hope, even in our imperfections, and sometimes in spite of them.*

# NOTES – Day 1

# NOTES – Day 2

# NOTES – Day 3

# NOTES – Day 4

# NOTES – Day 5

# NOTES – Day 6

_____

_____

_____

_____

_____

_____

_____

_____

_____

_____

_____

# NOTES – Day 7

# NOTES – Day 8

# NOTES – Day 9

# NOTES – Day 10

# NOTES – Day 11

# NOTES – Day 12

# NOTES – Day 13

# NOTES – Day 14

# NOTES – Day 15

# NOTES – Day 16

# NOTES – Day 17

# NOTES – Day 18

# NOTES – Day 19

# NOTES – Day 20

# NOTES – Day 21

# NOTES – Day 22

# NOTES – Day 23

# NOTES – Day 24

# NOTES – Day 25

# NOTES – Day 26

# NOTES – Day 27

# NOTES – Day 28

# NOTES – Day 29

# NOTES – Day 30

# NOTES – Day 31

# NOTES – Day 32

# NOTES – Day 33

Made in the USA
Middletown, DE
05 February 2023

24043803R00076